MARTHA STEWART

MANUALI-DADES para NIÑOS

Este libro pertenece a:

MARTHA STEWART

MANUALI-DADES para NIÑOS

175 proyectos para que los niños de todas las edades creen, diseñen, construyan, exploren y compartan.

Fotografías de Annie Schlechter y otros

Atrévete a vivir una auténtica experiencia creativa para disfrutar en familia

Editorial **EJ** Juventud

Publicado por acuerdo con Clarkson Potter/
Publishers, un sello de Crown Publishing
Group, una division de Random House LLC

© de la traducción española:
EDITORIAL JUVENTUD, S. A., 2014
Provença, 101 - 08029 BCN
info@editorialjuventud.es
www.editorialjuventud.es

Traducción
de Pablo Manzano

Título original:
MARTHA STEWART'S FAVOURITE
CRAFTS POT KIDS

© Martha Stewart, 2013

Todos los derechos reservados

Primera edición, 2014

ISBN 978-84-261-4081-4
DL B 6356-2014

Núm. de edición de E. J.: 12.777

Printed in Spain

Este libro está dedicado
a todos los hijos de todas las
personas que trabajan en
Martha Stewart Living. Esperamos
que todos ellos crezcan realizando
manualidades y creando,
y deseamos que este libro
se convierta en su guía favorita.

ÍNDICE GENERAL

1

introducción
8
—————
agradecimientos
11

CREA TUS PERSONAJES
13

2

CONSTRUYE UN PEQUEÑO MUNDO
69

3

FABRICA JUGUETES ÚNICOS
105

4

CREA TU DISEÑO
159

5

EXPERIMENTA Y EXPLORA
209

6

REÚNE TUS TESOROS
243

7

DALE UN TOQUE PERSONAL
267

herramientas y materiales
318
—————
tiendas recomendadas
326
—————
plantillas
328
—————
créditos fotográficos
342
—————
glosario
344

INTRODUCCIÓN

Este libro no podría haber salido en mejor momento. Mi nieta la mayor, Jude Stewart, de apenas dos años, pasa varias horas al día ocupada afanosamente con numerosas manualidades apropiadas para su edad. Como la mayoría de los niños, es curiosa, activa, entusiasta y no teme expresarse en casi ningún ámbito creativo. Colorea, pinta con los dedos, coloca pegatinas, pega alubias sobre papel, recorta interesantes figuras como animales y flores, y todavía está aprendiendo a manejar un pincel y a pintar dentro de los contornos. Mucho de lo que a ella le hará falta en los próximos años, y lo que su madre necesitará para guiarla, está en las páginas de este libro, que contiene numerosas manualidades sencillas y atractivas, con los respectivos pasos e instrucciones a seguir. Este libro es, en realidad, un tesoro para niños y «educadores». Todos los trabajos incluidos fueron pensados en función de su simplicidad, el uso de materiales comunes y la búsqueda de un resultado colorido, alegre y fácil de obtener. Ningún proyecto es tan complicado como para que el niño deje de prestar atención, y en ningún caso se utilizan materiales difíciles de encontrar.

De pequeña yo era artesana y artista. Siempre estaba pensando en crear un objeto que fuera lo bastante especial como para regalárselo a mi madre, llevarlo al colegio o exhibirlo en casa. Pintaba, hacía muchas piezas de cerámica y arcilla, cosía, bordaba y tejía. A Papá Noel siempre le pedía materiales de arte, herramientas para manualidades, cola y papel. Mi hija Alexis siempre tenía algo con que entretenerse; era una buena alumna y no paraba de hacer manualidades. De pequeña trabajaba con arcilla, y llegó a ser una excelente tejedora y ceramista. Todos mis sobrinos y sobrinas también solían estar ocupados con las manualidades, que en muchos casos eran tareas para el colegio o ideas de un profesor, pero que siempre se realizaban en casa, con materiales en desuso hallados en el trastero o el taller. Siempre me sorprendía cuán prolífica, original y preciosa era su producción artesanal.

He conservado muchos objetos únicos que estos pequeños artistas me han regalado: los cuencos de cerámica pintados y barnizados, los individuales y tapetes tejidos, las pinturas y tarjetas, las bufandas y manoplas, los animales de peluche, los collares y brazaletes. Espero que gracias a este libro me sigan obsequiando con muchos más tesoros, esas cosas que los niños de todas las edades disfrutan haciendo después del colegio, los fines de semana o durante las vacaciones. Creo, como creemos muchos «manitas», que los niños requieren de estimulación e inspiración en todo momento, como asimismo de unas pautas claras. Necesitan utilizar las manos tanto como la mente. Aquí ofrecemos 175 «recetas» excelentes para contribuir a su desarrollo.

Martha Stewart

Nota: Para hacer un retrato de punto de cruz como el mío que ves a la derecha, ve a la página 268.

AGRADECIMIENTOS

Este libro lleno de actividades divertidas es fruto de la creatividad de mucha gente talentosa. Todos ellos comparten un mismo objetivo: proporcionar ideas e inspiración a niños de todas las edades –y a sus adultos– para hacer manualidades. Nuestro equipo ha armado este libro para que los lectores puedan pasar el rato de forma amena, creando, haciendo y explorando juntos. Las redactoras han aportado ideas brillantes y volcado una energía inagotable en estas páginas, en especial Silke Stoddard, que siempre consigue sorprendernos y deleitarnos con su creatividad. Agradezco también a todas las redactoras de Martha Stewart Living Omnimedia, antiguas y actuales, sus aportaciones para este volumen, en especial a Marcie McGoldrick, Jodi Levine y Hannah Milman.

El grupo de proyectos especiales de Martha Stewart Living Omnimedia, dirigido por Ellen Morrissey, colaboró con nuestros expertos en manualidades para recopilar los contenidos de este libro. El equipo de redactoras de primer nivel, entre ellas Evelyn Battaglia, Amy Conway y Susanne Ruppert, se ocupó de que las instrucciones en cada proyecto fueran precisas y fáciles de entender. Las directoras de arte Jeniffer Wagner y Gillian MacLeod (creadoras de la preciosa tipografía que adorna la cubierta y las páginas iniciales de los capítulos) son responsables del logrado diseño de este libro. Como siempre, la editorial y el Director de Marca, Eric A. Pike proporcionaron una valiosa orientación a lo largo de todo el proceso. Laura Wallis y Amber Mauriello aportaron sus conocimientos en materia de redacción y corrección. Jessi Blackham y Alex Bullock colaboraron en el diseño y la dirección de arte.

Un millón de gracias a la fotógrafa Annie Schlecter, siempre es un placer trabajar con ella, y a los demás fotógrafos que con su trabajo han embellecido esta edición (la lista completa figura en la página 342). Gracias a Anna Ross, Alison Vanek Devine y John Myers por ocuparse del gran volumen de imágenes que contiene el libro, y a Denise Clappi y su equipo de especialistas en imágenes, sobre todo a Kiyomi Marsh, por garantizar la calidad de cada una de ellas.

También estamos muy agradecidos a muchas otras personas que nos brindaron su tiempo y talento: Elizabeth Adler, Stephanie Fletcher, Davida Hogan, Laura Kaesshaefer, Kelsey Mirando, Benjamin Reynaert y Deb Wood.

Y un sentido agradecimiento a todos los niños encantadores que con mucha ilusión contribuyeron a la realización de este libro, entre ellos Renzo Battaglia, Hugo Kohnhorst, Nora Kohnhorst, Lucy Maguire, Henry Mitchell, Ella Schweizer, Emil Schweizer y Lucas Stettner.

Por último, nuestro más profundo agradecimiento a los compañeros de hace muchos años de Crown Publishers y Potter Craft: Victoria Craven. Alyn Evans, Derek Gullino, Pam Krauss, Maya Mavjee, Jess Morphew, Marysarah Quinn, Patricia Shaw, Eric Shorey y Jane Treuhaft. Gracias a todos ellos por el apoyo y el entusiasmo con que han recibido este y todos nuestros proyectos editoriales.

1

CREA
TUS
PERSONAJES

Inventa una pandilla de animalitos divertidos.
Solo necesitas algunos materiales básicos
y un poco de imaginación. Luego tendrás
nuevas mascotas con las que jugar.

TÍTERES DE DEDO

Unos cuadraditos de papel y unos rotuladores, ¡y ya está hecho! Mientras pliegas el papel verás cómo tus nuevos personajes empiezan a cobrar vida. Para terminar, solo tienes que dibujar los rasgos. Si trabajas con papel de origami, que ya viene cortado en cuadraditos, ni siquiera tendrás que recortar.

CÓMO HACERLO

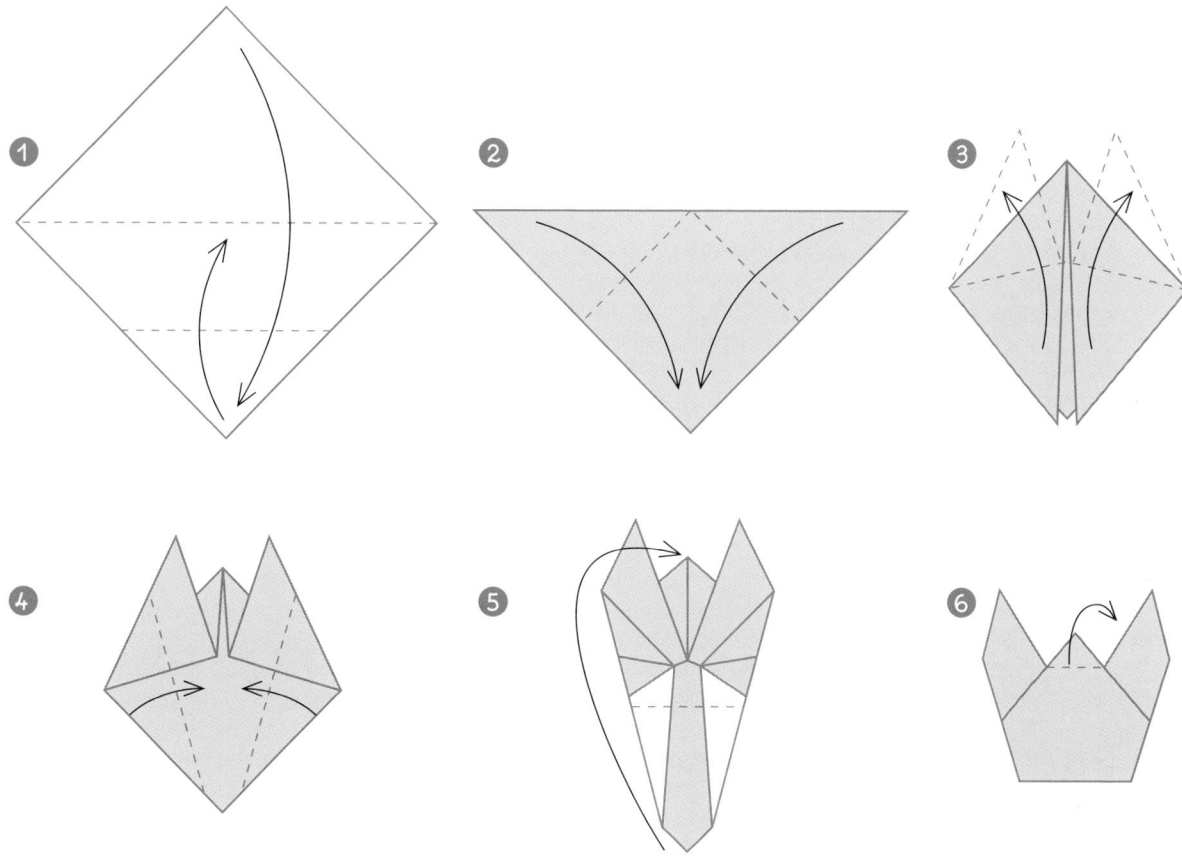

PASOS:

1. PLIEGA la esquina superior de un cuadrado de papel hacia abajo. DESPLIEGA. PLIEGA la esquina inferior hacia el centro. DESPLIEGA hacia abajo.

2. PLIEGA las esquinas derecha e izquierda hacia abajo.

3. PLIEGA las puntas inferiores hacia arriba, en ángulo, por encima de los bordes superiores. (El largo de las orejas dependerá de la altura por la que pliegues

las puntas. Si prefieres, algunos animalitos pueden tener orejas más largas que otros.)

4. PLIEGA los lados en un ángulo, como muestra la imagen.

5. PLIEGA la punta inferior hacia arriba, de manera que se encuentre con la punta superior central. DALE la vuelta.

6. PLIEGA el pico de la punta central hacia atrás. DIBUJA los rasgos.

AMIGOS LIMPIAPIPAS

¿Qué mejor que pasar el rato en compañía de un mono, tomar la merienda con una ardilla o jugar a disfrazarse con un camaleón? Tal vez no puedes tener toda esta fauna salvaje en casa, pero puedes valerte por ti mismo y crearla. Para hacer estos animalitos de pelusa solo necesitas limpiapipas, tijeras y cola.

ardilla Este divertido personaje y las criaturas de estas páginas están creados a partir de un limpiapipas. Primero damos la forma a la cabeza y al cuello. Luego enrollamos otro limpiapipas a un rotulador para obtener una espiral, que pasamos por el extremo recto del primer limpiapipas creando el cuerpo del animal. Los rasgos y otros detalles (orejas, ojos y cola) se consiguen adhiriendo trocitos de limpiapipas o fieltro con pegamento.

camaleón

¿Puedes distinguir al camaleón de la foto? El mayor talento del camaleón consiste en mezclarse con el entorno. Crea uno con un limpiapipas de color verde y deja que se oculte a la vista de todos. Solo lo delatarán su lengua anaranjada y sus ojos amarillos de fieltro.

tigre Las vetas negras sobre el pelaje naranja dan al tigre un aspecto distintivo. Tras haber dado forma al felino retorciendo un limpiapipas naranja, píntale las franjas con un rotulador negro indeleble.

CÓMO HACER AMIGOS LIMPIAPIPAS

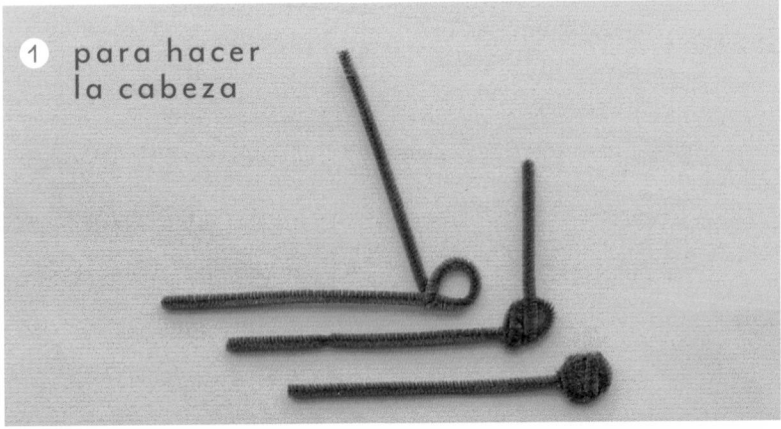

① para hacer
la cabeza

② para hacer
el cuerpo

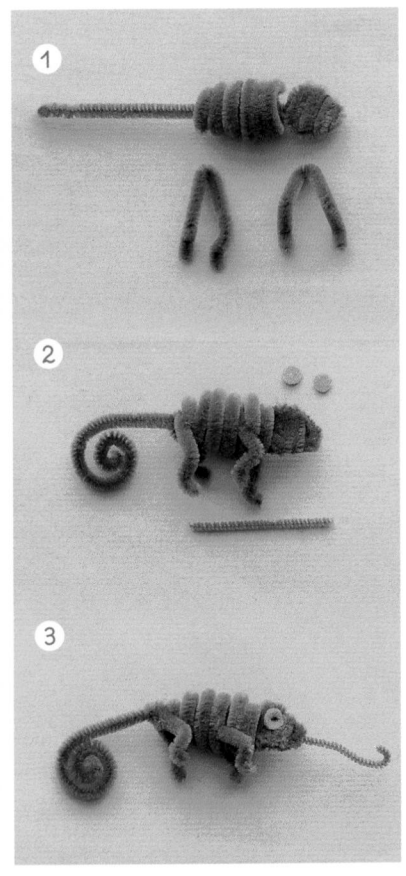

①

②

③

MATERIALES:

· Limpiapipas
· Rotuladores
(para dar forma
al cuerpo y pintar
detalles)
· Fieltro
· Tijeras o cortaúñas
· Cola blanca de
manualidades

PASOS BÁSICOS:

1. Para hacer la cabeza, toma un
limpiapipas y HAZ un lazo por la
mitad. El tamaño y la forma del lazo
determinan el tamaño y la forma de
la cabeza. ENVUELVE toda la cabeza
con un extremo del limpiapipas. La
otra mitad del limpiapipas servirá
para ensartar el cuerpo y a su vez
formará la cola.

2. Para hacer el cuerpo, ENROLLA otro
limpiapipas en un rotulador (cuanto
más grueso sea el rotulador, más
robusto será el animalito). SÁCALO.

el camaleón

1. Haz la forma básica de cabeza y
cuerpo, dejando cola larga para
enrollarla. PON el cuerpo. METE
las patas entre las espirales del
cuerpo y gíralas para fijarlas.

2. RECORTA ojos de fieltro. PEGA.
DOBLA las patas a la altura de la
rodilla. CORTA un limpiapipas
fino para hacer la lengua.

3. DIBUJA pupilas en los ojos con
el rotulador. CLAVA la lengua
en el morro y curva la punta.

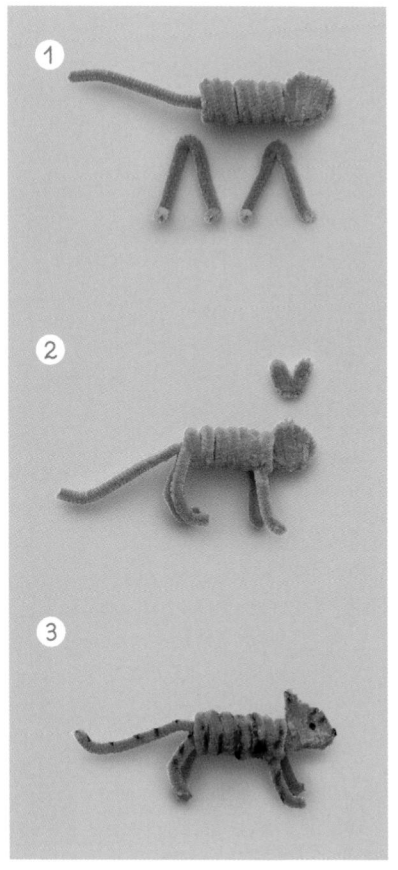

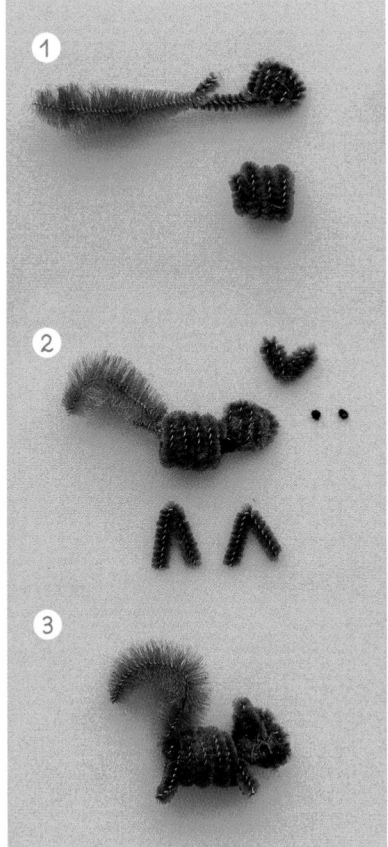

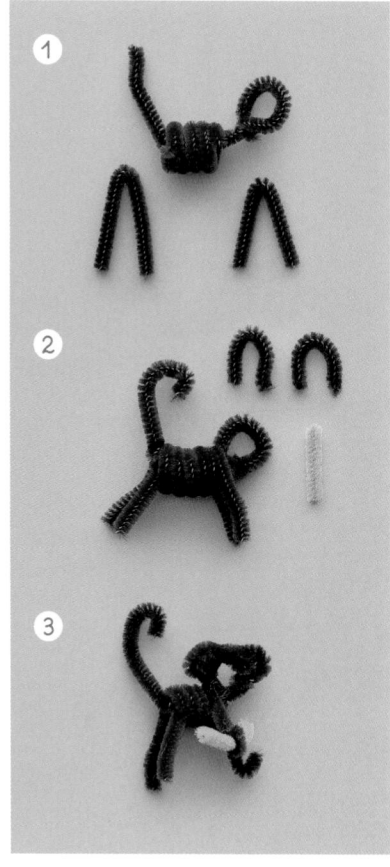

el tigre

1. Haz la cabeza y el cuerpo. Pon el cuerpo. METE las patas traseras sobre la cola. GÍRALAS para fijarlas. METE las patas delanteras entre las primeras espirales.

2. INSERTA las orejas en la parte superior de la cabeza, y dales forma. DOBLA la cola.

3. RECORTA ojos y nariz de fieltro. PEGA. RECORTA la pelusa de cara y orejas con unas tijeras. PINTA rayas con un rotulador.

la ardilla

1. Haz la cabeza, dejando un extremo corto para hacer un gancho. ENGANCHA allí un trozo de limpiapipas peludo. HAZ un cuerpo pequeño.

2. COLOCA el cuerpo. Haz las orejas e INSÉRTALAS en la parte superior de la cabeza. RECORTA ojos de fieltro. PEGA. Coloca las patas delante y detrás. GÍRALAS para fijarlas.

3. RIZA la cola.

el mono

1. Haz la cabeza, pero sin envolver el lazo de la cara. LEVANTA la cola. Haz un cuerpo pequeño y PÁSALO por la cola. COLOCA las patas detrás y delante y fíjalas bien.

2. FIJA las puntas de las orejas en la cabeza. RIZA la cola. Corta un trozo de limpiapipas amarillo, para un plátano.

3. ENROLLA una pata delantera alrededor del plátano.

TÍTERES DE BOLSAS DE PAPEL

Basta con adherir algunos detalles a unas bolsas de papel manila para crear un teatro de personajes adorables. Las manos de los niños pueden manipular bolsas pequeñas (las mejores son las de fondo plano con dobleces laterales), pero puedes usar bolsas de cualquier tamaño que tengas a mano. Las marrones son ideales para hacer perros y leones; para los cerditos, van bien las bolsas de regalo de color rosa. Con una cartulina y papel decorado se puede crear un telón precioso para el número de títeres. O simplemente envía a los titiriteros detrás del sofá.

CÓMO HACERLO

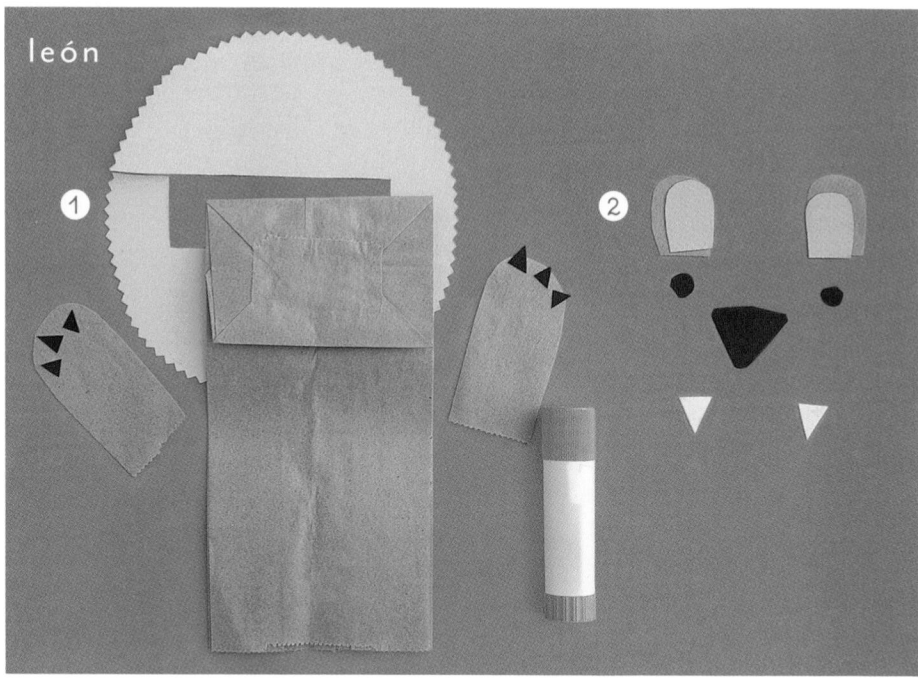

león

① ②

MATERIALES:

· Plantillas para
  títeres (página 328)

· Tijeras

· Tijeras dentadas

· Papel de decoración
  y cartulina

· Bolsas de papel

· Pegamento de barra
  o cola blanca de
  manualidades

consejo ✳

Antes de unir todas
las piezas del títere,
pega los pequeños
detalles en los trozos
de papel más grande,
como las uñas.

el león

1. Con la plantilla RECORTA
   un círculo grande de
   cartulina amarilla (melena)
   con tijeras dentadas.
   RECORTA un rectángulo
   en el centro. PASA el
   fondo de la bolsa por esta
   abertura. PEGA.

2. Usa las plantillas para
   RECORTAR orejas y patas
   de otra bolsa. Recorta de
   una cartulina los interiores
   de orejas, el hocico, los
   dientes y las uñas. PEGA
   en su lugar (ver consejo).
   PEGA las patas a los pliegues
   laterales delanteros; orejas y
   dientes, debajo de la cara.

el cerdo

1. PEGA un trozo de cartulina
   rosa sobre el fondo de una
   bolsa de regalo para ocultar
   los pliegues.

2. Utiliza las plantillas para
   RECORTAR las orejas y el
   morro de una cartulina
   rosa. PÉGALOS en su sitio.
   AÑADE unos ojitos y unos
   orificios nasales recortados
   en cartulina negra.

3. RECORTA las patas en
   cartulina rosa. PÉGALAS
   en los pliegues laterales
   delanteros de la bolsa.

el perro

1. PLIEGA hacia abajo las
   esquinas inferiores del
   fondo de la bolsa para la
   cara. PEGA en su lugar.

2. Usa las plantillas para
   RECORTAR el morro y la
   barriga de una cartulina
   blanca; las orejas y la cola,
   de una marrón; recorta los
   ojos y la nariz, de una negra;
   y la lengua de una rosa.

3. PEGA todo donde
   corresponde, fijando la
   lengua debajo de la cara,
   y la cola detrás de la bolsa.

GLOBOS DE GRANJA

No hay que ser mago ni genio para formar un trío de criaturas aéreas. Empieza con unos globos hinchados con helio. Corta los rasgos y las patas de pañuelos o servilletas de papel, así los globos se quedan en el aire. Para las orejas, usa un papel ligero, como papel vitela. Pega todo con cinta adhesiva de doble cara (las orejas y las patas deberían tener lengüetas plegadas).

OVEJAS DE BOLAS DE ALGODÓN

Las ovejas de verdad están cubiertas con una lana blanca como la nieve, pero tú puedes crear tus propias ovejas. Solo necesitas cartulina negra y bolas de algodón.

MATERIALES:

· Cartulina negra
· Lápiz de color
· Tijeras
· Perforadora
· Hilo o cuerda
· Cola blanca
  de manualidades
· Bolas de algodón

PASOS:

1. Con un lápiz de color, DIBUJA la forma de una oveja sobre una cartulina negra. RECÓRTALA.

2. PERFORA un agujero en la parte superior. PASA la cuerda y ATA las puntas.

3. PEGA las bolas de algodón a ambos lados, dejando al descubierto la cara y las patas. CUELGA un pequeño rebaño delante de una ventana o una puerta.

ANIMALES DE PIEDRA

Esas piedras lisas que recoges durante tus paseos por la montaña o la playa, están llenas de vida interior. Solo tienes que aplicar un poco de pintura y pegamento para crear caimanes, mariquitas, ranas y todo lo que se te ocurra. Hasta podrías tener tu propio acuario, como el que aparece al principio del libro.

CÓMO HACERLO

caimán Este gran caimán se mantiene unido con palitos de madera y pegamento. Al igual que sus amigos anfibios, está compuesto de muchas partes. Unas escamas pintadas sobre el lomo y unos dientes afilados y se convierte en un animal viviente. ¡Que no te muerda!

MATERIALES:

· Papel y lápiz para hacer el bosquejo
· Piedras
· Plastilina
· Pegamento fuerte, como el súper glue
· Agitadores de café (de madera)
· Tijeras
· Pintura acrílica y un pincel fino

PASOS BÁSICOS:

1. DIBUJA tu idea sobre papel. Para animales de más de una pieza, COLOCA las piedras hasta que la figura quede bien. PEGA las piezas grandes; puedes usar plastilina para sujetar las piezas hasta que el pegamento esté seco (por ejemplo, poniendo plastilina dentro de la boca del caimán). SUJETA las partes del cuerpo que no encajen mucho, pegándolos sobre trozos de palitos de madera.

2. PEGA las piedras pequeñas: ojos, patas y otros detalles. Cuando el pegamento esté seco, pinta los palitos del color de las piedras. PINTA los rasgos de la cara a tu gusto. QUITA la plastilina.

mariquitas Darle vida a una familia de estos bonitos insectos voladores no podría ser más sencillo. Por cada animalito necesitas una sola piedra. Primero dibuja las alas, las manchas y los ojos en papel. Luego reproduce el modelo en color sobre una serie de piedras ovaladas de diferentes tamaños.

tortuga Este amiguito necesita que lo mimen para salir de su caparazón. Pinta el modelo básico de un caparazón de tortuga sobre una piedra grande y redonda (aquí hemos pintado líneas finas verdes a modo de contorno, que luego coloreamos con un verde más claro). Fija las partes más pequeñas al cuerpo con pegamento y palitos de madera (necesitas cuatro piedras ovaladas pequeñas para las patas, una cola fina y una cabeza angulada). Para terminar, pinta las uñas y los ojos.

r a n a s Este par de ranas felices destacan por sus
ojos grandes de mirada perezosa y sus lenguas siempre
listas para cazar moscas. Pega dos piedras debajo de
sus cuerpos redondos, para que no les falten sus patas,
y añade dos piedrecitas en la parte superior, que serán
sus ojos. Decóralas con puntos de diferentes tamaños y
tonos de verde.

ANIMALES DE PINZAS

Llena una granja en miniatura con estos animalitos de dos caras que tú mismo dibujarás. Dos pinzas para la ropa serán sus patas y así podrán mantenerse en pie.

MATERIALES:

- Papel blanco
- Rotuladores o lápices de colores
- Tijeras
- Pinzas para la ropa

PASOS:

1. PLIEGA un papel blanco por la mitad y DIBUJA un animal en un lado, alineando la parte inferior con el pliegue.

2. RECORTA, sin cortar por la línea de pliegue, y dibuja igual en el otro lado.

3. Con 2 pinzas de la ropa HAZ las patas. Si has dibujado un pato, utiliza pinzas pequeñas. Para una vaca, irán bien más grandes.

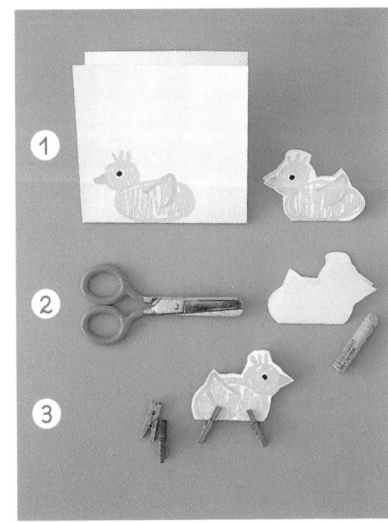

PERRO RAMITA

Enseña a este perro a posarse sobre tu dedo. Necesitas para crearlo una ramita como la de la foto. Un adulto debe cortar el palo del medio, de modo que tenga poco más de un centímetro por encima para pegar la cabeza. Luego hay que recortar las ramas laterales, para que los brazos tengan la misma extensión. Dibuja una cara sonriente en papel, recórtala y pégala en la parte superior del tronquito. Intenta mantener el tronquito en equilibro sobre la punta de tu dedo. Si es necesario, recorta un poco más las ramas de los costados.

FIGURAS DE HUEVO

Otra idea artesanal alucinante: solo necesitas huevos vacíos y algunos elementos decorativos para crear una nidada de pájaros o una granja completa, con vacas, cerdos y gallinas. Puedes empezar con huevos blancos, y teñirlos del color que prefieras, o con huevos rubios para crear animalitos de pelaje oscuro o con plumas. Los huevos diminutos y moteados de codorniz son ideales para dar vida a simpáticas vaquitas recién nacidas.

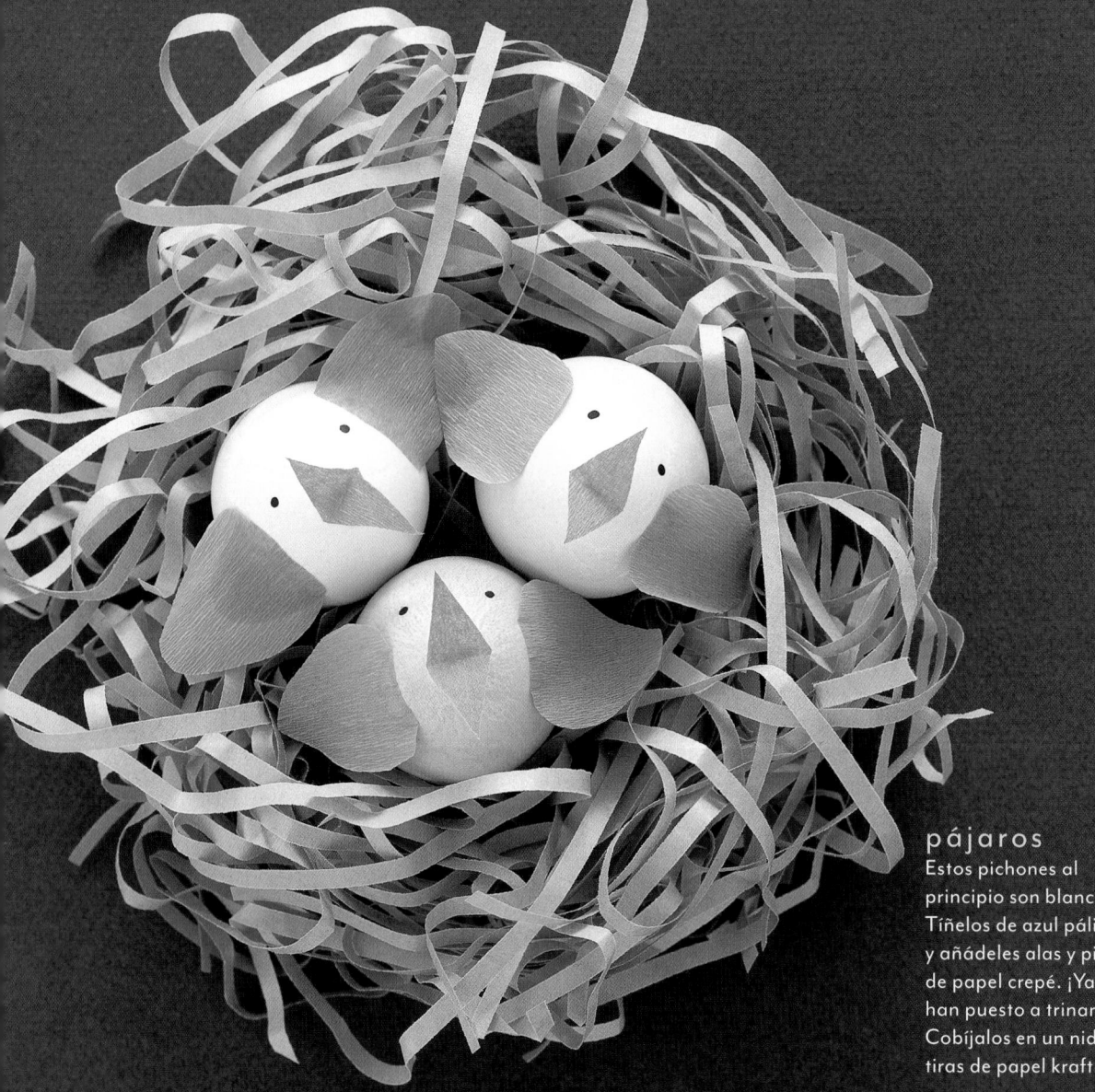

pájaros
Estos pichones al principio son blancos. Tíñelos de azul pálido y añádeles alas y picos de papel crepé. ¡Ya se han puesto a trinar! Cobíjalos en un nido de tiras de papel kraft.

cerdos Esta cerdita y su cochinillo se refrescan en un lodazal hecho con cartulina. Las patas son trozos de limpiapipas; las orejas de papel crepé. Los botones son las piezas perfectas para el morro. Para hacer la cola, tira de un hilo bordado a lo largo del filo de las tijeras, como si hicieras un bucle de cinta, y pégala.

vacas Un huevo de codorniz con sus motas puede convertirse en una bonita ternera, mientras que a las vacas hay que pintarles las manchas de negro. El toro es un huevo rubio. Las patas son de limpiapipas; las de las vacas llevan manchas pintadas con rotulador. Para componer los rasgos de todos estos animalitos usamos papel crepé e hilo bordado.

gallinas Esta familia posa para un retrato de bienvenida de su nuevo integrante. Todos los miembros tienen en común bonitos rasgos de fieltro y papel crepé: ojos, picos, patas y plumas. Los pollitos, además, están teñidos de color amarillo.

CÓMO HACER FIGURAS DE HUEVO

MATERIALES:

- Huevos
- Cúter
- Bol
- Clips
- Bulbo de succión
- Alfileres
- Cartón pluma
- Papel de cocina
- Vinagre
- Colorante alimentario
- Vasos de papel
- Tenacillas de cocina
- Tijeras
- Cartulina, limpiapipas, fieltro o papel crepé (para decorar)
- Cola blanca de manualidades
- Botones rosas (para los cerdos)
- Cinta transparente
- Témpera y pincel, o rotulador
- Hilo de bordar o lana

PASOS BÁSICOS:

1. Un adulto debe AGUJEREAR los huevos por ambos extremos, utilizando un cúter. Luego hay que agrandar un poco uno de los orificios.

2. Sosteniendo el huevo encima de un bol, INTRODUCE el extremo recto de un clip desplegado por el agujero más grande. Agita la yema.

3. INTRODUCE el bulbo de succión por el agujero más pequeño. APRIETA. El contenido del huevo caerá en el bol. Repite la operación con los demás huevos. (Lávate las manos antes de continuar.)

consejo

Prepara una superficie para secar los huevos coloreados de manera uniforme, clavando varias filas de alfileres sobre cartón pluma.

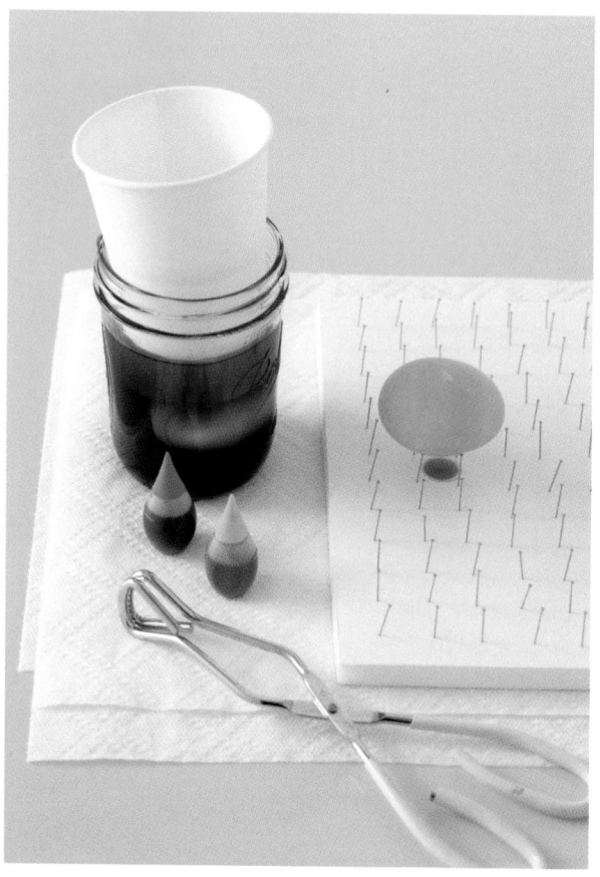

teñir los huevos

1. CUBRE el área de trabajo con papel de cocina. MEZCLA en un frasco I cucharadita de vinagre, 20 gotas de colorante y I vaso de agua caliente.

2. SUMERGE el huevo (mantenlo sumergido colocando encima un vaso medio lleno de agua). Para colores claros, déjalo en remojo 5 minutos. Para tonos más oscuros, IO minutos.

3. SACA el huevo con las tenacillas y déjalo secar sobre el cartón pluma.

decorar los huevos

1. RECORTA las patas en fieltro o cartulina, o bien con limpiapipas en forma de V. PEGA en el huevo para que pueda aguantarse (aplica la cola con un pincel fino).

2. RECORTA orejas, cuernos y crestas en fieltro o papel crepé. PEGA y deja secar al menos 20 minutos. PEGA los botones en la cara de los cerdos (usa cinta adhesiva para que no se caigan mientras se seca; luego quítala con cuidado).

3. PINTA los ojos y orificios nasales con témpera o rotulador. PEGA las colas de hilo o lana.

TÍTERES DE FIELTRO

Verás qué divertido es jugar con las manos. Reúne un zoológico entero,
o una granja, o una jungla. Solo necesitas lana de fieltro, un poco de agua
y jabón. Luego crea un número de títeres con tus nuevos personajes,
o simplemente llévalos en el bolsillo como compañía.

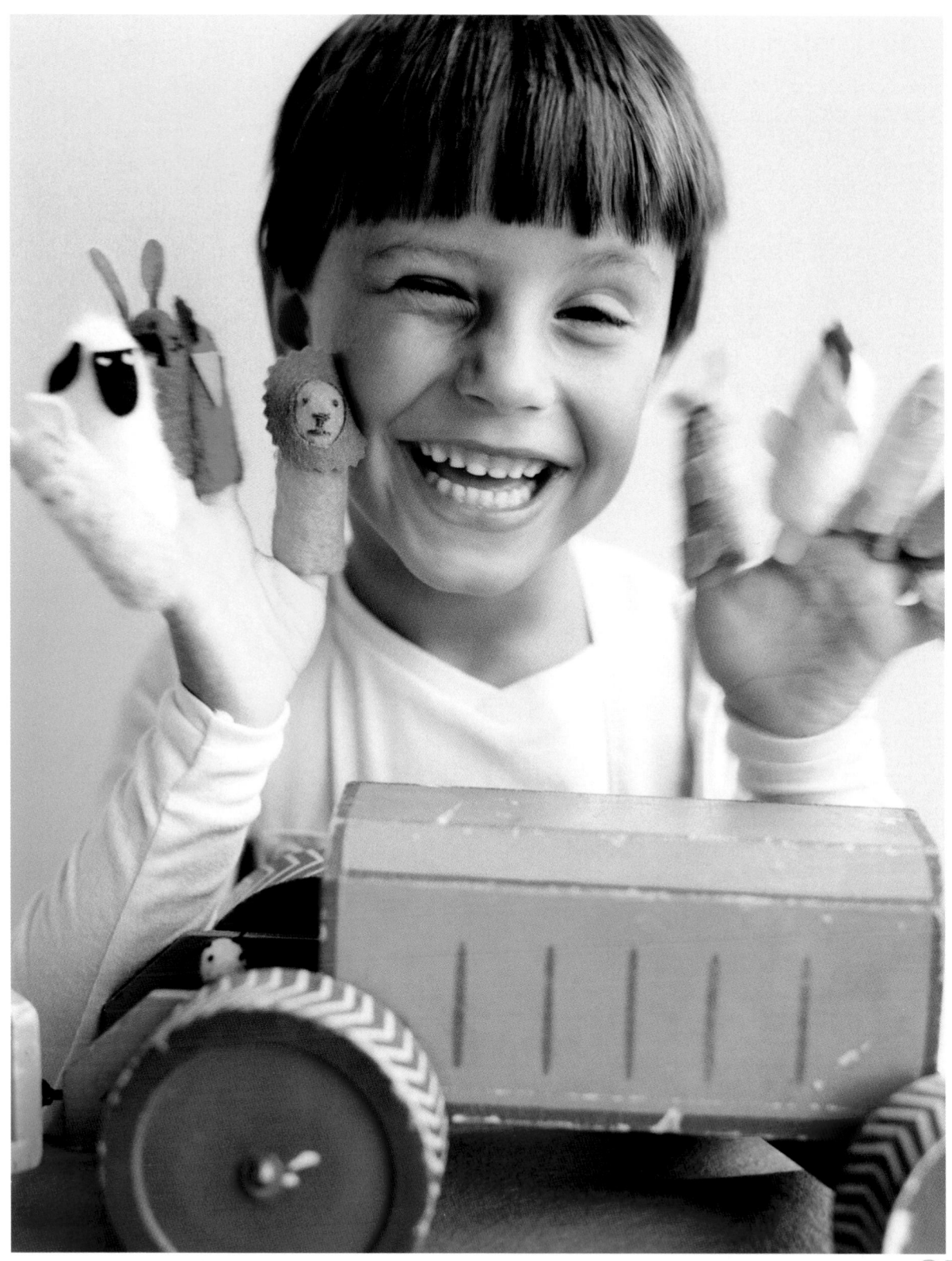

CÓMO HACER TÍTERES DE FIELTRO

MATERIALES:

· Detergente líquido
  sin colorantes
· Jarra
· Lana de fieltro
  (disponible en
  las tiendas de
  manualidades)
· Tabla de lavar
· Aguja de bordar
· Hilo de bordar
· Fieltro
· Tijeras
· Plantillas para los
  títeres de fieltro
  (página 329)
· Pegamento
  para tela

PASOS BÁSICOS:

1. En una jarra, MEZCLA 4 cucharadas de detergente con 6 vasos de agua caliente. ENROLLA la lana en capas alrededor del índice de la mano con la que no escribes. La lana debe quedar ajustada, aunque no muy apretada. AÑADE lana hasta que te toques el nudillo y no lo sientas.

2. SUMERGE el dedo envuelto en el agua con detergente y APRIÉTALO con las puntas de los dedos de la otra mano. Continúa SUMERGIÉNDOLO y PRESIONANDO hasta que las fibras de lana parezcan bien unidas. Si quieres hacer una abeja, AÑADE bandas de lana de otro color, ciñéndolas al títere con la punta de los dedos.

3. Para reforzar el tejido de lana, FROTA el dedo contra la tabla de lavar en ambas direcciones, sin apretar demasiado. ENJUAGA el muñequito bajo el chorro del grifo, quítalo del dedo y DEJA secar completamente.

4. Con hilo de bordar, COSE los ojos, las antenas y demás rasgos faciales sobre la lana seca, o sobre los trozos de fieltro comprados (en el caso del mono, el cerdo y la oveja).

5. Utiliza las plantillas para RECORTAR las orejas o las alas de fieltro. Si es necesario, hazlas más pequeñas. Luego PEGA todo en su lugar.

DIBUJOS DE ANIMALES RELLENOS

Imagina que dibujas monstruos, criaturas del bosque y otros personajes de fantasía, y salieran volando de tu cuaderno. Sigue estas instrucciones y todos tus dibujos cobrarán vida. Los niños más pequeños le pedirán ayuda a un adulto para coser los detalles, tomando como modelo las ilustraciones. Los más grandecitos ya pueden apañárselas para dibujar, cortar y coser. No te preocupes si no te queda perfecto, se trata de crear personajes divertidos e imperfectos.

¡Me siento lleno!

MATERIALES:

- Papel y lápices de colores para dibujar
- Tijeras
- Alfileres
- Fieltro u otro tipo de tela
- Tiza de sastre
- Tijeras para tela
- Aguja e hilo
- Botones
- Relleno de poliéster
- Limpiapipas, cinta, cordón y otros retales para decorar

PASOS BÁSICOS:

1. DIBUJA un personaje en papel. Haz una fotocopia si quieres conservar, ampliar o reducir el original. RECORTA solo las partes que vas a rellenar; las orejas y extremidades puedes hacerlas de otro material y coserlas luego.

2. SUJETA el diseño con alfileres a dos trozos de tela, que pueden ser iguales o de diferente material y color. DIBUJA los contornos con una tiza de sastre, dejando un margen de ½ cm. RECORTA las siluetas de ambas telas y QUITA el papel.

3. COSE los rasgos en la parte exterior del rostro, como ojos de botones, una boca de fieltro o el interior de las orejas.

4. SUJETA las dos telas con alfileres; los rasgos deben quedar del lado de adentro. Cose con aguja e hilo o con una máquina de coser, dejando una abertura para introducir el relleno.

5. Da vuelta el muñeco como si fuera un calcetín. Llénalo y luego cóselo.

6. Terminar añadiendo las orejas, los brazos, las patas y otros detalles. Puedes usar fieltro, limpiapipas, cintas, cordones u otros materiales que encuentres en casa.

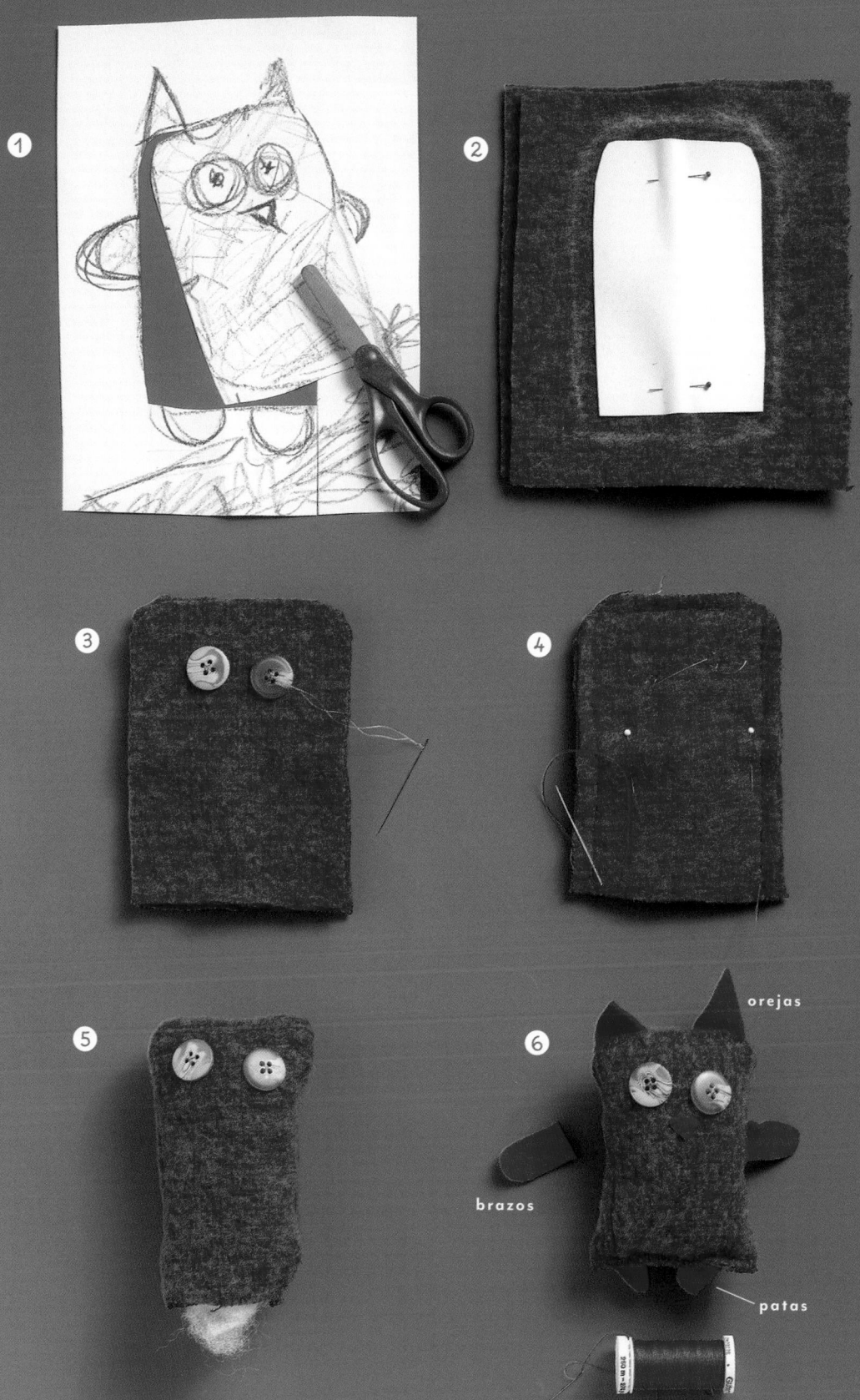

orejas

brazos

patas

ANIMALES DE POMPONES

Hacer estos animalitos es más fácil de lo que parece, gracias a una pequeña máquina de hacer pompones que se puede conseguir en las mercerías o comprar por internet. Una vez que le hayas cogido el tranquillo a todo el proceso, podrás armar peluches como estos en un plis plas.

lechuzas Se trata de una mamá lechuza, hecha con un pompón pequeño cosido encima de otro más grande, y de su pequeña cría, hecha de un solo pompón.

conejitos Estos tímidos conejos saltan por un prado de tiras de papel. Están buscando vegetales para llevar al picnic. Si no tienes una máquina lo bastante pequeña para crear al bebé, puedes recortar uno más grande con las tijeras hasta que quede de su tamaño.

CÓMO HACER FIGURAS DE POMPONES

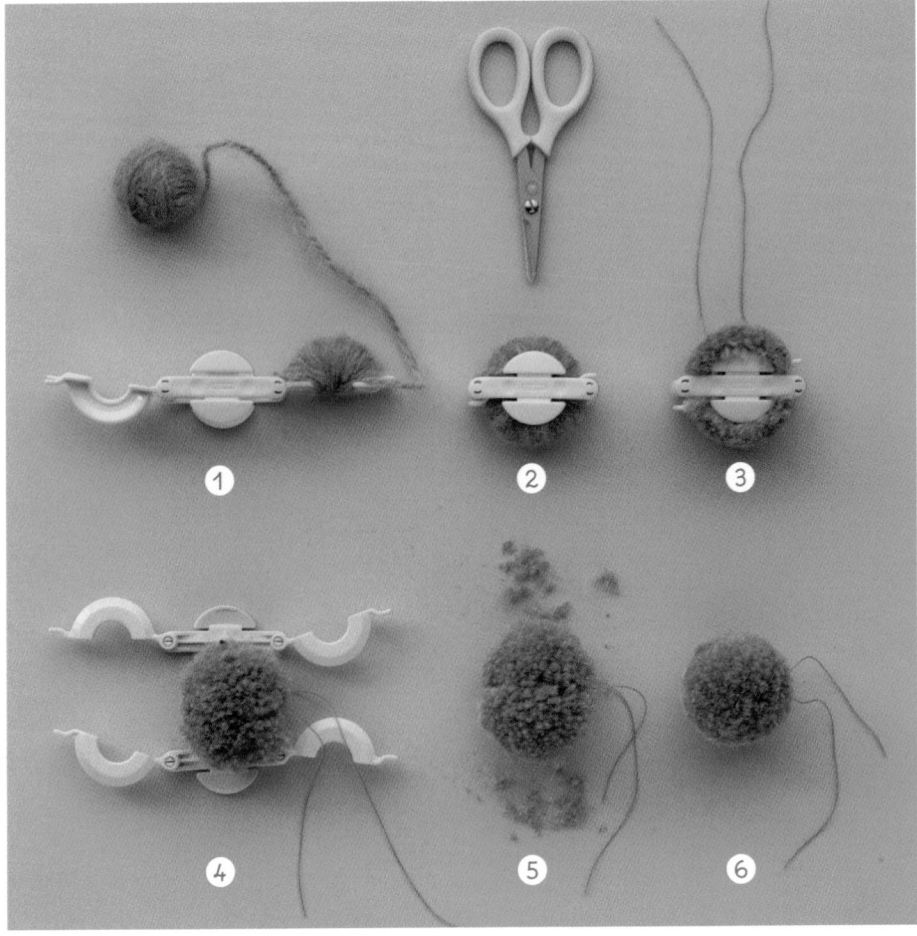

MATERIALES:

- Máquina para hacer pompones pequeños
- Lana de varios colores y grosores
- Tijeras pequeñas
- Hilo de bordar
- Aguja
- Plantillas (página 329)
- Lápiz
- Fieltro de diferentes colores
- Hilo de cera blanco y marrón
- Pegamento trasparente

PASOS BÁSICOS:

1. ABRE los dos brazos del aparato por la parte superior y EMPIEZA a enrollar la lana en un extremo; SIGUE enrollando de un lado y del otro hasta que el bobinado esté tan compacto como desees. CIERRA los brazos y ÁBRELO por debajo. REPITE la operación.

2. Con la máquina cerrada, usa unas tijeras para CORTAR ambos ovillos por el centro de los bordes redondeados. Luego CORTA un trozo de hilo del mismo color que la lana y PÁSALO por el medio de la máquina para ATAR el pompón con dos nudos fuertes.

3. ABRE la máquina por ambos lados, RETIRA con cuidado ambas partes.

4. TIJERETEA los bordes de lana. Si lo deseas, RECORTA un poco más para obtener un pompón más pequeño y compacto.

5. Si vas a unirlo a otro pompón, DEJA el hilo intacto.

Sigue las instrucciones que vienen con la máquina, pero también ten en cuenta estas sugerencias:

- Cuantas más vueltas de lana des alrededor de los brazos, más compacto será el resultado. Con lana gruesa, puedes envolverlos cuatro o cinco veces. Para lanas finas, al menos seis u ocho vueltas.

- Es normal que el pompón parezca imperfecto al salir de la máquina. Recórtalo para darle un mejor aspecto o hacerlo más pequeño.

- Átalo por el centro con el mismo tipo de lana, en el caso de que sea lo bastante resistente para aguantar el tirón y el nudo. Si no, usa un hilo fino y resistente (o incluso hilo de coser).

- Una vez hecho el nudo, tendrás un doble hilo. Déjalo largo para unirlo a otro pompón o a un trozo de tela.

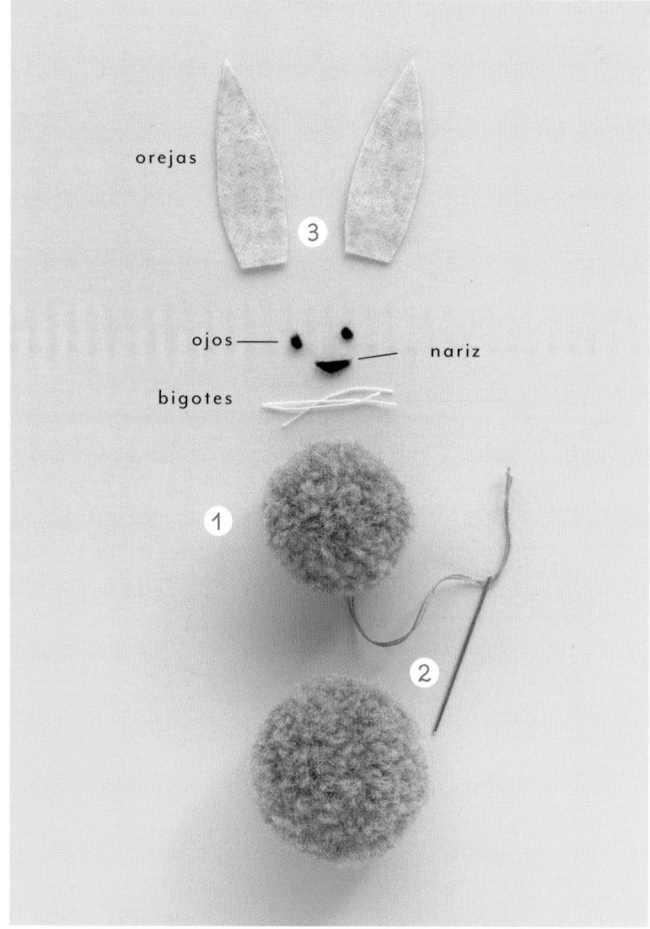

✳ ¿lo sabías?

Para hacer pompones puedes utilizar cualquier tipo de hilo: de lana, de seda, de Angora, acrílico, o incluso una combinación de todos estos. Todos te servirán, y con cada producto obtendrás un resultado diferente. En general, lo mejor es usar un hilo de lana suave. Y cuanto más pequeño sea el pompón, más fino debería ser el hilo.

el conejo

1. HAZ dos pompones marrones: uno para el cuerpo y otro más pequeño para la cabeza.

2. COSE ambas piezas con una aguja y el trozo de hilo con que ataste un pompón (o únelas con pegamento transparente).

3. Utiliza las plantillas (página 329) para RECORTAR las orejas en fieltro claro. RECORTA los ojos y la nariz en uno negro. CORTA los bigotes de hilo de cera. PÉGALO todo en su lugar.

CÓMO HACER ANIMALES DE POMPONES

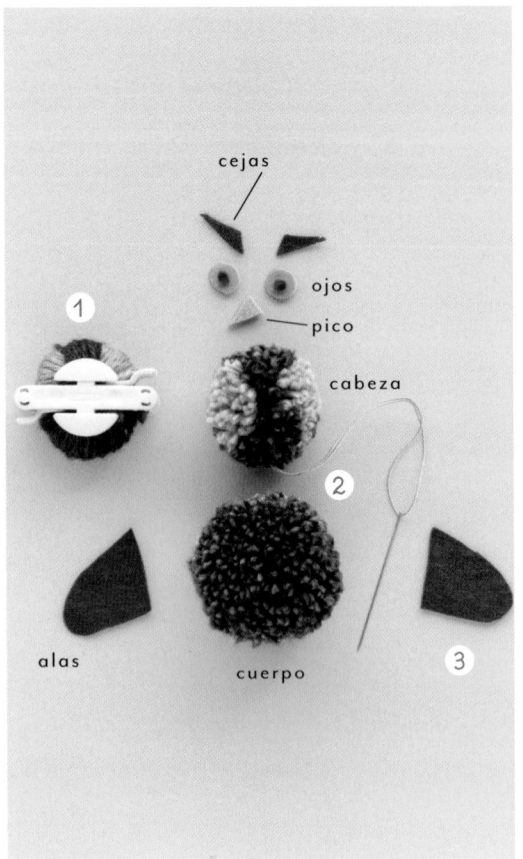

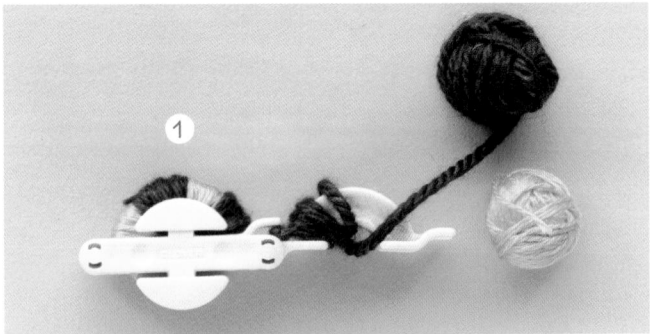

la lechuza

1. HAZ dos pompones: uno marrón oscuro para el cuerpo, y otro más pequeño, gris y marrón, para la cabeza (leer consejo).

2. COSE ambas piezas con una aguja y el trozo de hilo con que ataste un pompón (o ÚNELAS con pegamento transparente).

3. Utiliza las plantillas (página 329) para RECORTAR las alas y los rasgos en fieltro. PÉGALOS.

el abejorro

1. HAZ dos pompones: uno con franjas amarillas y negras (leer consejo), y otro negro, un poco más pequeño.

2. COSE ambas piezas con una aguja y el trozo de hilo con que ataste un pompón (o ÚNELAS con pegamento transparente).

3. USA las plantillas para RECORTAR dos alas de fieltro. Para las antenas, CORTA dos trozos de hilo de cera y haz un nudo en la punta. PEGA en su sitio.

consejo ✳

Para hacer pompones bicolores, enrolla una lana de un color en una parte del brazo del molde; corta el extremo. Luego sigue enrollando lana de un color diferente, y repite la operación de acuerdo con la cantidad de franjas que desees. Haz lo mismo en el otro brazo, invirtiendo el orden de los colores.

abejorro Para dar forma a este bonito insecto, hemos hecho un pompón que combina el negro y el amarillo. Las alas de fieltro y las antenas de cera completan su traje llamativo.

PERSONAJES DE CONCHAS

El mar puede inspirarte para crear animales de toda clase, y no solo aquellos con aletas, escamas o tentáculos. También puedes componer fascinantes animalitos de tierra. Solo tienes que juntar una buena cantidad de conchas y experimentar con formas y tamaños antes de pegarlas. Las robustas ostras van bien para hacer cabezas y cuerpos, mientras que las conchas más finas, alargadas y cónicas son perfectas para las patas. Si no andas muy a menudo por la playa, puedes comprar bolsas de conchas a buen precio en las tiendas de regalo o artesanía.

caras cómicas
Para obtener una variedad de personajes divertidos, pega pequeñas conchas (o abalorios) sobre otras más grandes. Así les darás expresividad a sus rostros.

p a v o s Estos presumidos animales llevan una vieira a modo de cola. Las patas son pequeños caracoles. Los cuerpos están hechos de mejillones cerrados.

j i r a f a Unas bonitas conchas puntiagudas y arremolinadas han servido para darle un largo cuello y unas largas patas a esta jirafa. Para la parte central del cuerpo, hemos encontrado una exótica concha veteada.

c a n i c h e Las orejas de este perrito están acicaladas con unas diminutas conchas rosadas. El abrigo con volantes está hecho con unas conchas abombadas llamadas «arca». Para las decorosas patitas, hemos usado conchas blancas, cónicas y alargadas.

koala Las vieiras y las almejas tienen la forma curvada perfecta para darles a estos koalas un cuerpo, orejas y patas. Para el papá debes escoger piezas más pequeñas que para el hijo. Detrás hemos montado un árbol con conchas alargadas y unos berberechos para representar las hojas.

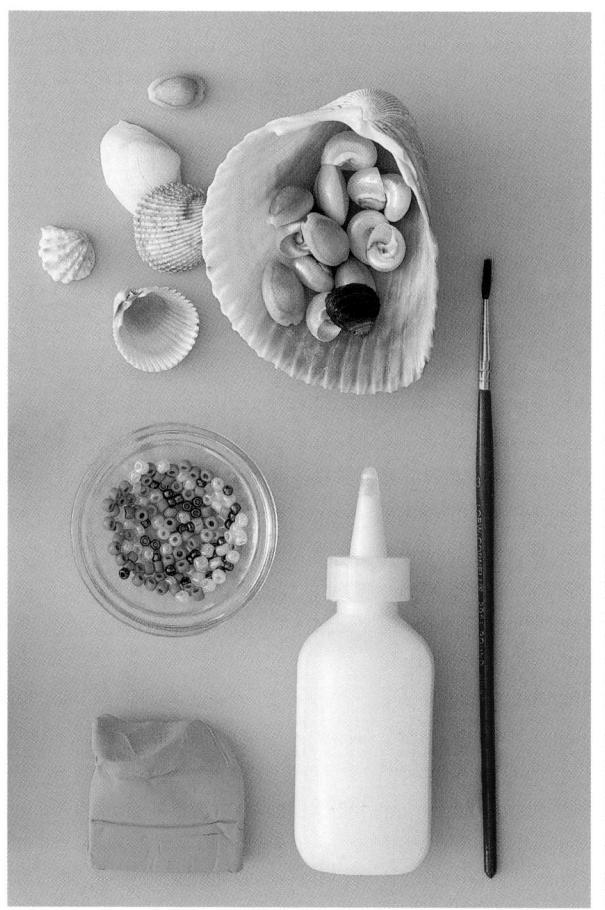

MATERIALES:

- Conchas de varias formas y tamaños
- Pegamento fuerte, tipo super glue
- Plastilina
- Cuentas, abalorios
- Pincel pequeño

PASOS BÁSICOS:

1. Dale forma al cuerpo: COLOCA una concha a lo largo y pega unas pequeñas en el borde inferior, que serán los pies (para los koalas usamos dos ostras pequeñas). La plastilina te servirá para SOSTENER las piezas hasta que el pegamento esté seco.

2. Para el rostro (orejas, nariz), PEGA conchas minúsculas en el centro de una mediana. PEGA cuentecillas en el lugar de los ojos (puedes aplicar el pegamento con un pincel fino). Una vez más utiliza la plastilina para SUJETAR las piezas hasta que estén bien pegadas.

3. Cuando se haya secado el pegamento, UNE la cabeza y el cuerpo. SUJÉTALOS con plastilina hasta que el pegamento esté seco. (Repite el procedimiento, introduciendo variantes, para crear otras figuras.)

MONSTRUOS DE CARAMELO

Cuando se acerca Halloween, casi todo adopta una personalidad nueva y espeluznante. También las golosinas pueden participar. Palos de caramelo, nubes, látigos de regaliz, pastillas de goma... Todo sirve para crear criaturas macabras, desde una calavera dientuda hasta un grandullón deforme incubado en un laboratorio.

Envuélvelos
Una vez que hayas terminado de armar tu colección tenebrosa, envuelve cada uno de los personajes con papel celofán y una cinta. Serán una fantástica protección contra los bromistas en la noche de Halloween.

CÓMO HACERLO

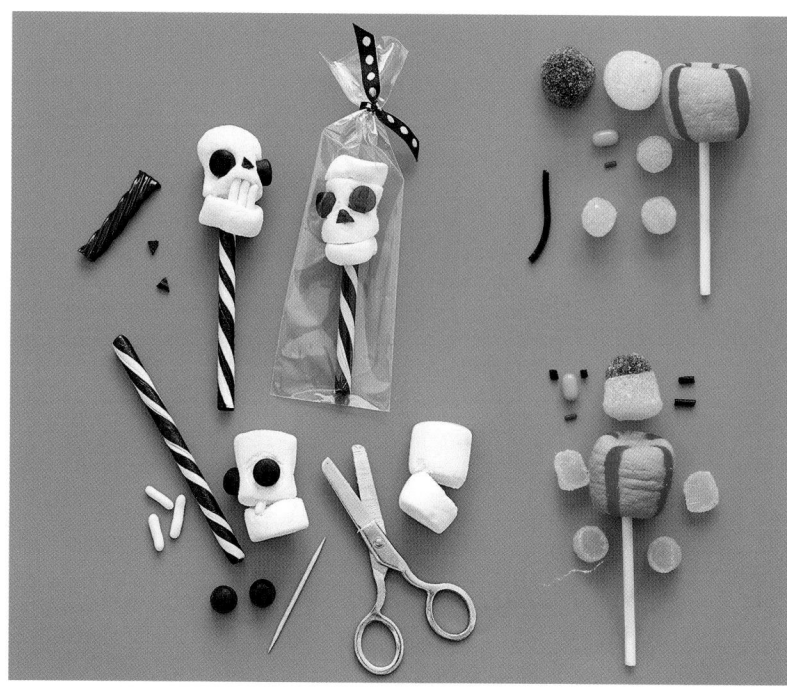

MATERIALES

- Tijeras
- Nubes, o malvaviscos
  (para la calavera)
- Palillo de dientes
- Pastillas de regaliz
  de colores
- Discos, lazos y balines
  negros de regaliz
- Palotes de caramelo
- Pastillas de goma
- Piruleta grande
- Mentitas
- Fideos de chocolate

calavera de caramelo

1. CORTA una nube blanca con las tijeras, para separar la cabeza y la mandíbula.

2. Con un palillo HAZ diferentes agujeros, donde irán los ojos y la nariz. En la abertura de la boca INTRODUCE pastillas blancas de regaliz, que serán los dientes, y unos balines negros en las cuencas de los ojos. CORTA un trocito diminuto de regaliz negro para incrustarlo en el agujero de la nariz; PRESIONA para que quede firme.

3. UTILIZA el palillo para hacer un agujero grande en la parte inferior, donde irá un palote de caramelo. PRESIONA el palo para que pase a través de la mandíbula y quede encajado en el interior de la cabeza.

monstruo de caramelo

1. CORTA la parte superior e inferior de una pastilla de goma blanca, y la parte superior de una negra. Para la cabeza, PEGA el trozo negro encima del blanco. PEGA la cabeza encima de la piruleta. Para los brazos y las piernas, CORTA cuatro trozos a lo largo de una pastilla de goma de color. PÉGALOS en su sitio.

2. Con un palillo, HAZ los agujeros para los ojos y la nariz, e INCRUSTA trocitos de regaliz y una mentita. Atraviesa el cuello con un trozo de fideo de chocolate, a modo de tornillo, y pega otro trocito rojo como boca. (Para hacer el monstruo verde sigue las mismas instrucciones.)

GATITOS DE CALABAZAS

Tanto si eres una bruja de Halloween en busca de un compañero leal,
o un gato negro en busca de un minino para mimar, este pequeño felino
no te decepcionará. Solo tienes que unir dos calabazas (una pequeña
y otra más pequeña) con brochetas. Luego añades orejas de papel,
bigotes y otros detalles.

el amigo retozón

Este proyecto entretenido
y sencillo requiere del uso de
un cuchillo para calabaza.
Un adulto se encargará
de realizar los cortes
necesarios para los ojos y
las orejas en la calabaza
más pequeña. El resto
consiste en unir las piezas,
una tarea que pueden
llevar a cabo niños de
todas las edades.

CÓMO HACERLO

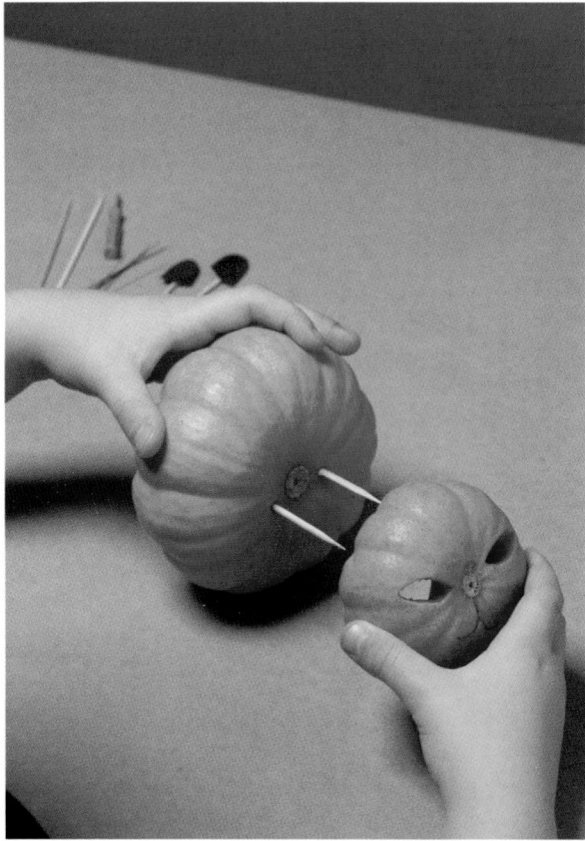

MATERIALES:

- **2 calabazas de diferentes tamaños**
- **Cuchillo para calabazas**
- **Sacabocados**
- **Lápiz de cera**
- **2 brochetas de madera**
- **Tijeras**
- **Cartulina negra**
- **Cinta adhesiva**
- **Palillos de dientes**
- **Hilo de cera**
- **Paja de escoba**

PASOS:

1. CORTA la parte superior de la calabaza pequeña y VACÍALA con un sacabocados. Deja intacto el tallo de la calabaza grande como cola.

2. Dibuja la cara en la calabaza pequeña con un lápiz de cera (la muesca en el centro será la nariz). CORTA los ojos con el cuchillo. HAZ dos hendiduras curvadas para la boca del gato.

3. DECIDE a qué altura vas a colocar la cabeza. ENSARTA la cabeza al cuerpo con dos brochetas.

4. RECORTA dos orejas de cartulina, PÉGALAS a unos palillos y clávalas en su sitio. RELLENA las hendiduras de la boca con hilo de cera. Para los bigotes, PERFORA ambos lados de la cara con una brocheta. INTRODUCE las pajas de escoba en los orificios.

RATONES DE MERENGUE

¡Un ratón, un ratón! Calma, que no cunda el pánico. Estos veloces animalitos son de merengue. Tienen una cola de regaliz y unas alegres orejas de almendras. Son tan encantadores que nadie querrá ponerles una trampa, ni comérselos.

dulce obsequio Hasta los más pequeños disfrutarán preparando y compartiendo estos ratoncitos de merengue, que son un regalo artesanal formidable. En lugar de usar confites, pinta tres puntitos con chocolate fundido para los ojos y la nariz.

CÓMO HACER RATONES DE MERENGUE

para hacer el merengue

INGREDIENTES:

· 2 claras de huevos grandes a temperatura ambiente
· ½ taza de azúcar
· Pizca de crémor tártaro
· ¼ de cucharadita de extracto de vainilla

RECETA:

1. Mezcla las claras, el azúcar y el crémor tártaro en el bol de la batidora eléctrica (resistente el calor), y colócalo sobre una cacerola con agua hirviendo. Bate unos 2 minutos, hasta que las claras estén templadas al tacto y el azúcar disuelto. Toma un poco de la mezcla entre los dedos: debería tener una consistencia suave, sin grumos.

2. Vuelve a pasar el bol a la batidora. Activa la función de batido, primero a velocidad lenta, incrementando luego poco a poco, a medida que llevas la mezcla a un punto completamente frío y rígido, con picos glaseados (diez minutos, aproximadamente). Añade la vainilla y sigue batiendo hasta que se incorpore a la mezcla.

SALEN UNOS 50 RATONES

MATERIALES:

· Ingredientes y receta para preparar los merengues (ver debajo)
· Bolsa para decorar pasteles con pico repostero grande y redondo
· 2 bandejas de hornear cubiertas con papel de horno
· 3 cordones de regaliz de 7 cm de largo
· Tenacillas
· Pequeños confites de chocolate
· Almendras laminadas
· Rejilla de acero

PASOS:

1. INTRODUCE el merengue en una manga con pico grande y redondo. Sobre el papel de hornear, haz con la manga pequeñas lágrimas, separadas por 5 cm. Para ello, SOSTÉN el pico cerca del papel y APRIETA la bolsa hasta tener un montoncito ovalado de 2 cm; luego REDUCE la presión y levanta el pico ligeramente hacia un costado, para darle forma al hocico puntiagudo del ratón.

2. Una vez que tengas todos los ratones de merengue sobre el papel, AÑÁDELES las colas de regaliz, los ojos y las narices de confites, y las orejas de almendras.

3. PRECALIENTA el horno a 80 °C, con las rejillas en la parte más alta y más baja. HORNEA los ratones hasta que estén sólidos, pero asegúrate de que conserven el color blanco. El tiempo recomendado es 1½ hora (no los dejes demasiado: se doran y resquebrajan). SÁCALOS del horno y COLÓCALOS en una rejilla para que se enfríen bien. En un recipiente hermético a temperatura ambiente se guardan una semana.

RATONCITOS DE FIELTRO

En fin, quizá la casa empiece a llenarse de roedores. Pero serán tan encantadores que a nadie le importará, con sus pelajes de fieltro y sus rabos coloridos. Haz uno para cada uno de tus amigos.

MATERIALES:

- Plantillas para ratones de fieltro (página 329)
- Tijeras
- Fieltro de diferentes colores
- Cola blanca de manualidades
- Bastones de caramelo

PASOS:

1. Usa las plantillas para RECORTAR cuerpos y orejas sobre un fieltro del mismo color. RECORTA otro color para el interior de las orejas y la nariz. RECORTA puntitos de fieltro negro para los ojos.

2. PEGA la cara y el interior de las orejas. HAZ cortes en el cuerpo (donde están las marcas) para introducir la cola y las orejas.

3. PASA las orejas por las ranuras de la cabeza, y un bastón de caramelo por las del cuerpo, introduciéndolo por debajo.

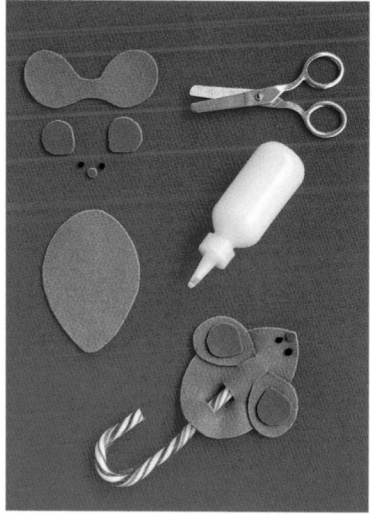

FAMILIA DE PINGÜINOS

Las piñas de pino abundan en los meses de invierno.
Ve a dar un paseo por el jardín o el bosque y encontrarás
muchísimas. ¿Por qué no usarlas para crear una familia?
La familia de Pino el pingüino. Con las escamas de los
las piñas más grandes podrás hacer las alas, las colas
y las orejas.

¡Como mi
familia, no hay
ningüina!

Polo Norte

paisaje helado Los pingüinos no pueden emigrar de
su hábitat natural, así que lo mejor es situarlos en su frío escenario.
Para recrear un charco congelado, puedes utilizar un espejo. Añade
un poco de nieve de imitación y piñas más grandes como vegetación.
El paisaje de la cima nevada está hecho con cartulina recortada según
la forma de los carámbanos. Luego la colocamos sobre un tronco de
abedul y la cubrimos con algodón, purpurina blanca y nieve artificial.

CÓMO HACERLO

cara

cuello

alas

cuerpo

pintura
acrílica
blanca

pintura acrílica
marrón

cola blanca

purpurina
blanca

pincel pequeño

MATERIALES:

- Tijeras
- Dos escamas de piñas
  grandes (para hacer las alas)
- Papel de lija
- Trozo pequeño de una piña
  cortado de la parte superior
  (para hacer el cuello)
- Cola blanca de manualidades
- Piña larga (para hacer
  el cuerpo)
- Pinceles pequeños
- Pintura acrílica blanca
- Purpurina blanca
- Caperuza de bellota
  (para la cara)
- Pintura acrílica marrón

PASOS:

1. RECORTA las escamas para las alas, dejando
   los extremos puntiagudos.

2. LIJA el cuello para que encaje fácilmente en
   el torso. APLICA cola con el pincel sobre
   la parte superior del torso. PEGA el cuello.

3. PINTA blanca la barriga (cubre bien
   las escamas) y la caperuza de bellota
   (no pintes la punta: será la nariz). Deja
   secar la pintura.

4. APLICA cola con el pincel sobre la barriga.
   ESPOLVORÉALA con purpurina. Deja
   secar.

5. ENCOLA el cuello y PEGA encima la cabeza,
   con la parte pintada hacia abajo. Espera
   que se seque.

6. PINTA los ojos con acrílico marrón.

7. ENCOLA los extremos redondeados de las alas
   y PÉGALOS al cuerpo. Deja que se seque.

FAMILIA DE ELFOS

El Polo Norte o cualquier paisaje invernal están más cerca al recrear esta encantadora escena. Una familia de elfos recoge frutos en una colina nevada en compañía de un amigo reno. Coloca en el fondo un poco de nieve artificial y unas cuantas piñas más grandes. Para los duendes puedes utilizar piñas de pino blanco o abeto.

CÓMO HACERLO

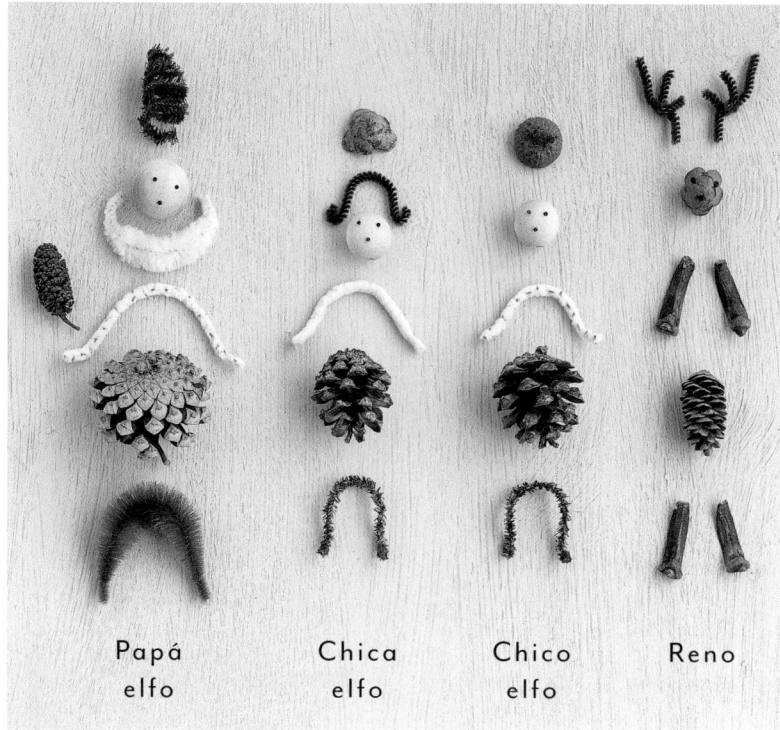

Papá elfo · Chica elfo · Chico elfo · Reno

MATERIALES:

- Limpiapipas de color y metálicos
- Tijeras o cortaúñas
- Tiras de felpilla verde y blanca
- Pinzas pequeñas
- Un pincel pequeño
- Cola blanca de manualidades
- Cuentas pequeñas negras
- Cuentas grandes de madera (para las cabezas)
- Dos coronillas de piñas pequeñas
- Caperuza de bellota
- Cuatro escamas de piña (para las patas del reno)
- Piñas de pino pequeñas
- Purpurina blanca (opcional)

PASOS:

1. Con trozos cortos de limpiapipas FORMA brazos, piernas y trenzas para la chica. Para hacer las cornamentas del reno, engancha y retuerce trozos cortos en la mitad de dos trozos más largos. CORTA una tira de felpilla blanca para la barba de papá elfo.

2. Con las pinzas y el pincel, PEGA las diminutas cuentas negras sobre las grandes de madera: los elfos ya tienen ojos y bocas. PEGA unas cuentas negras un poco más grandes y pégalas en la parte superior de la piña que será el cuerpo del reno.

3. ENROLLA un limpiapipas rojo en tu dedo para hacer un cono, que será el sombrero de papá elfo. PEGA el sombrero y la barba en la cabeza de madera.

4. PEGA el pelo, los sombreros y las cornamentas de los otros personajes. (La coronilla de un cono para la chica, la de bellota para la cabeza del chico.)

5. Ahora INCRUSTA los brazos y las piernas entre las escamas de las piñas, bien fijados. Las patas del reno tendrás que pegarlas con cola.

6. PEGA las cabezas a los torsos y deja secar. Si quieres ROCIAR los pinos del fondo con purpurina blanca: toma una piña y aplícale cola en las puntas de las escamas, sostenla encima de un bol y ESPOLVOREA con una cuchara. Deja secar.

CRIATURAS DE CEREAL

Puede que las galletas de arroz tengan fama de sosas, pero con un poco de creatividad y algunos adornos comestibles, estos bocaditos de cereal pueden convertirse en las estrellas de una fiesta. Empieza con las mariquitas, las abejas y las orugas. Con otros adornos más coloridos (página siguiente) crea otras preciosas criaturas.

consejo ✳

Dales forma de uno en uno, moldeándolo con rapidez mientras el cereal todavía esté blando y pegajoso.

CÓMO HACERLO

la mezcla de cereal

INGREDIENTES:

- 5 cucharadas de mantequilla sin sal, a trozos
- 6 vasos de mini nubes, o malvaviscos
- 8 vasos de arroz inflado
- Aceite en aerosol

RECETA:

1. En una cacerola grande, derrite la mantequilla a fuego lento. Añade las nubes y remueve con una cuchara de madera hasta que se derritan (unos 10 minutos).

2. Retira del fuego, remueve el cereal hasta que se integre. Engrasa un bol grande con aceite en aerosol. Vierte la mezcla de cereal y cubre con film adherente para que no se endurezca.

SALEN UNAS 70 CRIATURAS

MATERIALES:

- Mezcla de cereal (ver arriba)
- Mantequilla para las manos
- Tijeras
- Cordones de regaliz negro y verde
- Cuchillo de pelar
- Gominolas amarillas y rojas
- Palillos de madera
- Pastillas de caramelo (Candy Wafers)

PASOS:

1. Primero debes untarte las manos con mantequilla. Para cada mariquita, HAZ bolas de 3 cm (el cuerpo). CORTA dos trozos pequeños de regaliz para los ojos, y algunos más grandes para las motas. REBANA una gominola por el costado, de modo que quede expuesta una superficie pegajosa. La gominola es la cabeza, PÉGALA al cuerpo. HAZ agujeritos en la cabeza y el cuerpo para INTRODUCIR los ojos y las motas de regaliz.

2. Para hacer la abeja, SIGUE las instrucciones anteriores, usando en esta ocasión una gominola amarilla. CORTA de un cordón de regaliz las antenas, los ojos y dos tiras para adherir al cuerpo. Para las alas, HAZ dos cortes al costado e INTRODUCE pastillas de caramelo.

3. Para la oruga, HAZ cuatro o cinco bolitas de 2 cm con la pasta de cereales y pégalas. Ya tienes el cuerpo y la cabeza. Haz pequeños agujeros en la cabeza y COLOCA los ojitos de regaliz negro y las antenas de color verde.

CAPÍTULO 2

CONSTRUYE UN PEQUEÑO MUNDO

Una ciudad con nieve, un taller de coches, una escuela donde tú fijas las reglas. Si puedes imaginarlo, puedes construirlo.

BOLAS DE NIEVE

Cuando nieva en la ciudad todo parece cobrar un aspecto mágico: el tráfico, los taxis, los monumentos históricos, los edificios... Crea tu propia ciudad invernal con arcilla y consérvala en un frasco de cristal, como si hubieses atrapado ese instante maravilloso.

CÓMO HACERLO

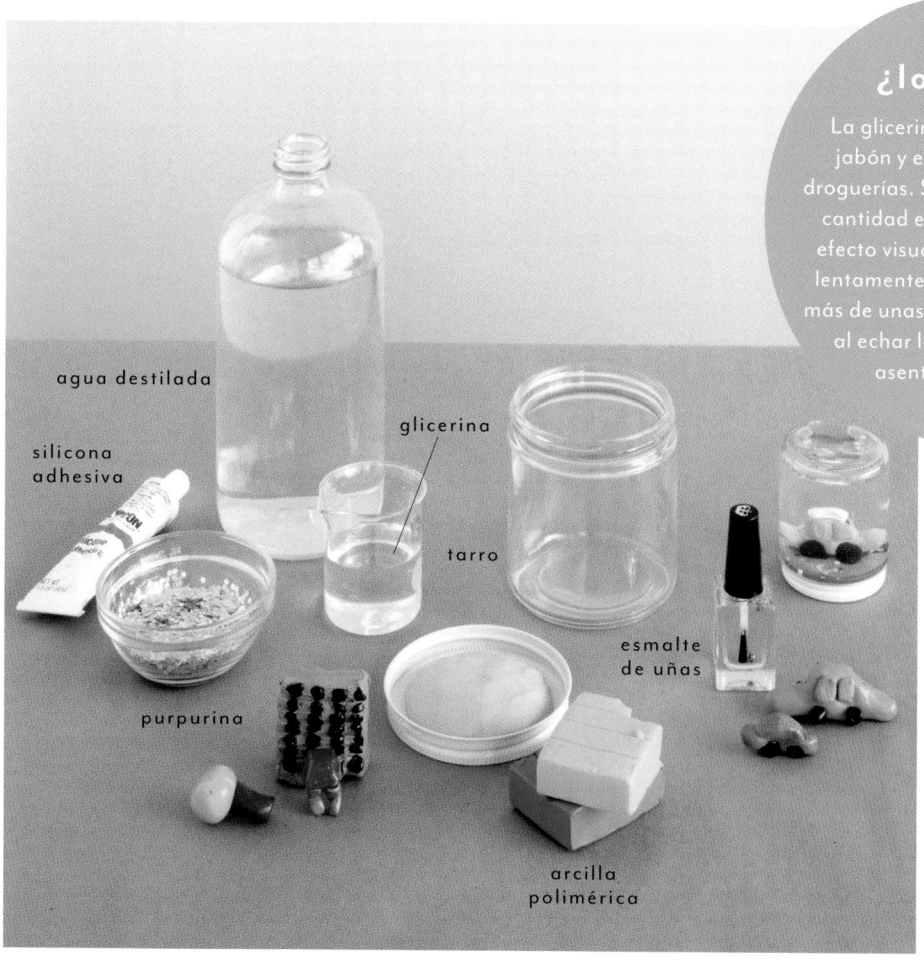

agua destilada

silicona
adhesiva

glicerina

tarro

esmalte
de uñas

purpurina

arcilla
polimérica

¿lo sabías?

La glicerina se usa para hacer jabón y está a la venta en las droguerías. Si añades una pequeña cantidad en el agua, produce el efecto visual de la nieve cayendo lentamente. Pero no debes poner más de unas gotas, de lo contrario, al echar la purpurina, esta se asentará en el fondo del frasco.

MATERIALES:

- Papel de lija
- Frasco con tapa
- Arcilla polimérica
- Silicona adhesiva
- Agua destilada
- Purpurina blanca o plateada
- Glicerina
- Esmalte de uñas transparente

PASOS:

1. LIJA el interior de la tapa del frasco hasta que quede liso, así se adhiere la silicona.

2. MOLDEA coches y edificios con arcilla. HORNEA las figuras siguiendo las instrucciones del fabricante. Deja ENFRIAR. Séllalas con una capa de esmalte. Deja SECAR. PEGA tus esculturas en el interior de la tapa del frasco con silicona. Deja secar.

3. LLENA el frasco casi hasta arriba con agua destilada. No uses agua del grifo: con el tiempo se pondría amarillenta (tampoco sirve hervirla). AÑADE un puñado de purpurina y unas gotas de glicerina.

4. APLICA adhesivo en la boca del frasco. Con cuidado, coloca la tapa y cierra bien. Deja secar el adhesivo antes de dar vuelta al frasco.

VILLAPALITO

En esta agradable escapada a la naturaleza descubrimos un pueblo rural donde todo está hecho con palitos de polos. Desde una cabaña rústica hasta un camión de ganado, sin olvidar las vallas, y, por supuesto, un puesto de helados auténticamente retro.

heladería

Todos los pueblos tienen su puesto de helados. Para el letrero, puedes utilizar sellos de goma o rotuladores de colores.

hogar, dulce hogar Aquí no hay animal que no ande suelto. Una vez que la casita esté lista, ya puedes colocar los tuyos.

CÓMO HACER VILLAPALITO

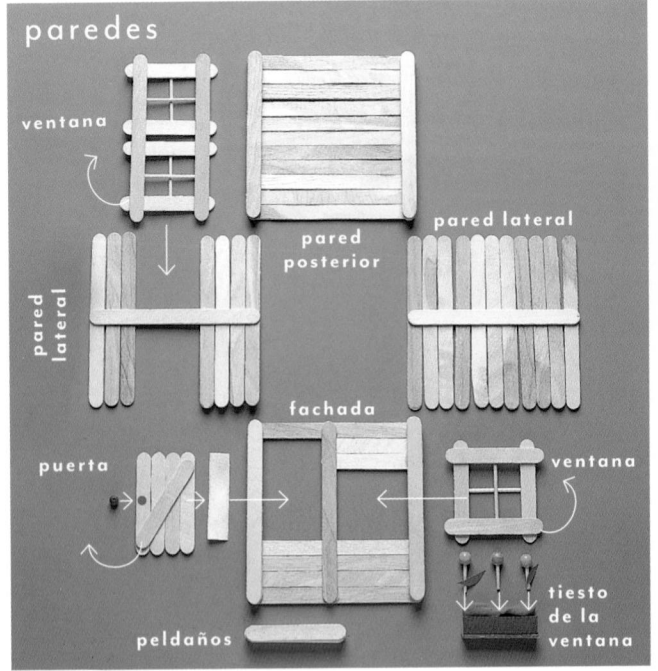

paredes

ventana

pared posterior

pared lateral

pared lateral

fachada

puerta

ventana

peldaños

tiesto de la ventana

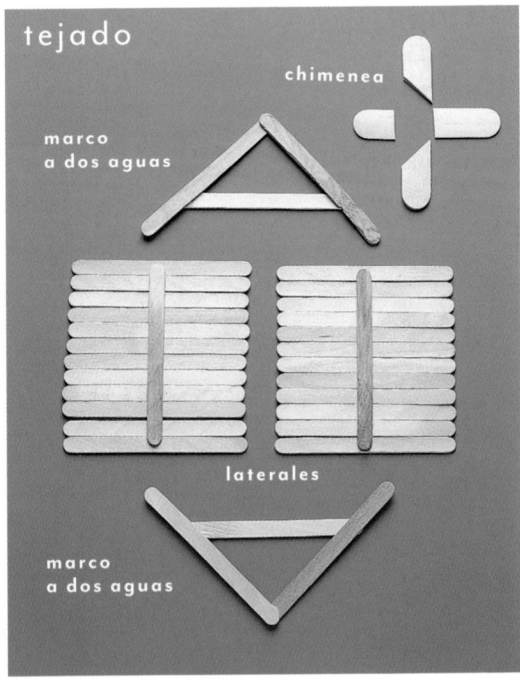

tejado

chimenea

marco a dos aguas

laterales

marco a dos aguas

la estructura

1. Modifica estos pasos para crear tu propia casa. Para las paredes, PON los palitos uno junto al otro; deja aberturas o coloca medios palitos en los espacios para puertas y ventanas. Para la pared posterior y la fachada, UNE los palitos pegando dos en los costados: servirán para encolar y unir las paredes a los muros adyacentes. PEGA un soporte central en las otras dos paredes, y en las que llevan ventanas.

2. Para las ventanas, PEGA palitos enteros y medios palitos, y palillos para CREAR el entramado del cristal.

3. Para la puerta, usa medios palitos. PEGA un soporte en diagonal y añade una cuenta de color que será el pomo. Los peldaños también están hechos con palitos cortados por la mitad.

4. Para construir el tiesto de la ventana, JUNTA dos palitos recortados de forma perpendicular, y añade arcilla en el interior. Las flores son cuentas de colores ensartadas en palillos; también hay hojas de papel verde. Da vuelta las paredes para PEGAR las ventanas y el tiesto. Una vez que todas las piezas estén montadas, empieza a UNIR las paredes.

el tejado

1. FORMA 2 hileras de palitos, del ancho de la casa. PEGA soportes en el centro. PEGA juntos los marcos a 2 aguas.

2. Para la chimenea, CORTA 4 trozos imitando las formas de la imagen (arriba), y PÉGALOS por los costados.

3. PEGA un lateral del tejado en el lado plano de un marco a 2 aguas. PEGA el otro lateral en el otro lado plano del mismo marco. PEGA el segundo marco de manera idéntica. PEGA la chimenea. COLOCA el tejado encima de la casa. FÍJALO con pegamento.

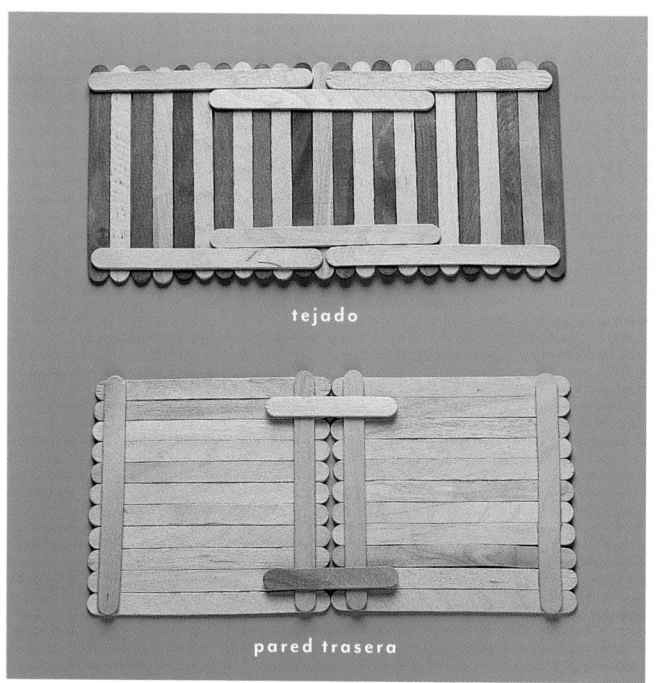

tejado

pared trasera

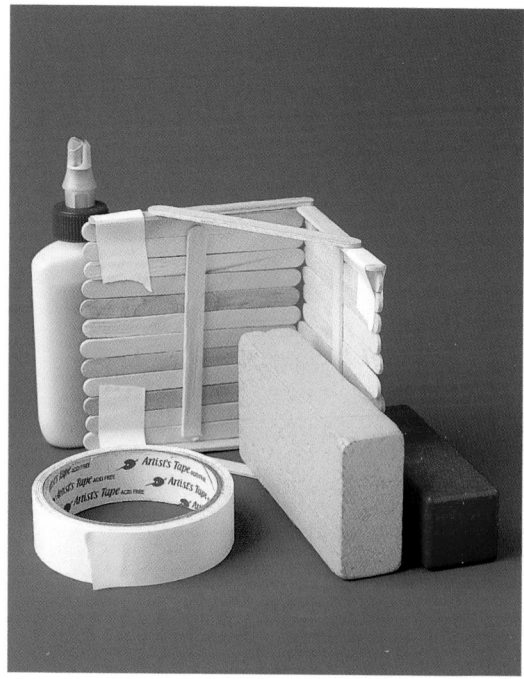

MATERIALES:

- Palitos para manualidades (enteros, medios, anchos)
- Cola de carpintero
- Palillos
- Cuentas de colores
- Plastilina
- Cartulina, para hacer hojas
- Cinta adhesiva protectora, pinzas de la ropa, tacos de madera (para sostener mientras se seca el pegamento)
- Cuerda

la heladería

1. Modifica los pasos para la estructura básica (página anterior), haciendo una más ancha y añadiendo más soportes. CREA una pared trasera y un toldo anchos como los de arriba. Usa palitos rojos para hacer el toldo a rayas. La pared delantera del puesto de helados será más baja. UNE todas las piezas ya montadas.

2. Para hacer la lista de sabores, ESCRÍBELOS en diferentes trozos de palitos. Luego une los carteles pegando dos hilos a los costados.

consejos para montar

Para todas las maquetas de este proyecto necesitas cola de carpintero. Conviene esperar entre 15 y 30 min antes de manipular las piezas encoladas. Para asegurarte de que todo quede bien firme en su lugar, sigue estos consejos:

- Sostén las piezas encoladas en ángulo (como las del tejado) con plastilina de color claro (para que no manche la madera). Modela la plastilina para que encaje donde se necesita soporte.

- Usa cinta protectora para fijar las piezas, y tacos de madera para sostener las paredes adyacentes y las partes de las cubiertas.

- Utiliza pinzas de la ropa para sujetar las piezas encoladas. Esto va bien sobre todo para que queden bien adheridos los soportes, como en el montaje de un tejado largo.

el camión de ganado

Con un cartón de leche podrás armar este bonito camión. Los palitos apilados mantienen la carrocería a cierta altura y permiten que las ruedecillas de madera giren sin obstáculos.

CÓMO HACER VILLAPALITO

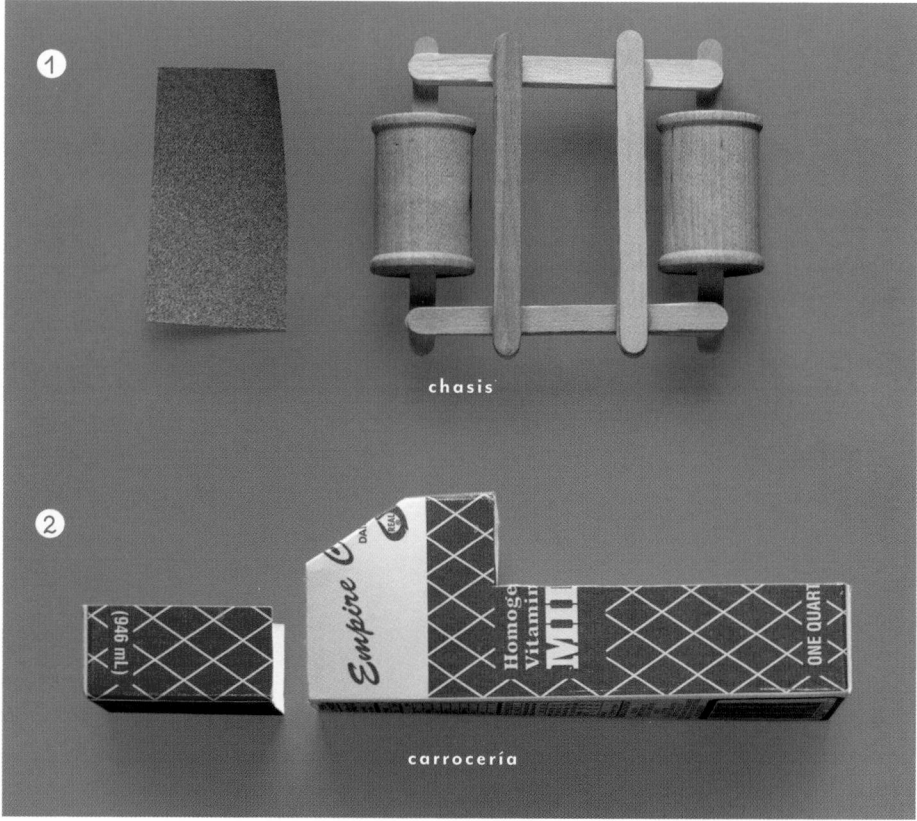

MATERIALES:

- Palitos para manualidades
- Carretes de madera
- Papel de lija (si hace falta)
- Cola de carpintero
- Cartón de leche
- Cúter

chasis

carrocería

el camión

1. Para las ruedas, METE un palito en cada carrete (puedes lijar los bordes para que las ruedas puedan girar). Para unir las ruedas, PEGA dos pilas de palitos sobre los extremos de los ejes. PEGA dos pilas entre las ruedas de modo que el chasis quede elevado y la carrocería no toque las ruedas.

2. Para la carrocería, pide a un adulto que CORTE la parte superior del envase de cartón (con un cúter). Para el parabrisas, PLIEGA hacia abajo un lado del extremo abierto del cartón; los laterales se plegarán formando un ángulo. Luego RECORTA ¾ del envase para hacer la caja del camión. INTRODUCE el trozo cortado por la abertura de la parte frontal de la cabina, de modo que quede tapada. Para los laterales de la caja, monta dos cuadrículas con palitos y PÉGALAS en el interior del cartón. PEGA la carrocería encima del chasis.

ESTABLO DIORAMA

Los pequeños artesanos se lo pasarán genial construyendo un diorama.
Esta maqueta representa un establo, está hecha con madera y un cajón,
y es ideal para exponer. Algunos detalles como las herraduras y las monturas
le dan a la escena un toque realista.

CÓMO HACERLO

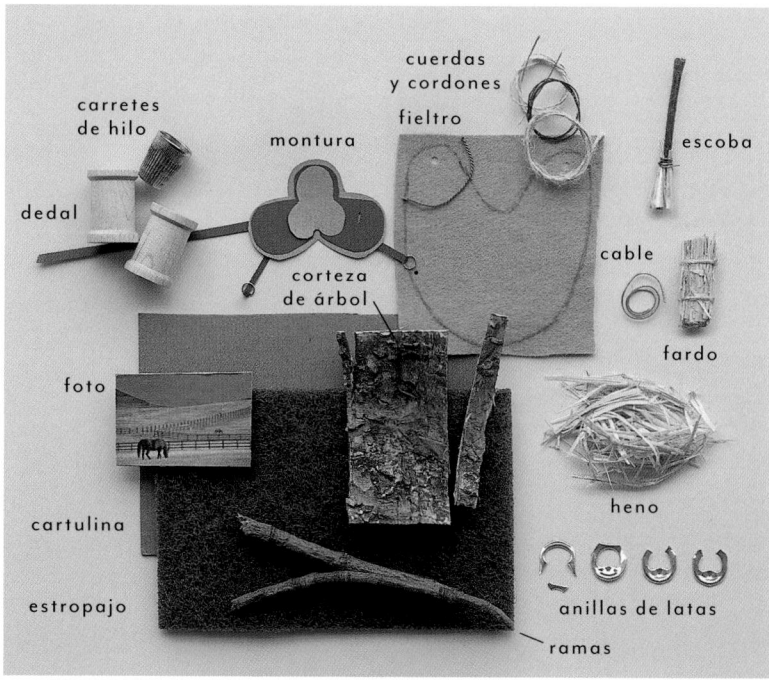

carretes de hilo
dedal
montura
corteza de árbol
cuerdas y cordones
fieltro
escoba
cable
fardo
foto
heno
cartulina
estropajo
anillas de latas
ramas

MATERIALES:

- Caja o cajón de madera
- Tijeras
- Cartulina
- Pegamento o pistola encoladora, y pegamento en barra
- Almohadilla de estropajo
- Tijeras grandes
- Anillas de latas de refrescos
- Heno o hierba
- Cuerda, cordón y cable
- Foto (para la ventana)
- Cartoncillos de color (para las monturas y los ribetes)
- Carretes de madera
- Rotulador
- Fieltro de colores
- Plantillas (ver página 329)
- Caballitos de plástico
- Un dedal (para el cubo)
- Tachuelas de colores
- Argollas para aretes

el establo

1. APOYA el cajón sobre un lado. Corta el suelo de cartulina del tamaño que desees. PÉGALE el estropajo. RECORTA para las vallas tiras de corteza, y ramitas para los postes. Pégalo.

2. Con unas tijeras CORTA (mejor un adulto) las anillas de lata a modo de herraduras. Toma unos puñados de heno y ÁTALOS con un trozo de cuerda. Con una rama, heno y un trozo de cable haz una escobita. RECORTA unas cintas de premio en papel de color. RECORTA una foto de una revista, o descárgala de internet e imprímela. ENROLLA las cuerdas. ETIQUETA los carretes con rotulador (avena, grano…), y RECORTA dos círculos de fieltro como tapas. PEGA ramitas como colgadores.

3. Para las mantas, DIBUJA y RECORTA formas de U en un fieltro; haz las monturas (ver instrucciones). Para las riendas, ATA una cuerda alrededor de la cabeza de los caballos.

4. COLÓCALO todo (también el dedal) en el establo, y PÉGALO en su sitio. Para colgar las cuerdas, usa tachuelas de colores. En el centro del suelo, PEGA un ramita larga a modo de poste.

la montura

1. Usa las plantillas para RECORTAR las capas en cartulina o fieltro de color marrón y beige. PEGA las capas.

2. CORTA dos tiras para los estribos, y una más larga para la cincha. PLIEGA el extremo de cada estribo alrededor de una argolla, y aplica pegamento. Pega los estribos a la montura. Ciñe el vientre de los caballos con la cincha, y PEGA las puntas debajo de la montura..

BARCOS DE JUGUETE

¡Leven anclas! Si sueñas con una vida en el mar, ya puedes construir un bote, un barco o una flota, y jugar a ser el capitán. Las instrucciones de la página 82 son para construir un velero; la misma técnica puedes emplearla para cualquiera de estas embarcaciones. Si tienes que combinar varias piezas, será mejor que primero las pegues con cinta y hagas una prueba para ver si tu diseño funciona. Si tu barco se inclina en el agua, puedes colocarle una quilla en el fondo del casco para darle estabilidad.

✳ ¿lo sabías?

No importa cuántas velas tengas,
el barco siempre funciona igual: la quilla,
debajo del agua, mantiene la nave estable.
Cuanto más largo o alto sea el barco, más
grande será la quilla. Primero prueba
tu bote en la bañera o el fregadero, y si
estás listo para la aventura llévalo a un
estanque o un lago. Y no olvides aprender
la jerga del capitán: «¡Izar la mayor!
¡Virar por avante! ¡Tierra
a la vista!»

CÓMO HACER UN BARCO DE JUGUETE

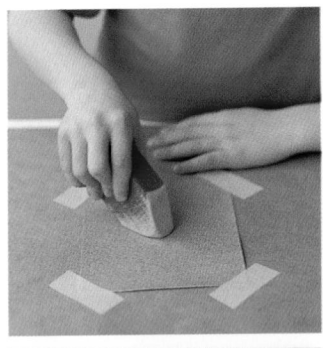
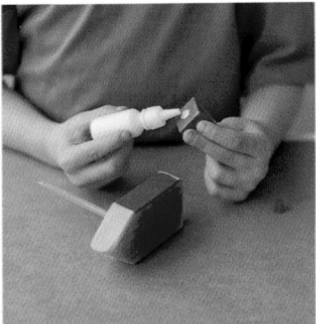

MATERIALES:

- Abrazadera
- Tacos de madera
- Sierra
- Palitos chinos
- Taladro
- Papel de lija
- Cinta adhesiva protectora
- Cola de carpintero
- Pintura al agua y pincel
- Pintura de poliuretano (para sellar)
- Sobres acolchados
- Tijeras
- Rotuladores o pegatinas
- Perforadora
- Cordón de cera
- Plantillas para velero (página 330)
- Palillos

PASOS BÁSICOS:

1. Estas instrucciones son para hacer el velero de la página 81, abajo a la izquierda. Adáptalas para los otros barcos de las fotos. El primer paso lo realizará un adulto. COLOCA un taco de madera en la abrazadera y corta 2 triángulos con la sierra para formar la proa. Retira uno de los triángulos y resérvalo para la quilla. CORTA un palito chino de la altura del mástil. USA una broca muy pequeña para hacer 2 o 3 agujeros en el palo, para luego enganchar la vela. Con una broca más grande, haz un orificio en el centro de la parte superior del bote (sin atravesar el taco), para colocar el mástil. PEGA con cinta el papel de lija a la mesa, y frota el taco varias veces por ambos lados para alisar los bordes rugosos. Haz lo mismo con la quilla.

2. Si el casco consta de varias piezas, primero PÉGALAS. Luego PEGA la quilla en el fondo, y el mástil en el agujero de la cubierta. LIMPIA todos los restos de pegamento y deja SECAR.

3. PINTA 2 o 3 capas (después de cada capa, deja secar bien). PINTA los detalles: bandas, claraboyas, nombre del barco. En una habitación bien ventilada, un adulto SELLARÁ el barco con dos capas de pintura de poliuretano (dejando secar bien entre una y otra), para que esté en condiciones para navegar.

4. Haz la vela CORTANDO un triángulo de un sobre acolchado, pliégalo a lo largo para que tenga mayor resistencia. DECÓRALO y haz 2 o 3 agujeros en el cateto, y ATA la vela al mástil con un cordón de cera.

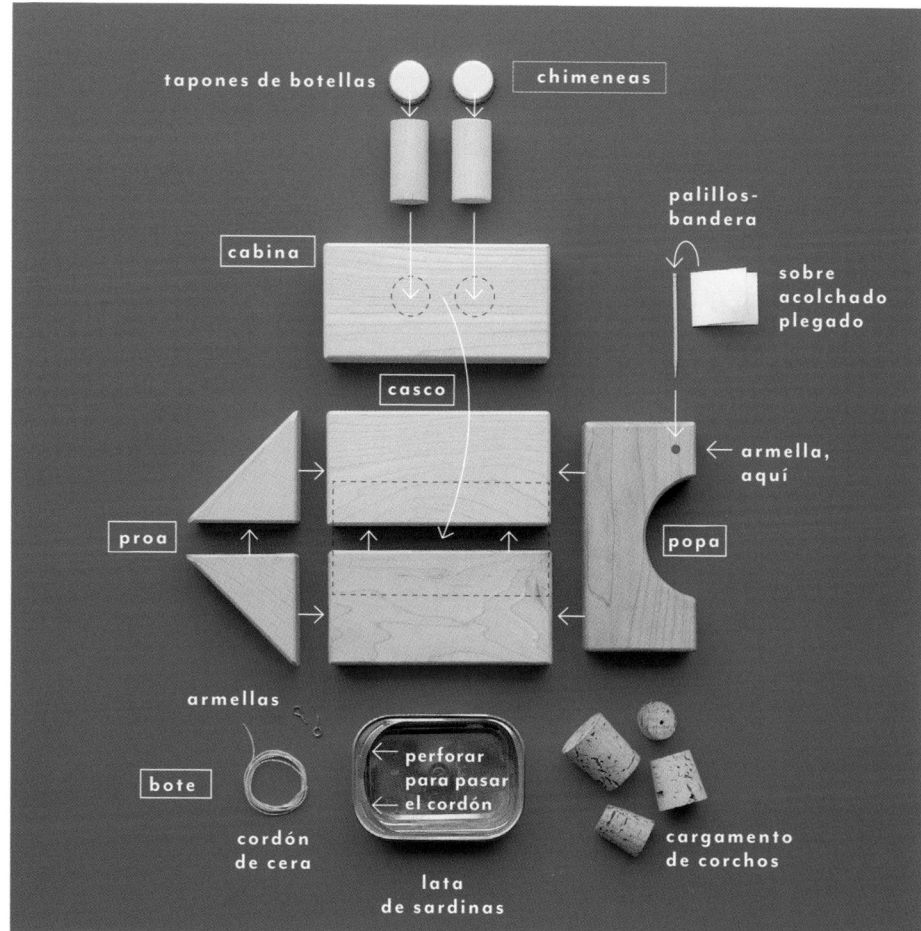

Labels in image:
- tapones de botellas
- chimeneas
- palillos-bandera
- sobre acolchado plegado
- cabina
- casco
- armella, aquí
- proa
- popa
- armellas
- bote
- perforar para pasar el cordón
- cordón de cera
- lata de sardinas
- cargamento de corchos

el remolcador (página 81, abajo a la derecha)

1. Sigue los pasos básicos de la página anterior. PEGA los dos tacos rectangulares para armar el casco, como se muestra en la imagen. ADHIERE los dos triángulos en un extremo para formar la proa, y el taco con la curva en el otro extremo para la popa. Encima del casco, en el centro, AÑADE el otro taco rectangular, que será la cabina.

2. PEGA los tapones sobre los cilindros de madera. PEGA las chimeneas encima de la cabina, como en la imagen. Para la bandera con su mástil, PEGA un trocito plegado de sobre en un palillo. En la popa, CLAVA una armella para meter luego el palillo.

3. CLAVA otra armella en el centro de la curva de la popa. Para hacer el bote, pídele a un adulto que perfore la lata de sardinas por un lado. Luego PASA un cordón por los agujeros y ENGÁNCHALO a la popa del barco. LLENA el bote con los corchos.

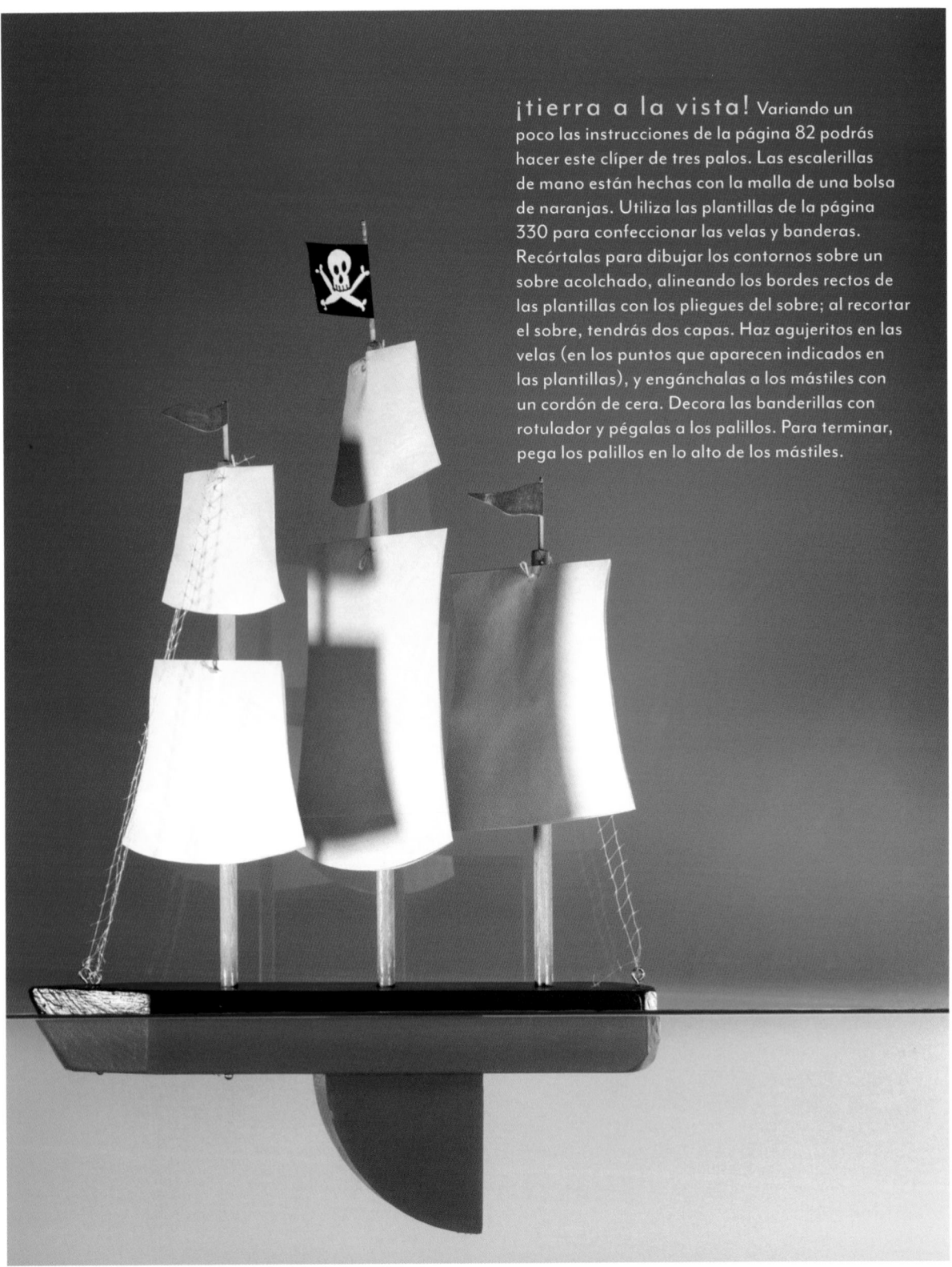

¡tierra a la vista! Variando un poco las instrucciones de la página 82 podrás hacer este clíper de tres palos. Las escalerillas de mano están hechas con la malla de una bolsa de naranjas. Utiliza las plantillas de la página 330 para confeccionar las velas y banderas. Recórtalas para dibujar los contornos sobre un sobre acolchado, alineando los bordes rectos de las plantillas con los pliegues del sobre; al recortar el sobre, tendrás dos capas. Haz agujeritos en las velas (en los puntos que aparecen indicados en las plantillas), y engánchalas a los mástiles con un cordón de cera. Decora las banderillas con rotulador y pégalas a los palillos. Para terminar, pega los palillos en lo alto de los mástiles.

CÓMO HACER UN BARCO DE JUGUETE

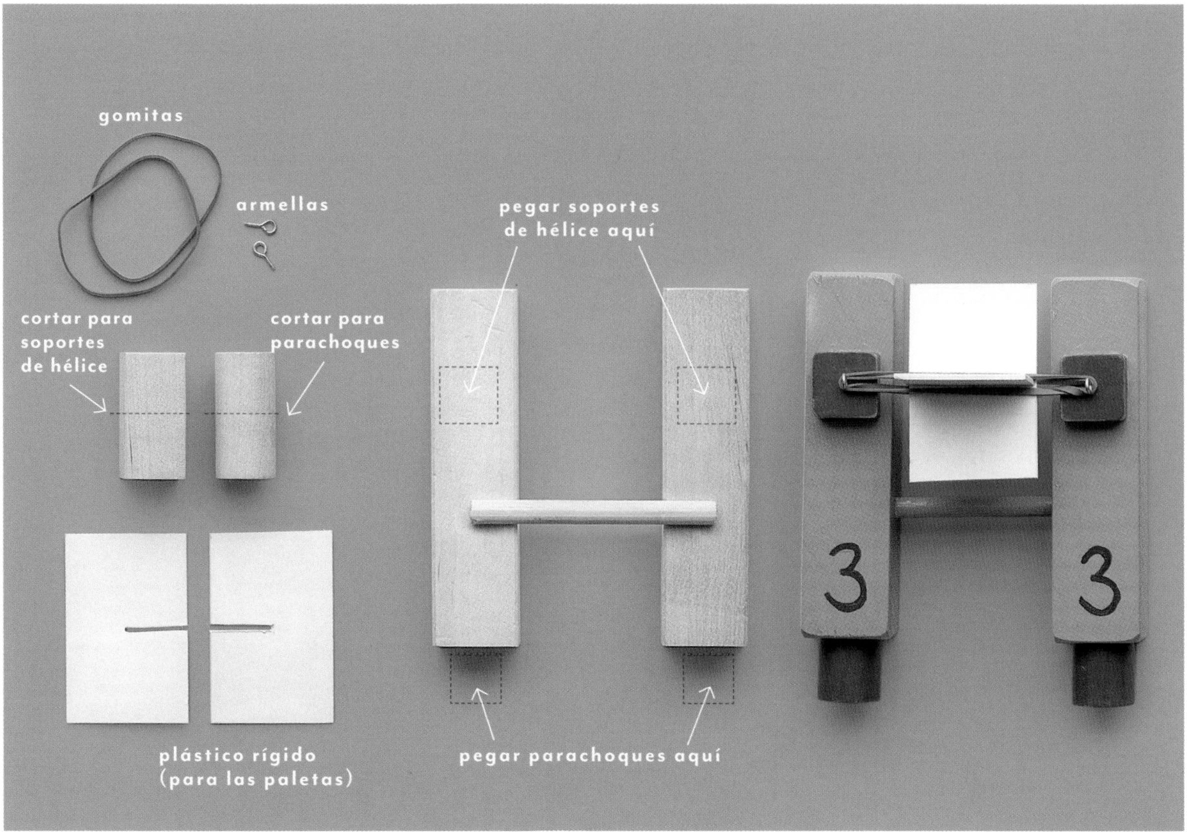

gomitas

armellas

pegar soportes
de hélice aquí

cortar para
soportes
de hélice

cortar para
parachoques

plástico rígido
(para las paletas)

pegar parachoques aquí

la lancha motora (página 81, arriba a la derecha)

1. USA dos tacos largos de madera para armar el pontón (casco chato) y ÚNELOS con una clavija. Un adulto HARÁ dos agujeros en los tacos para encajar la clavija. PÉGALA.

2. CORTA los soportes para la hélice y los parachoques como se muestra en la imagen, y PÉGALOS donde corresponde. PINTA y sella el bote. AJUSTA dos armellas en los soportes de la hélice.

3. Para las paletas, utiliza plástico rígido (como el de una botella de plástico) o madera balsa. RECORTA 2 rectángulos con cortes. ÚNELOS por los cortes. PASA por el eje de las paletas las gomitas y ENGÁNCHALAS por los extremos a los tornillos ajustados en los soportes de la hélice.

consejo

Una rueda de paleta hecha con gomitas es un motor magnífico. Para que funcione, apunta la cara del barco hacia delante y haz girar las paletas hacia tu lado, como si le dieras cuerda. Prueba dándole cuerda hasta que la gomita quede bien tirante para que la lancha arranque a toda velocidad. Para que parta a velocidad de crucero, deja la gomita más floja.

PUEBLO DE CARPETA

Cualquier carpeta de oficina puede convertirse en un bonito tejado.
Basta con unos cuantos pliegues y cortes y algunas plantillas. Si te apetece,
puedes crear un pueblo entero de casitas de colores en medio del bosque.

MATERIALES:

- Lápiz
- Plantillas de la página 330
- Carpetas archivadoras
- Tijeras
- Cinta adhesiva de doble cara

PASOS:

1. CALCA las plantillas de árboles y casas sobre las carpetas. El centro del tejado tiene que coincidir con el pliegue de la carpeta. RECORTA.

2. Para hacer una casa, MARCA las líneas de puntos y PLIEGA las paredes. PLIEGA la tira sombreada de la plantilla. PÉGALA con cinta de dos caras a la otra pared. COLOCA una tira de cinta en los bordes superiores de los muros. COLOCA el techo. Presiona un poco.

3. Para los abetos, HAZ el corte en el centro como está indicado en las plantillas. UNE las dos secciones por los cortes, entrelazándolas.

EDIFICIOS DE CARTÓN

Nunca ha sido tan fácil diseñar un edificio de cartón que no se derrumbe. Necesitas pajitas, cortadas en segmentos de 5 cm, con un corte de 1,2 cm en el extremo. Y planchas de cartón de 10 x 15 cm, recortadas de cajas de cereales u otras piezas de cartón ligero. Construye los muros uniendo los extremos de las pajitas con los bordes de los cartones, y añade luego las otras piezas. Pliega los cartones para formar las esquinas.

ESTACIÓN DE SERVICIO

¡Motores en marcha! Los pequeños fans de los coches estarán ocupados durante horas en esta estación de servicio en miniatura. Cuenta con surtidores de gasolina, un túnel de lavado y una tienda de repuestos completísima. La estructura básica puede armarse con cajas de cartón. Para las máquinas y artilugios tendrás que hurgar en la cocina, el garaje y el trastero.

consejo

Pegatinas, sellos e imanes de letras funcionan como señales y carteles. Decora los muros y las máquinas con cartulina de color o pintura. Marca las zonas de aparcamiento con cinta aislante amarilla. El papel de lija tiene el aspecto del asfalto, y los carretes de hilo parecen barriles de gasolina. Un envase cilíndrico y unos cepillos para limpiar botellas se convertirán en el túnel de lavado.

Envase cilíndrico

bandeja de aluminio

cartón corrugado

pistola encoladora y barra de pegamento

pegatinas

00 111
33 344
666 677
9999 $$
▬ ▬▬

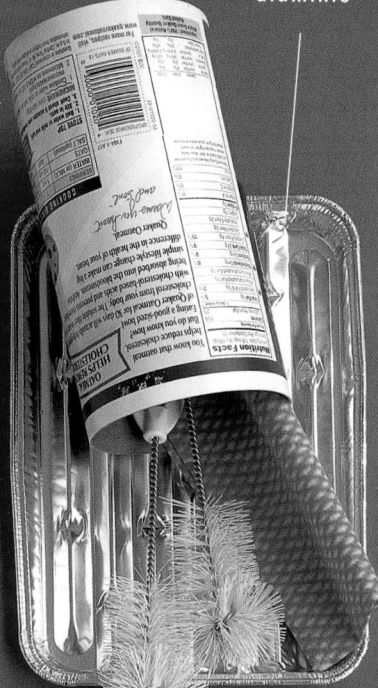

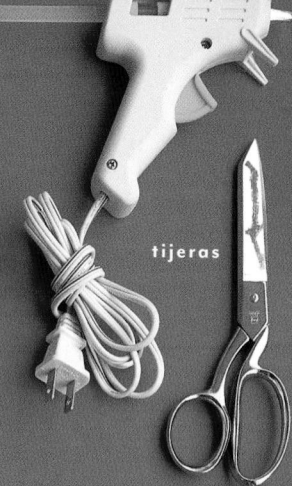

tijeras

tubo de cartón

cúter

caja de cerillas

paño de limpieza

cepillos para limpiar botellas

pajitas

carretes de hilo

lata de metal

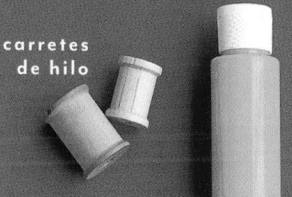

pintura acrílica

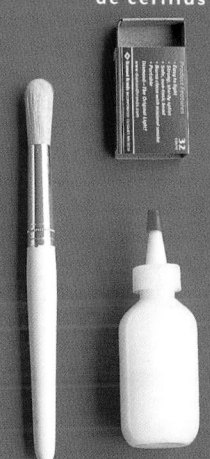

pincel

pegamento universal

papel de lija negro y marrón

broches de dos patas

imanes de letras

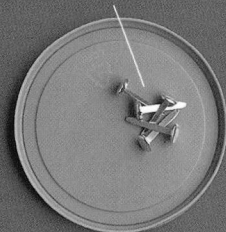

cinta aislante

sellos de letras

tapa de lata de café

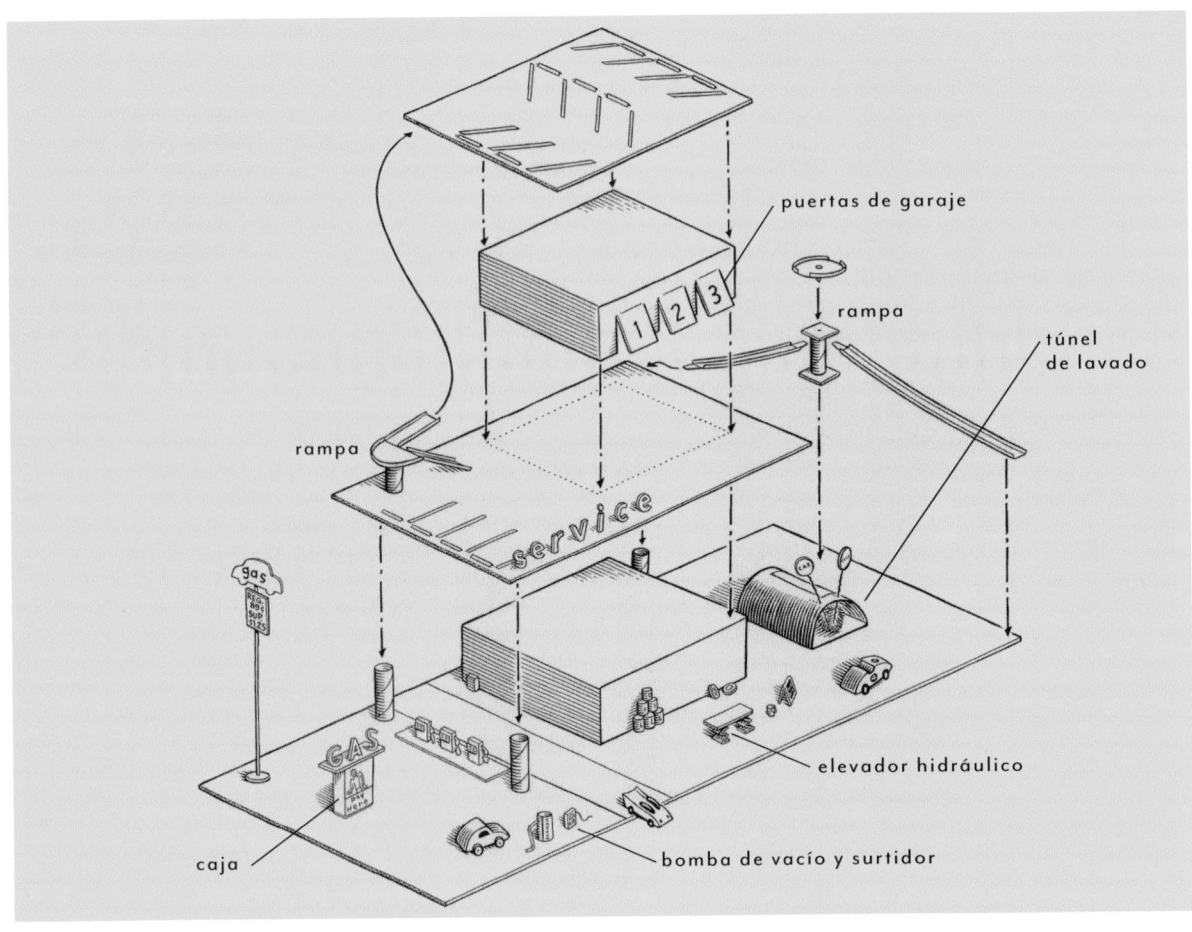

puertas de garaje

rampa

túnel
de lavado

rampa

service

gas

elevador hidráulico

caja

bomba de vacío y surtidor

GAS

el garaje

1. Siguiendo el dibujo, coloca cartones de diferentes niveles, PEGANDO tubos de papel de cocina como columnas.

2. Para las puertas del garaje; pídele a un adulto que CORTE tres lengüetas en una caja de cartón con el cúter.

3. Para la rampa, toma una pieza de un circuito de juguete e INTRODUCE la pestaña entre las capas de una plataforma de cartón corrugado. Para la rampa del otro lado, RECORTA el borde de la tapa de una lata de café: tendrás una curva. PERFORA la tapa y un cuadrado de cartón, UNE ambas piezas con un broche de dos patas. PEGA el cuadrado encima de un tubo de cartón.

4. Para el elevador hidráulico, haz 2 acordeones con 2 tiras de cartón. PEGA encima un rectángulo. Ajusta hasta que quede recto.

5. Para hacer la caja, DIBUJA a un empleado en un papel y PÉGALO en una lata de metal pequeña.

6. Pídele a un adulto que PEGUE las letras sobre la plataforma de cartón.

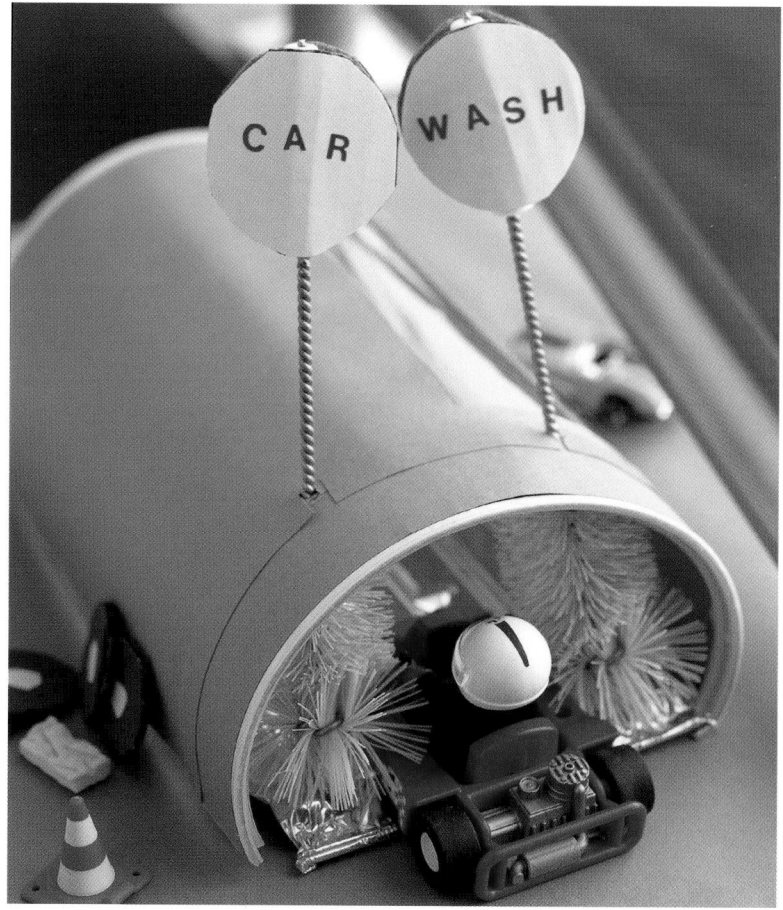

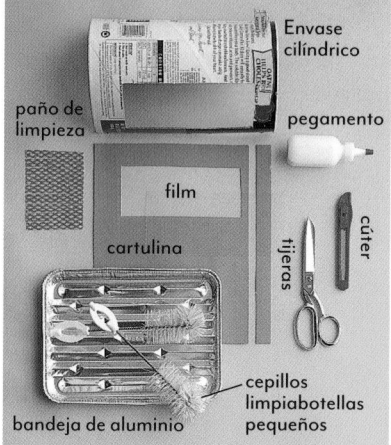

paño de limpieza

Envase cilíndrico

pegamento

film

cartulina

cúter

tijeras

bandeja de aluminio

cepillos limpiabotellas pequeños

para montar el túnel de lavado

1. CORTA el fondo del envase; luego CORTA el cilindro a lo largo. Ya tenemos el techo del túnel. Pídele a un adulto que ABRA en el techo una claraboya con el cúter. PEGA en la abertura un trozo de film un poco más grande.

2. HAZ 2 agujeros en el techo del túnel, cerca del borde, y PASA los mangos de cepillos limpiabotellas: que asomen rectos por arriba y las cerdas queden dentro. CUBRE el techo del túnel con cartulina de color. En el extremo de los mangos de los cepillos, PEGA dos círculos de cartón con pegatinas de letras.

3. Al final del túnel PEGA un retazo de paño de limpieza con flecos. Para el suelo, adapta una bandeja de aluminio al tamaño del túnel, o usa papel de plata.

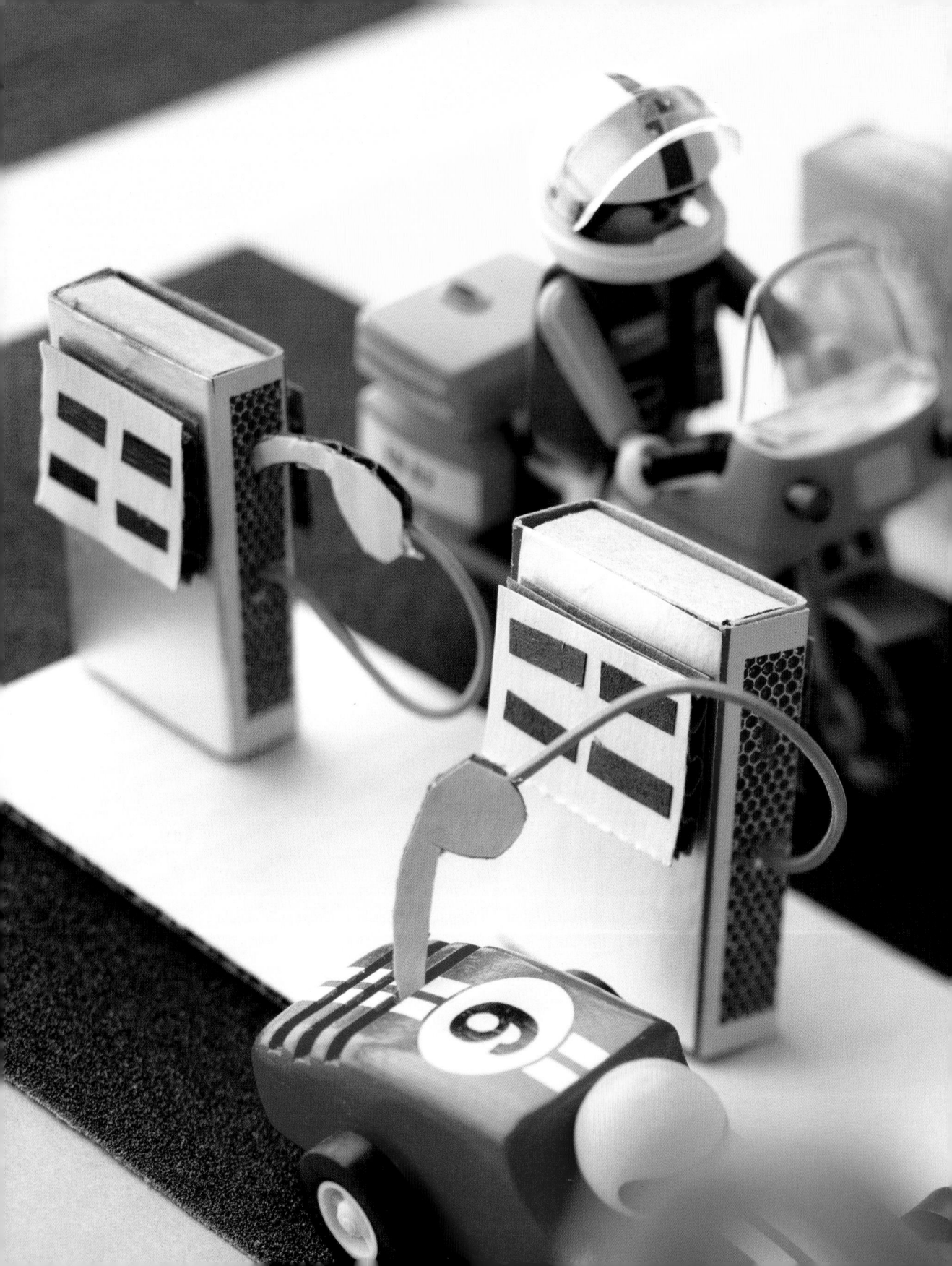

pajitas flexibles

pegatinas de letras

tubo de papel higiénico

cinta adhesiva de color

cinta de goma o elástico

cartón o cartulina

papel de aluminio

cajitas de cerillas

tijeras

las bombas

1. Para la bomba de vacío, ENCOLA un papel de color para forrar el tubo. Luego decóralo con cinta y pegatinas.

2. Para hacer la manguera, CORTA los segmentos flexibles plegados de las pajita y PÉGALOS con cinta. PERFORA un agujero en el tubo de cartón e introduce la manguera.

3. Para la bomba de aire, FORRA una cajita con papel de color; luego DECÓRALA con pegatinas. Recorta un semicírculo en una pegatina, conviértelo en un indicador de presión y PÉGALO en su sitio. Una cinta de goma adherida a la cajita será la manguera.

el surtidor

1. CUBRE una caja de cerillas con papel de aluminio.

2. PERFORA un orificio al costado e introduce una gomita. En el extremo de la gomita PEGA una pistola de gasolina hecha de cartón.

3. Sobre unos cuadraditos de cartón, PEGA pequeñas tiras de papel negro. Luego PEGA estas piezas en las cajitas, por delante y por detrás.

ESCENA DE ESQUÍ EN MINIATURA

Las latas de jamón de York son particularmente alargadas, con forma de huevo y algunos centímetros de profundidad. Esto las convierte en un marco estupendo para recrear una escena en miniatura. A nosotros se nos ha ocurrido una montaña nevada con esquiadores bajando las pendientes. Las latas de galletas, con formas igualmente divertidas, también sirven para este proyecto.

CÓMO HACERLO

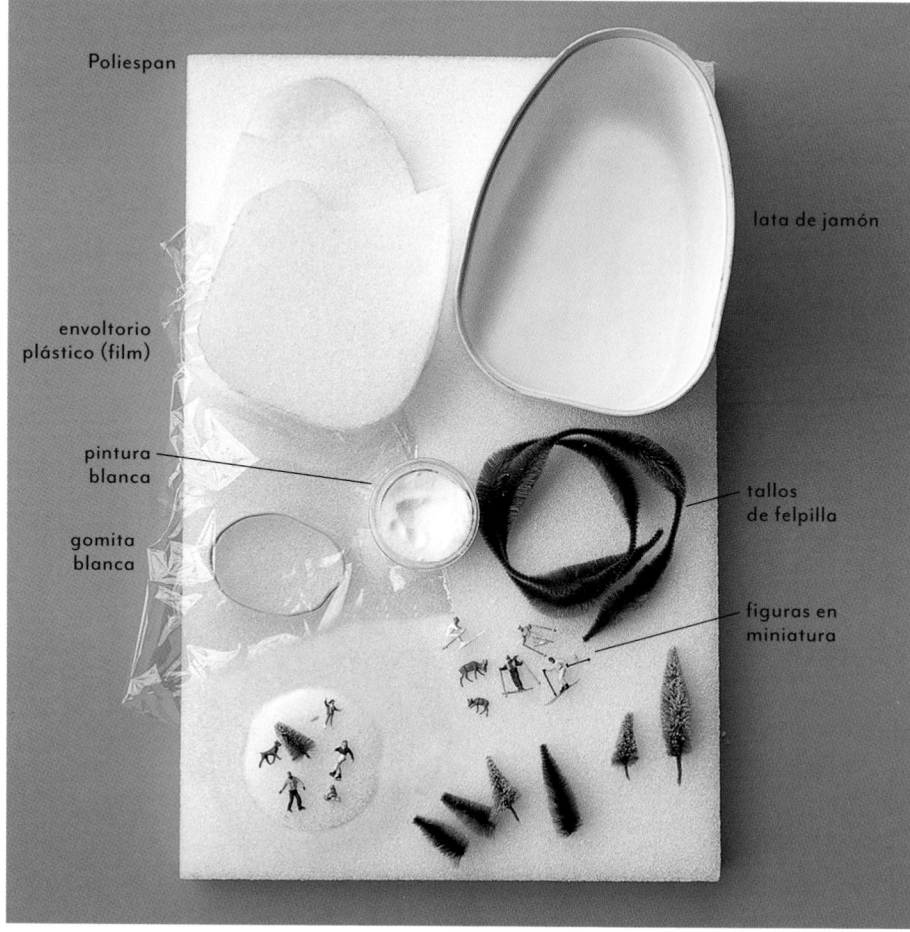

Poliespan

envoltorio
plástico (film)

pintura
blanca

gomita
blanca

lata de jamón

tallos
de felpilla

figuras en
miniatura

MATERIALES:

- Lápiz
- Una lata de jamón
  o galletas (limpia
  y seca)
- Planchas de
  poliespan de 1,25 cm
  de grosor
- Cuchillo dentado
- Pegamento
  universal o pistola
  encoladora,
  y pegamento de
  barra
- Tallos de felpilla
  verde
- Pincel
- Cola blanca de
  manualidades
- Bórax (o pintura
  blanca)
- Figuras de ciervos
  y esquiadores
- Film de plástico
- Goma blanca
- Cepillo de dientes
- Pintura blanca

PASOS:

1. TRAZA el contorno de la lata sobre cinco
   planchas de poliespan de 1,25 cm de grosor
   (disponible en tiendas de manualidades).

2. Pídele a un adulto que CORTE las planchas
   con un cuchillo dentado. La capa del fondo
   debe estar entera. RECORTA las demás capas
   para formar un cuadro con pendientes de
   diferentes alturas. PEGA las capas.

3. HAZ los árboles con tallos de felpilla,
   dejando medio centímetro libre de cerdas
   en la parte inferior para el tronco. Para

crear el efecto nevado, APLICA cola
blanca con un cepillo sobre los arbolitos y
ROCÍALOS con polvo de bórax (o salpícalos
con pintura blanca). CLAVA los arbolitos en
las pendientes.

4. PEGA las figurillas donde prefieras.
   Envuelve el recipiente con film, CIÑENDO
   el plástico con una goma blanca. Con un
   cepillo de dientes SALPICA el envoltorio
   con gotitas de pintura blanca, añadiendo
   un efecto nevado por fuera.

CASAS DE GALLETAS

Imagina que Candy Land se convierte en un lugar real: casas con paredes de galletas, arbustos de gominolas y farolas de piruletas. Puedes crear una aldea invernal entera con materiales comestibles, incluyendo carámbanos de glasé y nieve de coco. Esta casita consta de una sencilla estructura de galletas integrales, todo unido con glasé real.

chalet alpino El tejado de esta casita alpina está cubierto con pastillas de chocolate verdes y blancas. Un caramelo verde con forma de anillo simula una guirnalda de flores colgada en la puerta, con una cinta de caramelo roja. Apila algunas gominolas verdes para que parezcan un arbusto, y clava una piruleta en una gominola roja para hacer la farola. El camino de la entrada puedes crearlo con cintas dulces rojas y blancas.

CÓMO HACERLO

hacer el glasé real

INGREDIENTES:

- 4 tazas de azúcar glasé
- ¼ de taza de polvo de merengue
- ¼ de taza de agua (añadir más si hace falta)

RECETA:

Mezcla todo en la batidora y bate a velocidad lenta durante unos 7 min, hasta que no queden grumos. Mientras, ve añadiendo agua en cucharadas, en la medida que sea necesario. Utilízalo enseguida.

SALEN UNAS 2 ½ TAZAS

MATERIALES:

- Cuchillo dentado
- Crackers integrales rectangulares
- Bolsas de plástico con cierre hermético
- Tijeras
- Recipiente e ingredientes para el glasé real (ver receta)
- Plato desechable
- Frasco pequeño
- Surtido de golosinas para decorar
- Coco rallado

PASOS BÁSICOS:

1. Un adulto con un cuchillo debe SERRAR una cracker en 2 cuadrados: las paredes laterales de la casa. Para las fachadas delantera y trasera se SIERRAN en pico las esquinas superiores de otras 2 galletas; sobre los bordes inclinados de estas piezas apoyaremos el tejado.

2. Toma una galleta con pico y usa una bolsa cerrada con una pequeña abertura en la esquina para APLICAR el glasé en el borde inferior y los bordes rectos. Colócala de pie sobre un plato dado vuelta, utilizando un frasco pequeño para sostenerla. Ahora toma una galleta cuadrada, APLICA glasé en los bordes y pégala a la otra galleta. Quita el frasco. ADHIERE las otras paredes con glasé para terminar la estructura de la casa.

3. Para el tejado, CORTA otra cracker en 2 cuadrados. Puedes UNTARLAS con glasé y DECORARLAS con pastillas de chocolate de color simulando tejas. Deja SECAR. APLICA glasé sobre los bordes superiores de la estructura y PEGA encima los dos cuadrados. Puedes AÑADIR detalles decorativos. ESPARCE coco rallado alrededor de la cabaña a modo de nieve.

con bastones y cintas

Esta cabaña está decorada con caramelos rojos de canela. Para cubrir el tejado necesitarás cintas de caramelo. Un bastón de caramelo te servirá para crear la ventana con forma de corazón que adorna la fachada. Para la puerta, usa una galleta. Puedes hacer el muñeco de nieve apilando mentas dulces de navidad; y el buzón, con un caramelo, un trozo de bastón y una gominola (recorta una lámina de chicle para hacer la banderilla del buzón). Para dar forma a tu hombrecillo del trineo, corta una gominola blanca por arriba y por abajo y pégala encima de un caramelo a rayas; con la punta redondeada de una gominola roja pequeña puedes hacerle un gorro, y un par de confites negros pequeñitos serán sus ojos. Con solo colocar una galleta encima de dos bastones ya tienes el trineo.

CÓMO HACER UNA CASITA DE GALLETAS

casita estilo tudor

Las paredes exteriores de esta casita necesitan una capa gruesa de glasé, parecida al estuco. Antes de que se seque, añade palitos de chocolate para darle un estilo Tudor. El tejado y la puerta son de galletas de chocolate. Para simular los troncos apilados a un costado de la casa, coloca una pila de barquillos de avellana. La alfombrilla es otra galleta de chocolate, y el «welcome» (bienvenidos) está hecho con letras de sopa. La valla son trozos de palitos pegados con glasé, todo enterrado en nieve de coco.

cabaña en el bosque

En medio de un bosque de cucuruchos, esta acogedora cabaña tiene un tejado de almendras peladas y laminadas. La ventana de la buhardilla es una semilla de calabaza tostada. Las ramas de canela junto a la puerta tienen el aspecto de la leña. La chimenea que asoma por detrás son unos cuantos caramelos apilados. Con una barrita de sésamo puedes hacer el sendero. Dale el toque final usando un caramelo de goma para el pomo de la puerta.

INTERIORES DE CARTÓN

Estas estructuras de cartón plegable son muy fáciles de montar.
Con ellas podrás crear pequeños y bonitos espacios para jugar.
Aquí hemos montado una sala de estar, un aula y un establo,
pero las posibilidades son infinitas.

CÓMO HACERLO

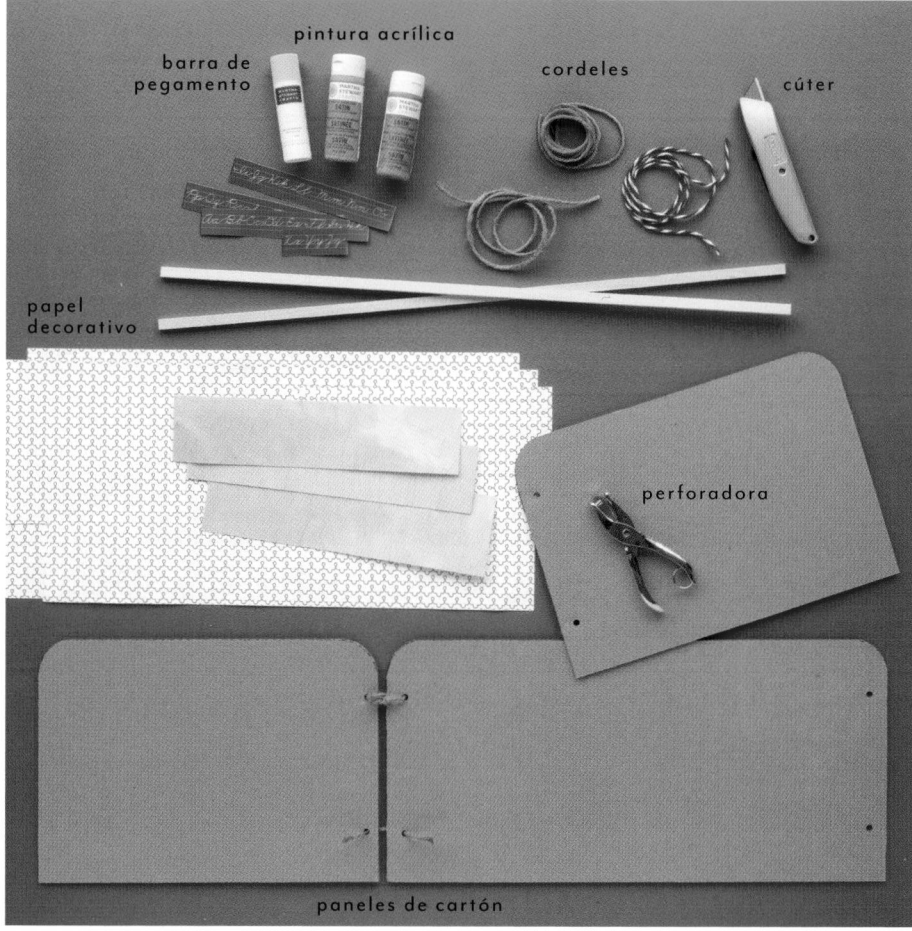

MATERIALES:

- Tijeras
- Plantillas
  (página 331)
- Lápiz
- Cartón corrugado
  (cajas o planchas)
- Cúter
- Papel pintado
  o cualquier papel
  para decorar
- Cola blanca de
  manualidades
  o pegamento
  de barra
- Pintura acrílica
- Perforadora
- Panel de madera
  para el suelo
  (opcional)
- Hilo grueso
  o cordel
- Muebles para
  casas de muñecas
  y accesorios
  (comprados o
  hechos en casa)

PASOS:

1. RECORTA las plantillas y DIBUJA los contornos sobre cartón. Pídele a un adulto que RECORTE las piezas con un cúter.

2. RECORTA papel decorativo del mismo tamaño y pégalo sobre el cartón, y/o PINTA las paredes. Deja secar.

3. PERFORA dos agujeros en cada extremo lateral de la pared larga (a 4 cm de la parte superior e inferior del cartón), y dos más en cada lado de las paredes pequeñas, a la misma altura.

UNE las piezas con un hilo grueso o un cordel. Para hacer una puerta o ventana, pídele a un adulto que CORTE las piezas, luego ENGÁNCHALAS con hilo a las paredes.

4. MONTA la habitación sobre un suelo de madera o, si prefieres, de cartón pintado. Ya puedes COLOCAR muebles, figuras y otros accesorios.

el aula de cartón

Se trata de un aula bien equipada: tiene una pizarra
(un marco diminuto con el interior pintado de negro), un
expositor de mariposas y, encima de la librería, un par de
frascos que contienen especímenes de ciencias naturales.
Los chicos pueden crear obras de arte en miniatura
(o reducir algunas con la fotocopiadora o el escáner)
para pegar en las paredes, o accesorios como el ordenador
portátil que está sobre la mesa. Añade algunas letras y
mapas sobre el anaquel colocado debajo de la pizarra
(lo hicimos adhiriendo una tablilla de madera balsa a un
trozo de papel madera; ambos materiales se consiguen
en las tiendas de manualidades). ¡Y no te olvides de la
manzana para la profesora! (la nuestra es de arcilla).

el establo de cartón

Las paredes rojas le dan a este establo
un aspecto más real. Las puertas
batientes grandes permiten que los
animales entren y salgan con facilidad.
Coloca animales de madera o plástico,
escalerillas y vallas, y alimenta a los
animales con heno de papel triturado.

¿lo sabías?

En las tiendas de manualidades suele
haber una sección de casas en miniatura.
Allí encontrarás un montón de pequeños
elementos decorativos y materiales, como
papel madera o tablillas para las paredes
o las repisas. Lo divertido es decorar estos
espacios con una variedad de muñequitos
de otros juegos, o con objetos en miniatura
hechos por ti. Prueba hacer un piano
de cartón, un cuenco de arcilla
o unas cortinas con una
muestra de tela.

FABRICA JUGUETES ÚNICOS

Estos juguetes no están en ninguna tienda. Con un poco de creatividad y algunas cosillas que tengas en casa podrás fabricar instrumentos musicales, juguetes, juegos y mucho más.

INSTRUMENTOS MUSICALES

Aspirante a músico, toma nota: para formar tu propia banda solo tienes que hurgar en el cajón de trastos de la cocina y en los contenedores de reciclaje. Allí encontrarás un montón de componentes de instrumentos sencillos. Arma un banjo con bandas elásticas y una vieja caja de zapatos, una pandereta con platos desechables y tapas de botella, un tambor con una lata de café, o un mirlitón de cartón.

tambor Una lata grande atada con una cinta es perfecta para marchar al compás de tu música mientras tocas. Para fabricar los palillos, pídele a un adulto que, con un clavo y un martillo, haga un agujero en dos pelotas de ping-pong. Luego introduce una clavija en cada orificio.

mirlitón ¿Sabes tararear? Entonces este mirlitón es el instrumento perfecto para ti. Toma un tubo de papel de cocina y perfóralo cerca de un extremo. Luego cubre esa parte con papel de cera y usa una gomita para asegurarlo. Acércate el lado abierto a la boca y tararea en el interior del tubo.

CÓMO HACER UNA PANDERETA

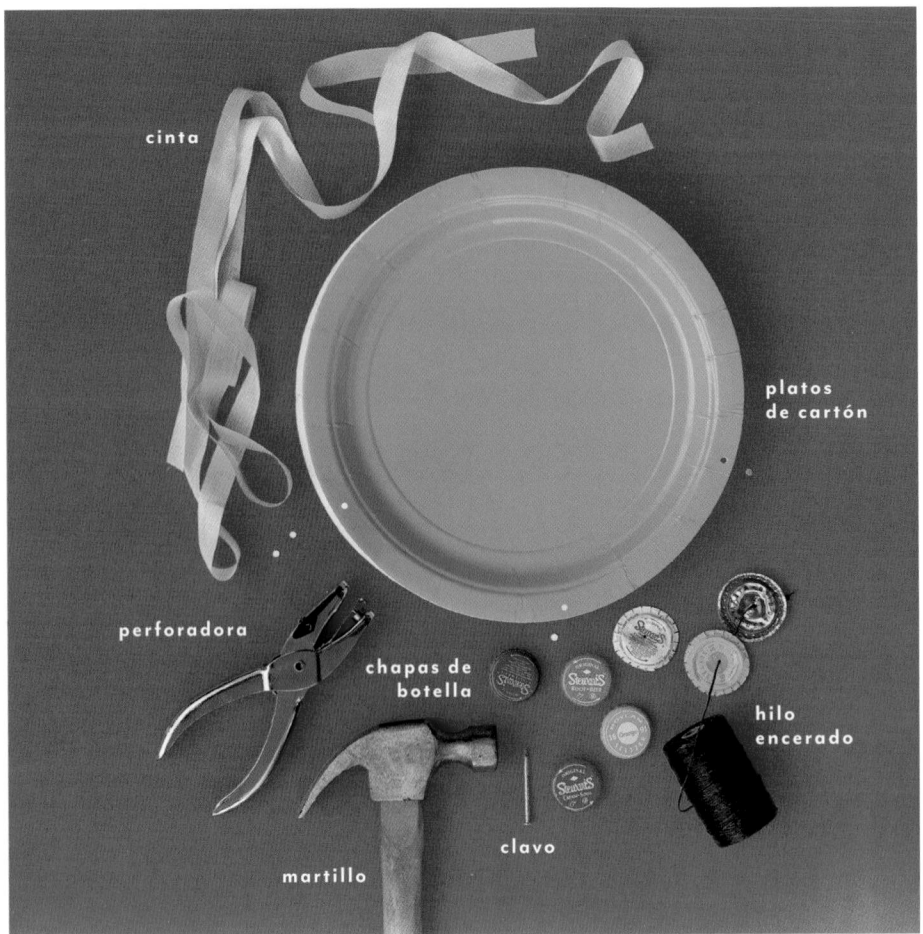

cinta

platos
de cartón

perforadora

chapas de
botella

hilo
encerado

martillo

clavo

MATERIALES:

- Martillo y clavo
- 20 chapas (aproximadamente)
- Pegamento
- 2 platos de cartón
- Perforadora
- Hilo encerado o de lana
- Cinta

PASOS:

1. Un adulto debería ayudar en este paso. Sobre una mesa de trabajo sólida, hay que MARTILLAR las chapas hasta que queden chatas. Para un mejor sonido, algunas deben quedar más chatas que otras. Luego hay que PERFORAR con el clavo un agujero en el centro de cada una.

2. PEGA los dos platos con los fondos encerados. Deja SECAR.

3. HAZ 6 agujeros alrededor de los platos, en los bordes. PASA un trozo de hilo de 10 cm a través de cinco pares de agujeros, enhebrando dos o tres chapas entre los platos, del lado exterior. ATA los hilos.

4. PASA la cinta por el último agujero (como se muestra en la página 104).

CÓMO HACER UN BANJO

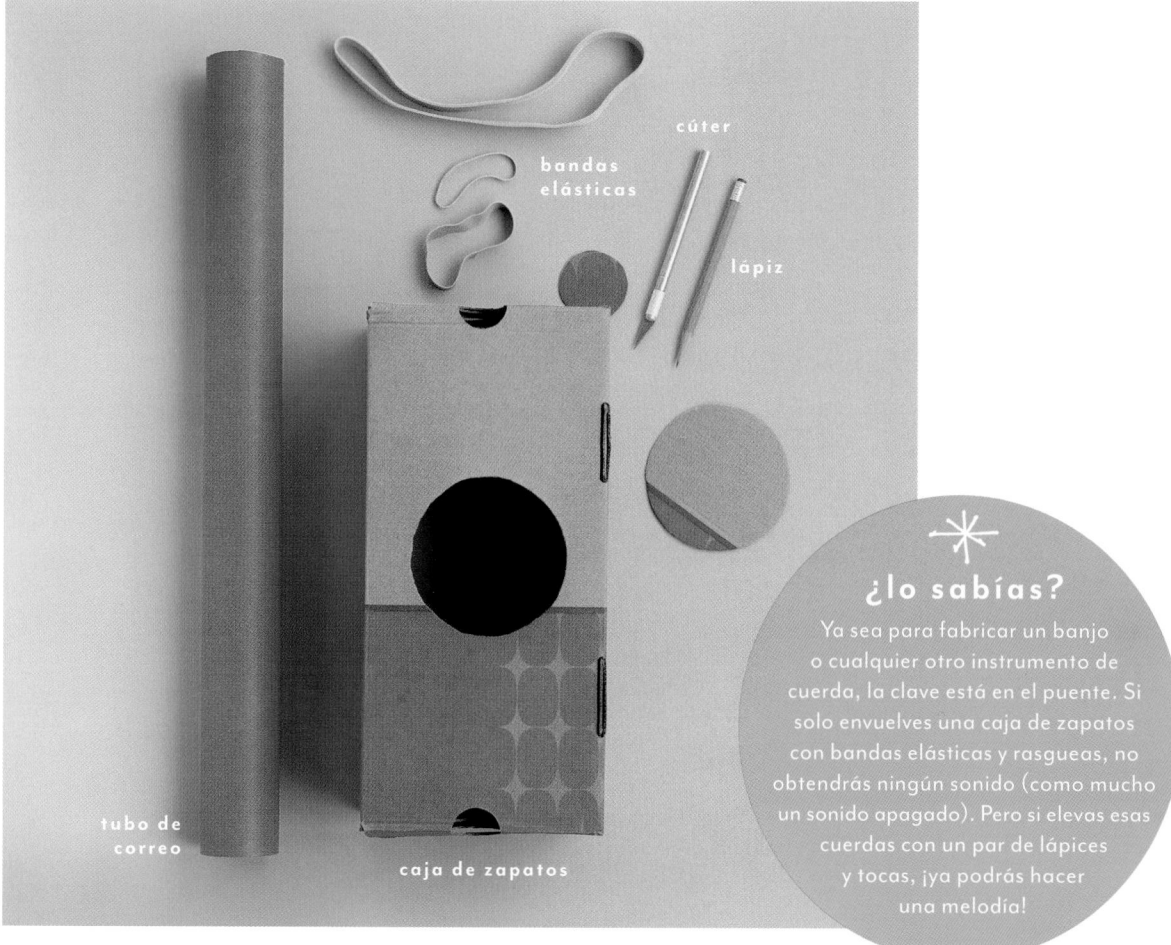

tubo de correo

bandas elásticas

cúter

lápiz

caja de zapatos

¿lo sabías?

Ya sea para fabricar un banjo o cualquier otro instrumento de cuerda, la clave está en el puente. Si solo envuelves una caja de zapatos con bandas elásticas y rasgueas, no obtendrás ningún sonido (como mucho un sonido apagado). Pero si elevas esas cuerdas con un par de lápices y tocas, ¡ya podrás hacer una melodía!

MATERIALES:

- 2 lápices
- Caja de zapatos con su tapa
- Frasco de vidrio o una tapa
- Cúter
- Tubo de correo
- Bandas elásticas de varios tamaños (algunas muy grandes)

PASOS:

1. DIBUJA un círculo en el centro de la tapa de la caja; puedes usar un frasco o la tapa de un frasco para que te salga perfecto. Pídele a un adulto que RECORTE el círculo con un cúter.

2. Ahora usa el tubo de correo para TRAZAR otro círculo sobre uno de los lados pequeños de la caja. RECÓRTALO por el interior del contorno. INTRODUCE el tubo por la abertura del círculo. Ya tienes un mástil.

3. Ahora ESTIRA las gomas a lo largo de la caja. Para hacer el puente COLOCA dos lápices en el frente de la caja, uno a cada lado de la boca del banjo, debajo de las cuerdas (sin el puente, tu banjo no sonará). La longitud y el ancho de las gomas harán que el instrumento suene de maneras diferentes.

AUTOS LOCOS

¿Preparados? ¿Listos? ¡Fuera! Los amantes de los coches se
lo pasan en grande fabricando sus prototipos de automóviles.
Cualquier cosa a la que le pongan ruedas es un vehículo en potencia.
Tanto una botella de plástico como un cartón de palomitas
pueden convertirse en un coche de carreras.

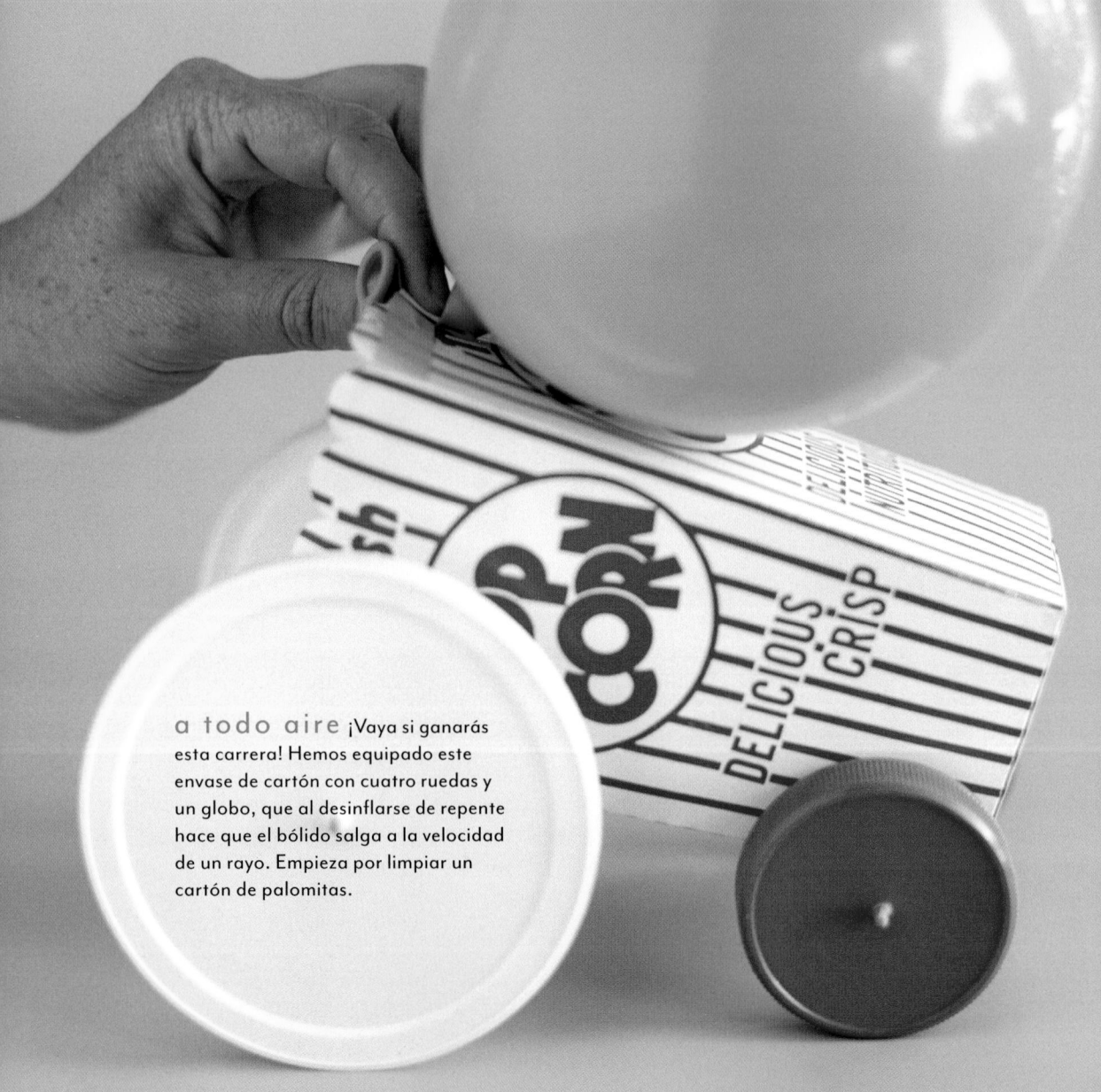

a todo aire ¡Vaya si ganarás
esta carrera! Hemos equipado este
envase de cartón con cuatro ruedas y
un globo, que al desinflarse de repente
hace que el bólido salga a la velocidad
de un rayo. Empieza por limpiar un
cartón de palomitas.

CÓMO HACER UN BÓLIDO DE PALOMITAS

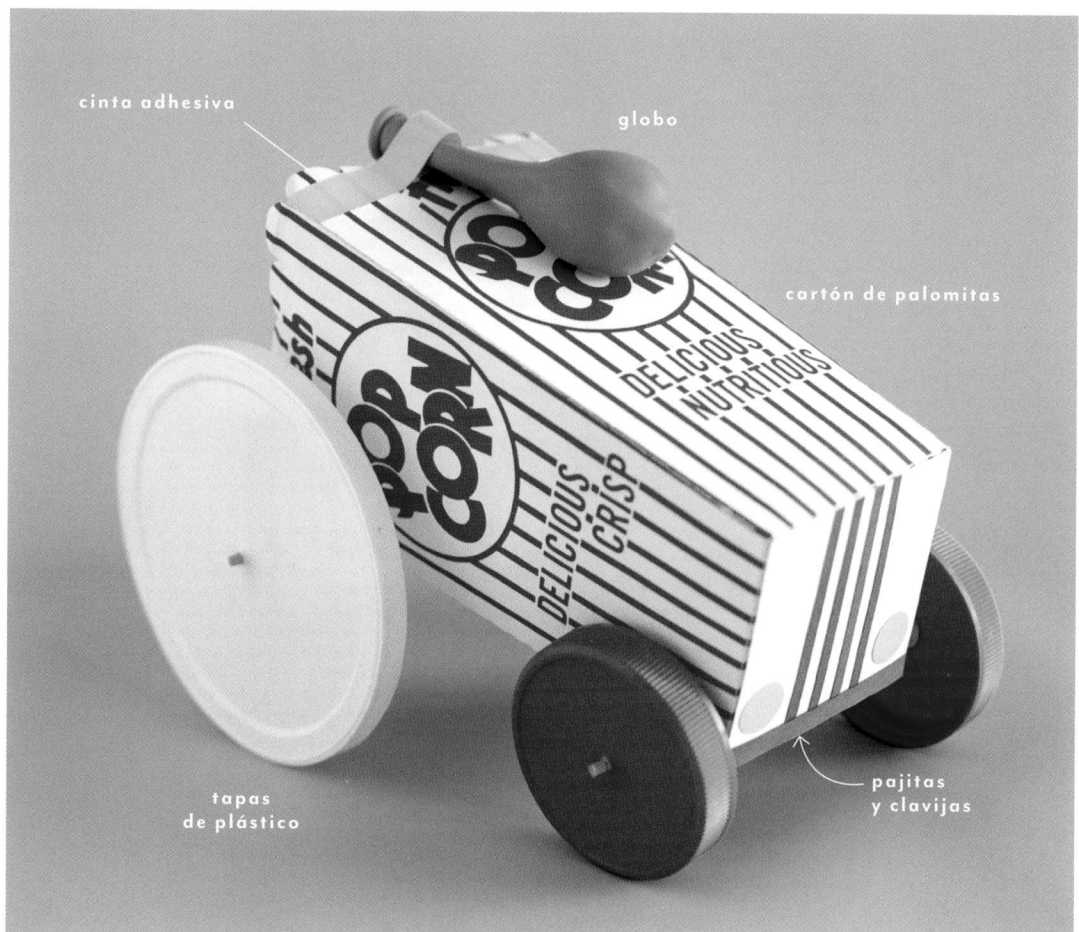

cinta adhesiva

globo

cartón de palomitas

tapas
de plástico

pajitas
y clavijas

MATERIALES:

- Cinta adhesiva
- Globo
- Cartón
  de palomitas
- 2 brochetas de
  madera
- 2 pajitas para
  beber
- Punzón
- 4 tapas
  de plástico
- Arandela para
  nivelar (opcional)

PASOS:

1. En la parte superior del cartón FIJA el globo con cinta, sin apretar para que no obstruya la salida del aire.

2. Para las ruedas, PASA 2 brochetas a lo largo de 2 pajitas (estas tienen que ser más finas y un poco más largas). Un adulto usará un punzón para PERFORAR las 4 tapas de plástico en el centro (pueden ser 4 ruedas del mismo tamaño, o 2 pares de distintos).

3. METE las puntas de las brochetas en los agujeros de las ruedas. ADHIERE los ejes con cinta en el fondo del chasis. Si el coche parece torcido, PEGA una arandela debajo o al costado del envase. Calienta el motor inflando el globo, luego suéltalo y observa como tu bólido sale a toda velocidad.

CÓMO HACER UN BÓLIDO DE BOTELLA

MATERIALES:

- Botella de plástico
- 4 ruedas (pueden ser de juguetes rotos, o tapas de plástico)
- 2 brochetas de madera
- 3 pajitas para beber
- Punzón
- Arandela para nivelar (opcional)
- Cinta adhesiva
- Pegatinas
- Cinta roja
- Tijeras

PASOS:

1. QUITA la etiqueta de la botella.

2. SIGUE las instrucciones de la página III para hacer las ruedas y COLOCARLAS, usando las brochetas y las pajitas.

3. ADORNA el lateral del coche con un número y pegatinas. Toma otra pajita y haz un mástil, y COLOCA en lo alto una banderilla triangular recortada en cinta.

bólido reconvertido

Busca botellas en los contenedores y experimenta con diferentes formas y tamaños. Luego haz una competición y comprueba cuál es el bólido más rápido.

VEHÍCULOS DE PAPEL MACHÉ

Esta es una manualidad ideal para chicos que disfrutan poniendo objetos en movimiento:
coches y autobuses, trenes y aviones, cohetes y ovnis. En una tarde puedes convertir
cajas de cereales, platos desechables y tubos de cartón en toda clase de vehículos.
Y ni siquiera necesitarás de tecnología, solo un poco de harina, tiras de papel,
cola y pintura.

objetos voladores
Extraterrestres de ojos saltones navegan por el espacio en sus platillos voladores (que cuelgan de un monofilamento casi invisible). En el camino se cruzan con un cohete que viene de la Tierra.

CÓMO HACER VEHÍCULOS DE PAPEL MACHÉ

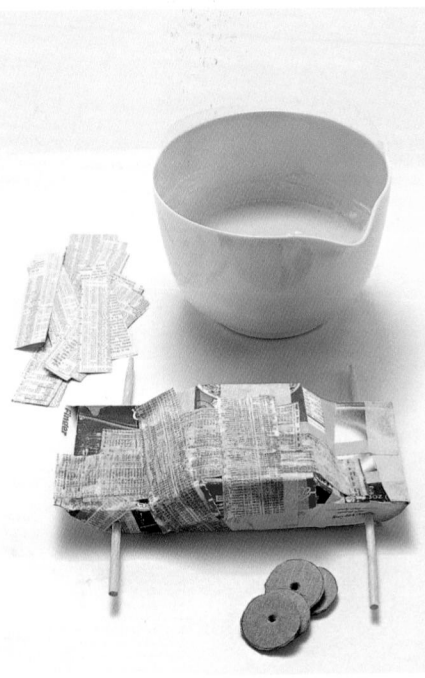

MATERIALES:

- Envases de cartón ligeros
- Cinta adhesiva protectora
- Lápiz
- Palitos chinos
- Tijeras
- Cartón ligero
- Pajitas
- Harina
- Agua
- Bol
- Cuchara
- Periódicos
- Témpera o pintura acrílica
- Pincel
- Cola
- Cintas, cinta zigzag, papel de color (para decorar)
- Tubo de cartón
- Platos de cartón
- Vasos pequeños de papel
- Figurillas de marcianos
- Envases de plástico pequeños y transparentes

armar la base

1. BUSCA por la casa envases de cartón ligeros, del mismo tamaño y forma que la base y las demás piezas. La forma de las cajas siempre puede modificarse. Nosotros abrimos una por las esquinas para hacer el parabrisas del coche. PEGA las cajas una encima de la otra.

2. Para hacer las ruedas, PERFORA la caja con un lápiz e INTRODUCE dos palitos chinos (los dejarás allí solo un momento). RECORTA círculos de cartón. Luego CORTA unas pajitas, de manera que sean apenas más anchas que el vehículo, y úsalas para reemplazar los palitos.

cubrir con papel maché

1. MEZCLA en un bol 1 parte de harina con 2 de agua, y remueve hasta que no queden grumos.

2. RASGA el papel de periódico o córtalo en tiras. SUMERGE una tira de papel en la mezcla. ESTRÚJALA para que no gotee. EXTIÉNDELA con cuidado sobre la base del vehículo. CUBRE el exterior hasta alcanzar un grosor de varias capas. Deja SECAR hasta el día siguiente.

3. Una vez seco, PINTA el coche con témpera o acrílico. PEGA pegatinas u otros motivos decorativos. COLÓCALE las ruedas. RECORTA los palitos.

consejo

El papel maché puede ensuciar un poco: cubre completamente la superficie de trabajo con papel antes de empezar.

el cohete

1. Para una forma irregular como la de un cohete, COLOCA periódico en una forma ahusada. Pégalo con cinta sobre el extremo de un tubo de cartón corto.

2. RECORTA las alas sobre cartón ligero y PÉGALAS con cinta. Luego ya puedes CUBRIR toda la base con papel maché. Deja SECAR.

3. PINTA el cohete con témpera o pintura acrílica. Luego DECÓRALO con pegatinas, cintas zigzag y otros elementos.

el ovni

1. RECORTA un agujero en el centro de un plato de cartón lo bastante grande para que entre un vaso de papel.

2. COLOCA el plato agujereado sobre otro plato, encarados (RELLENA el interior con papel para evitar que la superficie se hunda). PEGA ambos platos con cinta adhesiva. CUBRE con papel maché. Deja que se seque.

3. PINTA con témpera o acrílico, luego DECÓRALO con pegatinas y cinta. COLOCA un marciano dentro del vaso, y PEGA encima un envase pequeño de plástico transparente para crear la cabina.

LA MÁQUINA DE CANICAS

A muchos chicos les gusta armar y desarmar y descubrir cómo funcionan las cosas. Este proyecto fascinante está hecho a la medida de su curiosidad. Consiste en crear una máquina de canicas que funciona sin electricidad, con piezas halladas en las cajas de juguetes y en los cajones de la cocina. El aparato se pone en marcha haciendo girar una pala de remo, y al cabo de un rato, si todos los mecanismos funcionan correctamente, la canica llega finalmente a tus manos. ¡Has ganado!

suelo elevado La base del tablero reposa sobre bloques de juguete. Pídele a un adulto que perfore cinco bloques con el taladro (uno para cada esquina y otro para el centro). Luego fija el tablero con tornillos y tuercas (en el paso 4, es probable que también quieras fijar la azada con un tornillo).

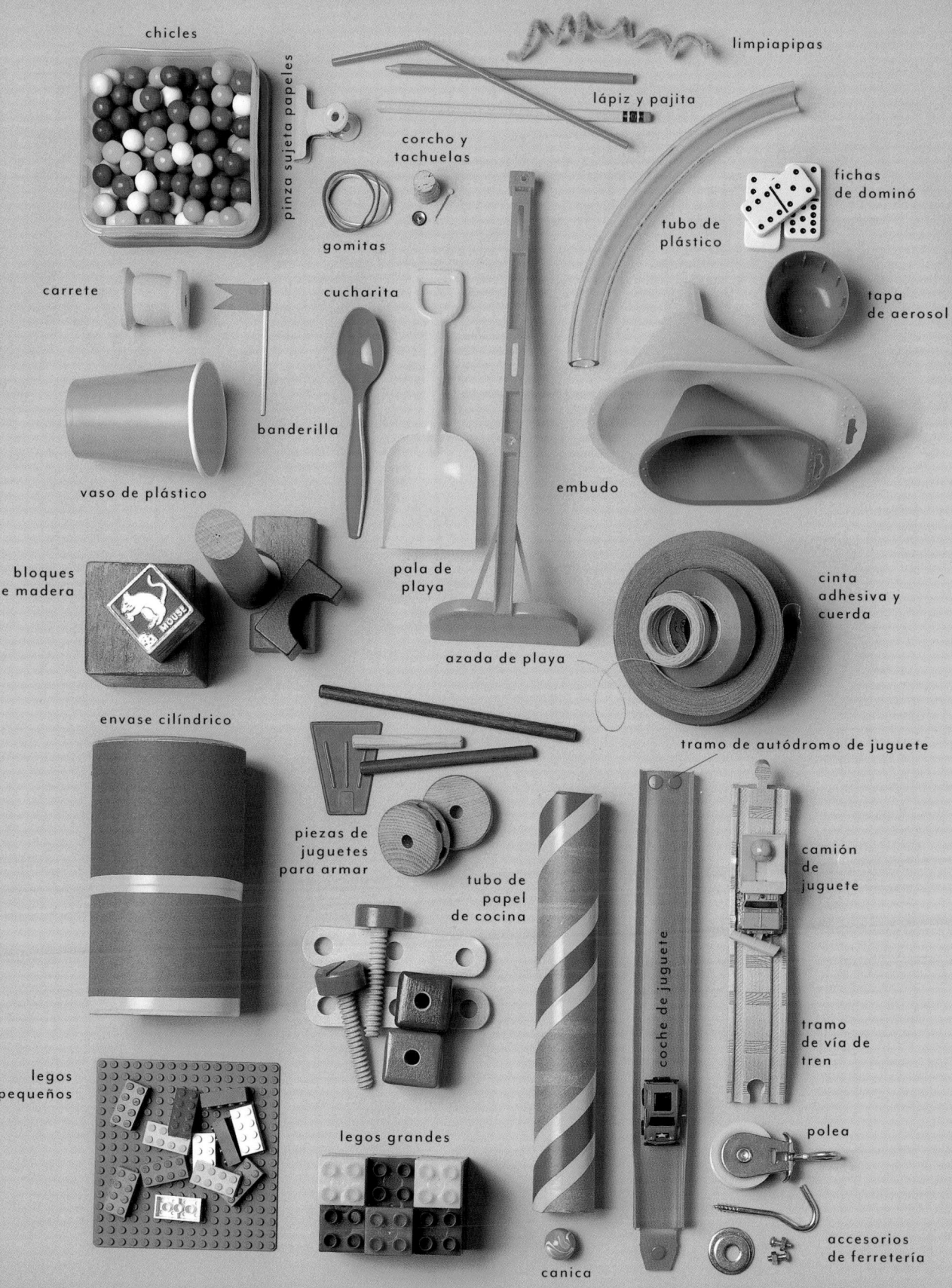

chicles

limpiapipas

pinza sujeta papeles

lápiz y pajita

corcho y tachuelas

fichas de dominó

gomitas

tubo de plástico

carrete

cucharita

tapa de aerosol

banderilla

vaso de plástico

embudo

bloques de madera

pala de playa

cinta adhesiva y cuerda

azada de playa

envase cilíndrico

tramo de autódromo de juguete

piezas de juguetes para armar

tubo de papel de cocina

camión de juguete

legos pequeños

coche de juguete

tramo de vía de tren

polea

legos grandes

accesorios de ferretería

canica

CÓMO HACER UNA MÁQUINA DE CANICAS

engranaje

rampa

polea

palanca

1

consejo ✳

Para mantener la canica en movimiento la máquina necesita unos mecanismos fundamentales:

- Un **engranaje** es una rueda con rayos que encajan en otra rueda y la presionan para hacerla girar.

- Una **rampa** transporta objetos desde un nivel superior a uno inferior, que ganan impulso a medida que descienden.

- Una **polea** sirve para subir y bajar cargas (es una rueda con un surco, sobre el que se desliza una cuerda).

- Una **palanca** es como un subibaja. Pones el peso en un extremo, y el otro extremo se levanta.

✳ ¿lo sabías?

Los aparatos sofisticados que operan mediante la reacción en cadena para realizar tareas simples se denominan máquinas de Rube Goldberg, por el caricaturista estadounidense que las ideó. Construir una de estas máquinas es muy divertido. Pueden ser lo bastante pequeñas como para ponerlas encima de la mesa, o lo bastante grandes como para ocupar una o más habitaciones.

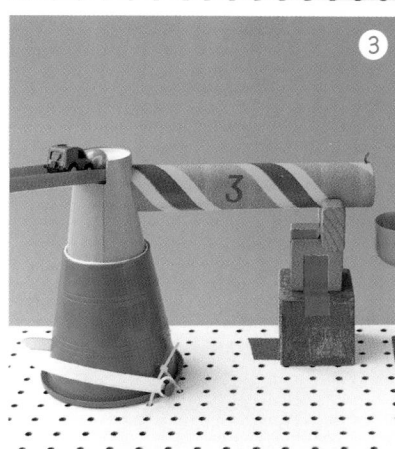

PASOS:

1. EMPIEZA con el engranaje (ver imagen 1). El eje de la rueda lateral atraviesa una lata cilíndrica y está unido a un remo de juguete (ver página 123). Al GIRAR la pala del remo, los rayos de la rueda lateral hacen girar la rueda superior, que tiene un rayo más largo que los otros.

2. Este rayo más largo da impulso al coche, que DESCIENDE por la rampa en dirección a una canica colocada en el extremo inferior (la rampa se sostiene sobre dos pilas).

3. La canica ENTRA por un agujero hecho en el fondo de un vaso girado, y luego en un tubo de cartón (incrustado en una abertura realizada en el costado del vaso). La bola se DESLIZA por el tubo.

4. Al salir del tubo, la canica CAE en una tapa de aerosol. La tapa cuelga en un extremo de la cuerda de una polea (en el otro se ha atado una arandela). La polea cuelga de un gancho fijado a una azada de playa. El peso de la bola PRESIONA sobre un extremo de una palanca (2 cucharas fijadas con gomitas a un carrete).

CÓMO HACER UNA MÁQUINA DE CANICAS

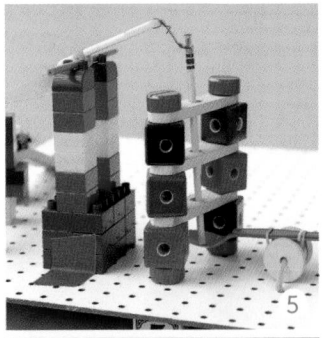

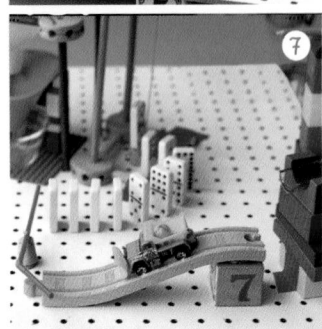
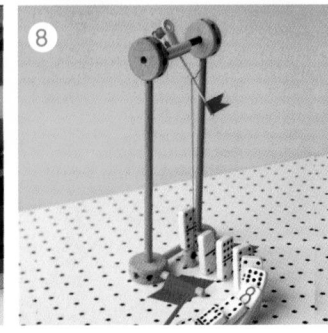

5. Al caer la canica sobre un extremo de la palanca, el opuesto se LEVANTA, y con él un lápiz unido al mango de una pala con un hilo y una tachuela. Este movimiento hace ELEVAR el mango de la pala, lo que hace BAJAR otra canica que reposa sobre la pala.

6. Esta canica RUEDA por otra rampa, una canaleta de plástico, y CAE en el remolque de un camión aparcado debajo de la rampa.

7. El camión DESCIENDE por una vía de tren y GOLPEA una pajita plegable, que GIRA hacia una hilera de fichas de dominó.

8. Las fichas CAEN una por una. La última sostiene un corcho CLAVADO a un hilo atado a una banderilla sujeta por una pinza de metal. Entre las asas de la pinza hay un chicle.

9. Al CAER la última pieza de dominó, el corcho se suelta y la banderilla se levanta, girando la pinza que la sujeta. El chicle CAE, pasa por 2 embudos y acaba en un cuenco. La máquina se para.

consejos ✳

Si sigues estos consejos tendrás más posibilidades de que todos los mecanismos funcionen a la perfección:

- Asegúrate de que las piezas del tramo inicial estén colocadas a una altura elevada, y las siguientes a menor altura (y ya en el tramo medio, otra vez en lo alto). Esto garantizará el impulso en todos los tramos.

- Usa una cinta adhesiva resistente para fijar los objetos al tablero (o a la superficie que utilices).

- Ajusta bien los empalmes con gomitas, limpiapipas o nudos fuertes. Si después de ajustarlos ves que algo no funciona, no dudes en reemplazar las estructuras con nuevos elementos (por ejemplo, utiliza bloques en lugar de legos).

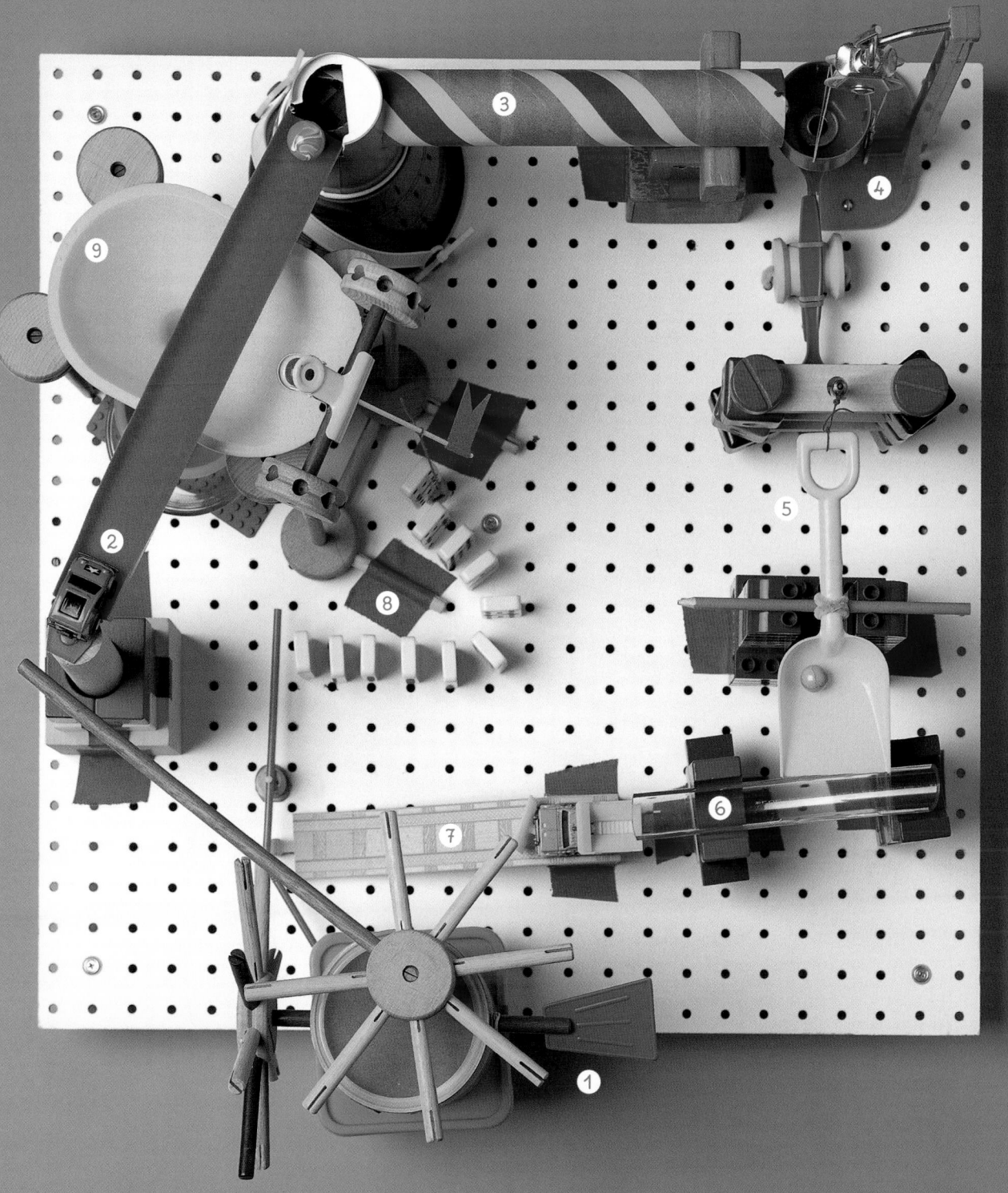

ADIVINADOR
DE PAPEL

Este es un pasatiempo indispensable
para el recreo. Haz uno y adivínales
la suerte a tus amigos. Si quieres un
modelo más atractivo, puedes usar
papel de origami.

CÓMO HACERLO

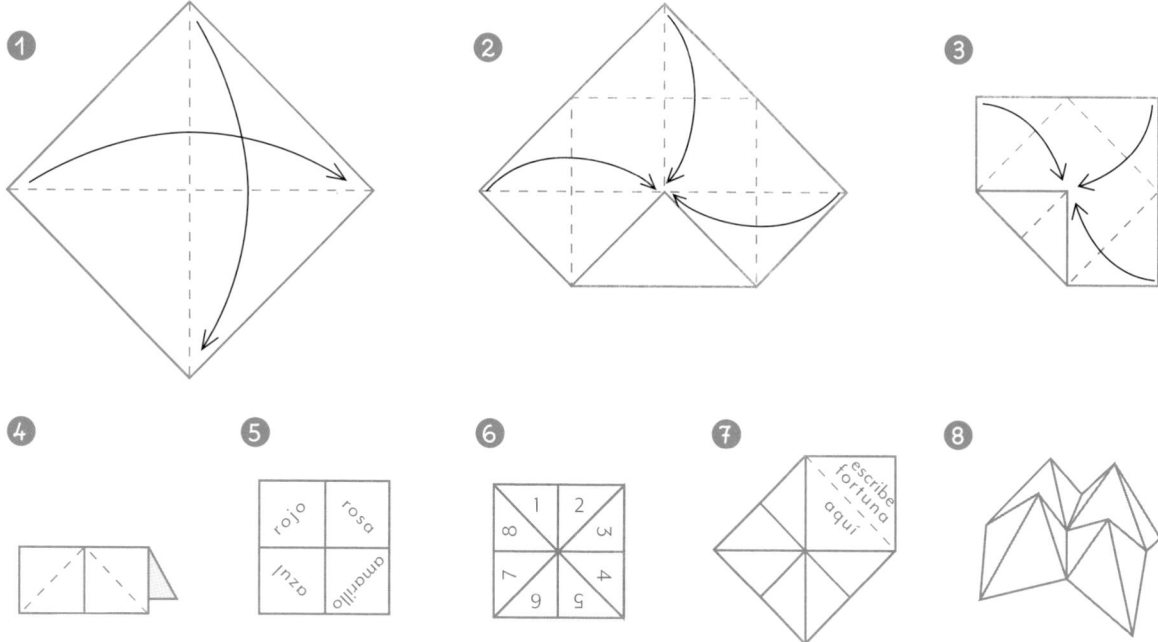

PASOS:

1. PLIEGA un cuadrado de papel por la mitad. Vuelve a plegarlo. ÁBRELO y ALÍSALO.

2. PLIEGA cada una de las cuatro esquinas hacia el centro, formando un cuadradito.

3. GIRA el papel y vuelve a PLEGAR las esquinas hacia el centro, creando un cuadrado todavía más pequeño.

4. PLIEGA el papel por la mitad y DESPLIÉGALO. PLIÉGALO hacia el otro lado y DESPLIÉGALO. Escribe palabras, letras o números en cada una de las 4 solapas y los 8 triángulos interiores. Escribe «fortunas» debajo de cada triángulo.

5. METE los pulgares e índices debajo de las cuatro solapas, y MUEVE los dedos para abrir y cerrar el adivinador de diferentes maneras.

cómo usar un adivinador de papel

Armar. En las 4 solapas hemos escrito colores; en los 8 triángulos interiores, números. También puedes escribir los meses del año o las palabras que tú prefieras. Debajo de esos triángulos, escribe predicciones que a tus amigos les gustaría leer.

Adivinar. Haz que alguien escoja una de las palabras de las 4 solapas. Luego abre y cierra el adivinador tantas veces como letras tenga la palabra escogida. Repite 2 veces, con las palabras, letras o números de los triángulos interiores. Finalmente, deja a tu amigo elegir una vez más entre los triángulos interiores. Levanta esa solapa y adivínale la suerte.

AVIONES DE PAPEL

¿Qué prefieres: un jet supersónico o un modelo antiguo con hélices? A estos aviones puedes darles la forma que tú quieras. En las siguientes páginas te enseñamos toda clase de trucos para la aviación. Con unos pequeños retoques volarán de maravillas. Y con un alambre puedes hacer soportes para exponer tus modelos cuando estén en tierra.

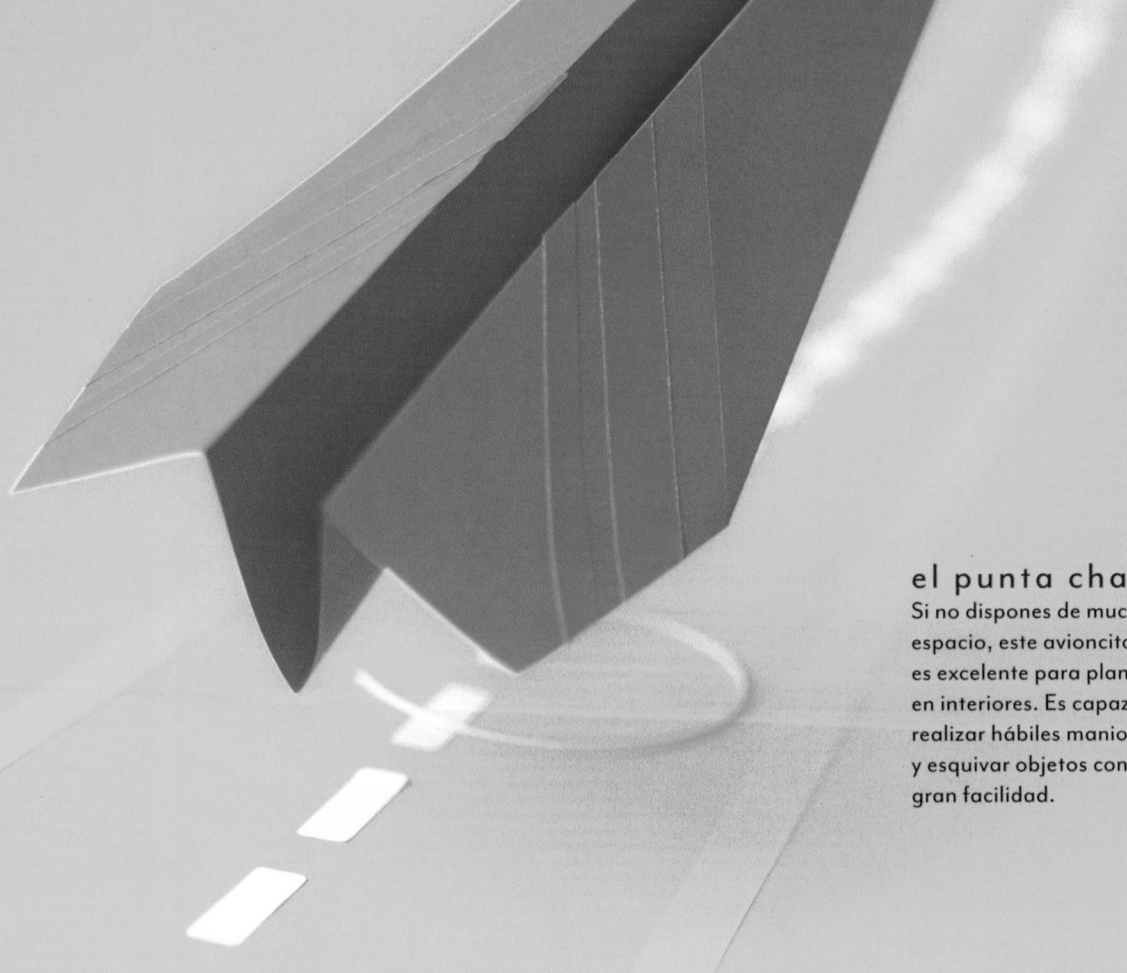

el punta chata

Si no dispones de mucho espacio, este avioncito es excelente para planear en interiores. Es capaz de realizar hábiles maniobras y esquivar objetos con gran facilidad.

CÓMO HACER EL PUNTA CHATA

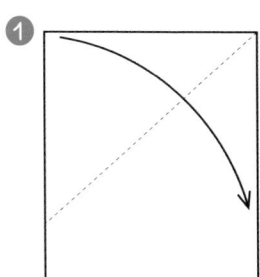 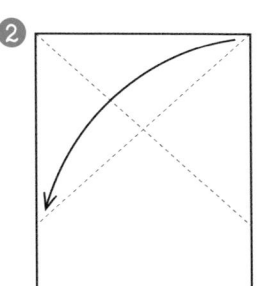 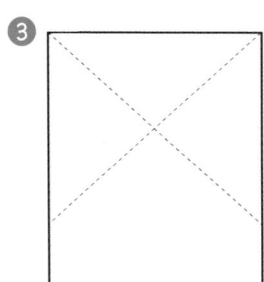 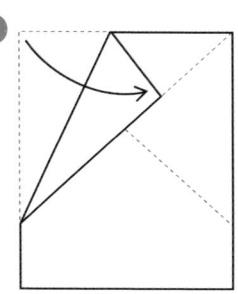

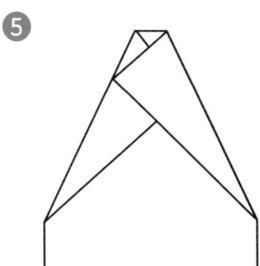 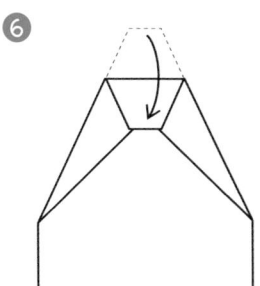 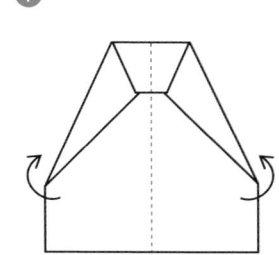 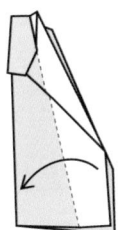

PASOS:

1. COLOCA frente a ti una hoja de DIN-A4 en posición vertical. PLIEGA la esquina superior izquierda, de modo que alcance el margen derecho. ABRE la hoja.

2. PLIEGA el vértice superior derecho, hasta el margen izquierdo de la hoja.

3. DESPLIEGA y ALISA la hoja.

4. PLIEGA la esquina superior izquierda hasta alcanzar el pliegue de la diagonal.

5. PLIEGA la esquina superior derecha hasta alcanzar el pliegue de la otra diagonal.

6. PLIEGA la punta hacia abajo hasta alcanzar los bordes interiores de los dos pliegues que forman el ángulo.

7. DOBLA el papel por la mitad, a lo largo, de manera que los pliegues queden por fuera.

8. El borde con las puntas plegadas es la base del avión. PLIEGA los dos bordes superiores hasta la base para hacer las alas. ABRE un poco los pliegues de las alas.

consejo

Las pegatinas les dan a los aviones un toque especial. Por ejemplo, unas bandas en las alas, o una estrella en la cola. Claro que siempre puedes dejarlo sin adornar, para que tu impecable artesanía hable por sí misma.

Este avión solo requiere un pequeño ajuste en la punta de las alas. Si ves que cae en picado, pliega los bordes un poco hacia atrás, o pliégalos ligeramente hacia abajo si pierde el rumbo.

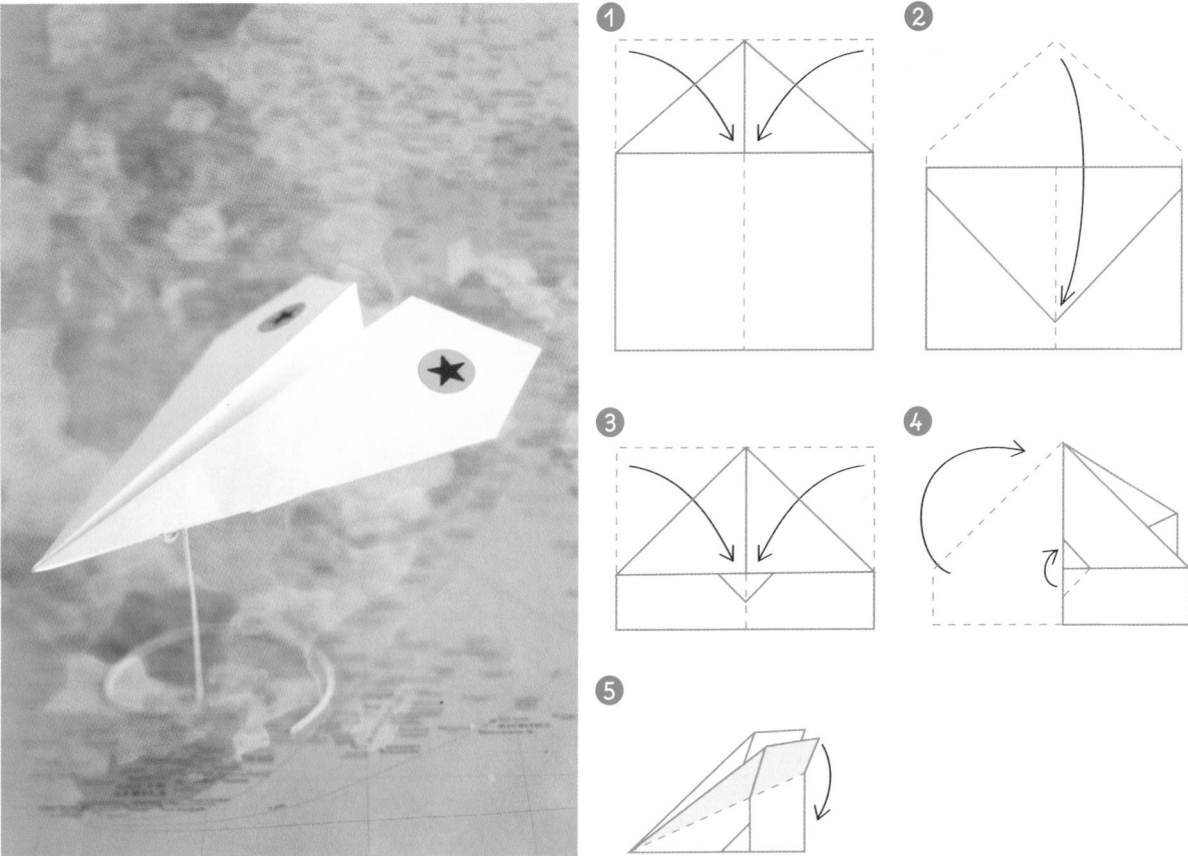

PASOS:

1. Coloca una hoja de DIN-A4 vertical frente a ti. DÓBLALO por la mitad, a lo largo. ÁBRELO y alisa el pliegue. PLIEGA las esquinas superiores hasta que se encuentren en la línea central.

2. PLIEGA la parte superior del papel, de manera que la punta quede a 2,5 cm del borde inferior.

3. PLIEGA las esquinas superiores, hasta encontrarse en el centro.

4. PLIEGA hacia arriba el vértice del triángulo que sobresale por abajo. DOBLA el avión por la mitad, de manera que el triángulo quede fuera

5. El borde con el triángulo es la base del avión. Para formar las alas PLIEGA los bordes superiores hacia abajo, hasta tocar el fondo. DESPLIEGA, así las alas quedarán como los brazos en pico de una Y.

consejo

Si el avión se precipita, dobla un poco la parte trasera de las alas hacia arriba para reducir la velocidad de vuelo. Dobla la cola, o el timón de dirección, si quieres que gire hacia la izquierda o la derecha.

CÓMO HACER UN SOPORTE PARA AVIÓN

 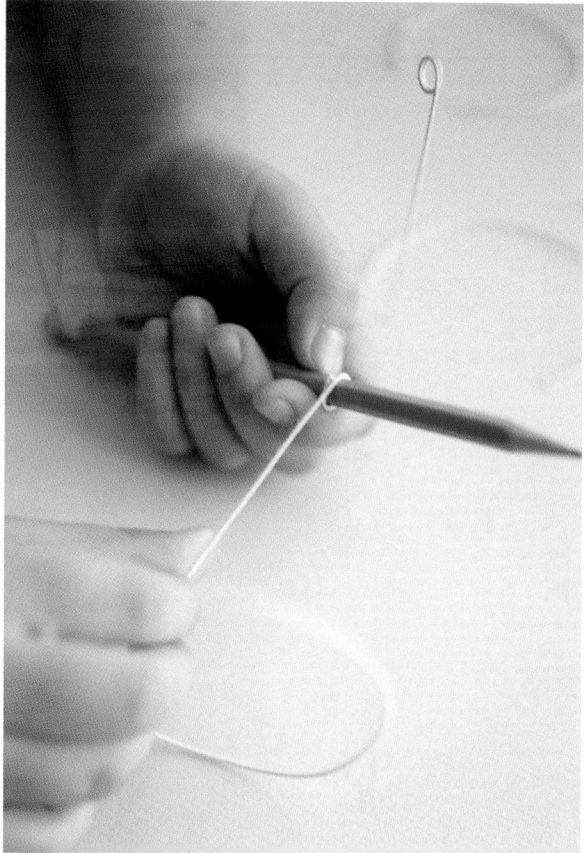

PASOS:

1. Para armar la base, pídele a un adulto que CORTE un trozo de alambre de 40 cm de largo y 1,02 mm de grosor. ENROLLA el alambre alrededor del fondo de un vaso para formar un círculo inconcluso de unos 8 cm de diámetro. Mantén el círculo fijo sobre la superficie de la mesa, mientras ENDEREZAS el resto del alambre hasta que quede bien recto.

2. ENROLLA el extremo recto del alambre dos veces alrededor de un lápiz, formando dos lazos.

3. ENGANCHA la parte de abajo del avión entre los lazos para sujetarlo.

consejo

Puede que tengas que doblar un poco los lazos hacia un lado para centrar el avión sobre la base del soporte (si no, puede caer). Para mayor estabilidad, es mejor que el clip formado por los lazos sujete el avión por la parte trasera.

POMPONES DE PAPEL

Agítalos y anima al público. Están hechos con tiras de pañuelos de papel superpuestas y adheridas a una clavija de madera. Usa los colores de tu equipo favorito o una combinación alegre. Si los quieres más grandes, añade más tiras. Si quieres hacer una batuta, usa una clavija más larga y pega las tiras en ambos extremos. ¡Hip, hip! ¡Hurra!

CÓMO HACERLO

MATERIALES:

· Pañuelos de papel
  de diferentes
  colores
· Tijeras
· Clavijas cortas
  de 0,7 cm de
  diámetro
· Cinta adhesiva
  de vinilo

PASOS:

1. COLOCA 4 capas de papel una encima de la otra, PLIÉGALAS
   por la mitad y corta tiras de 2,5 cm de ancho hasta cerca
   del borde plegado, para que las tiras queden unidas.

2. Empezando por un extremo del pliegue, ENROLLA el borde
   alrededor de una clavija, de manera que quede bien ajustado.
   Luego FÍJALO con cinta adhesiva.

3. REPITE el procedimiento superponiendo otras cuatro capas
   de papel. Por lo menos tendrás que hacerlo dos veces más,
   hasta que tengas un pompón abultado.

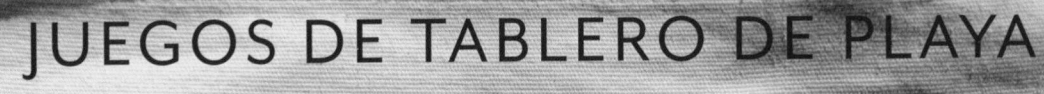

JUEGOS DE TABLERO DE PLAYA

He aquí una versión portátil de los clásicos juegos de tablero. Un individual te servirá para hacer un tablero enrollable. De un lado puedes jugar a las damas, y del otro a tres en raya. Cuando os canséis de jugar, solo tendrás que sacudir la tela y meterla en tu bolsa de playa.

las piezas Antes de empezar, ve a buscar algunas piezas: piedrecillas, conchas y otros tesoros de playa. Todo servirá. Uno jugará con las piezas de color claro, y al otro jugador le tocarán las más oscuras.

CÓMO HACERLO

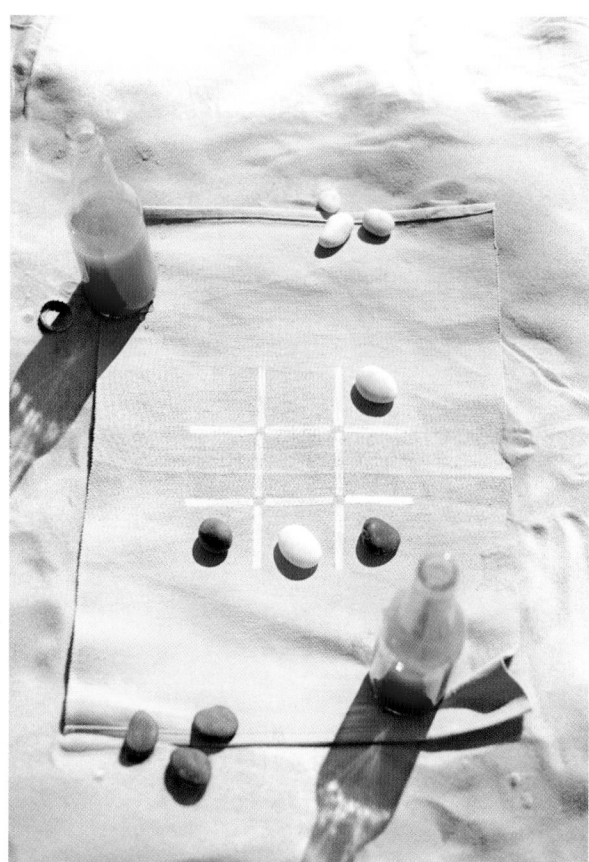

MATERIALES:

- Regla
- Bolígrafo de tinta lavable
- Goma de borrar cuadrada
- Individual de tela
- Pintura para tela
- Cúter (opcional)

PASOS:

1. Con la regla y el bolígrafo, DIBUJA las líneas para los dos tableros (de un lado el de damas, del otro el de tres en raya).

2. MOJA la goma de borrar en la pintura e IMPRIME ambos tableros. Para el tablero de damas, estamparás uno de cada dos cuadrados por fila. (Si la goma no es del todo cuadrada, pídele a un adulto que la corte con el cúter para darle la forma apropiada.) Para el tablero de tres en raya, PINTA las líneas con el borde de la goma. Deja que se seque.

JUEGOS DE BOLAS Y AGUJEROS

Cuando se trata de atrapar la atención de un niño, ningún artilugio moderno puede compararse con estos adorables juegos de toda la vida. Recuerda: cuantas más bolas incorpores, mayor será el desafío.

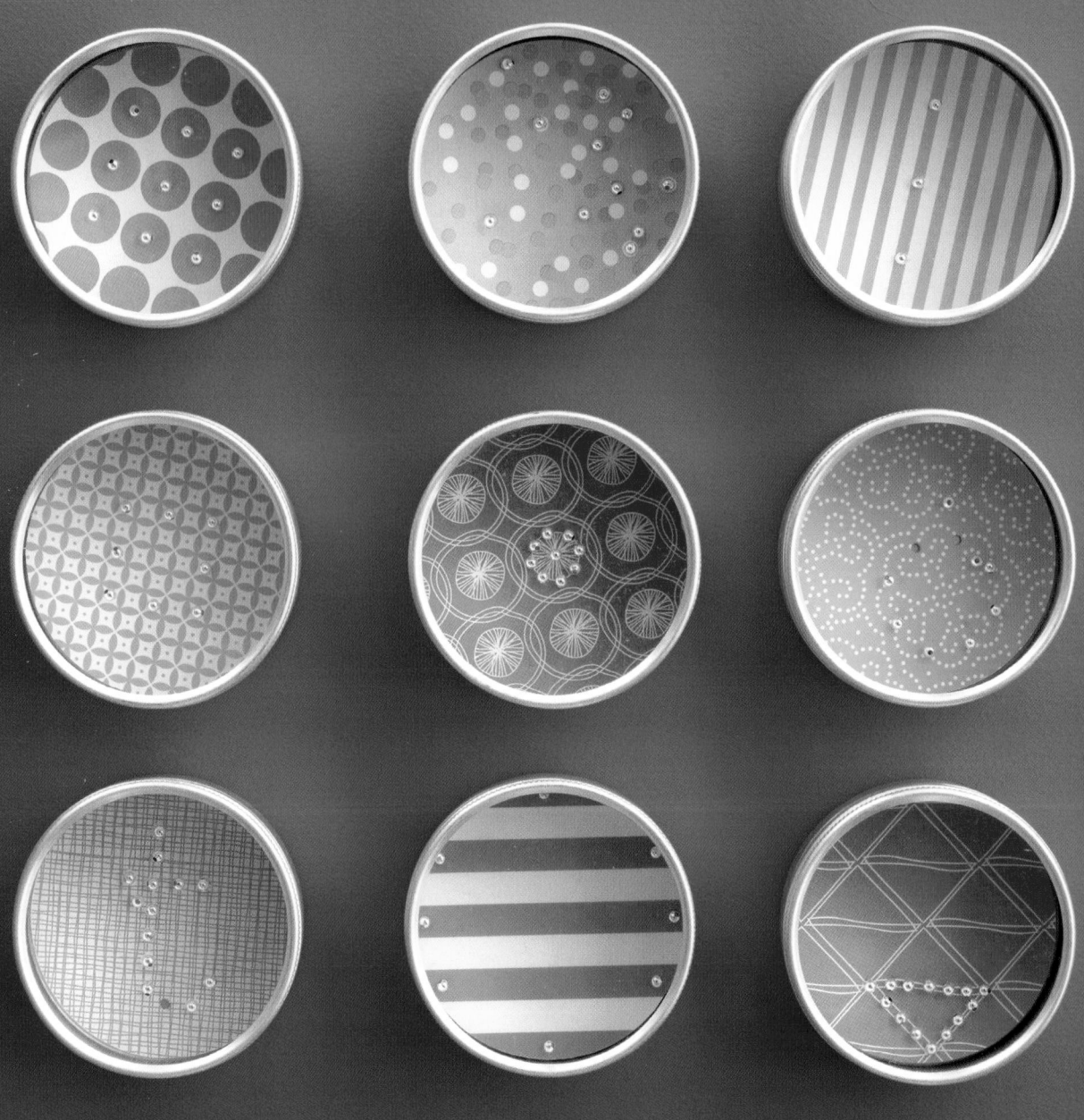

CÓMO HACERLO

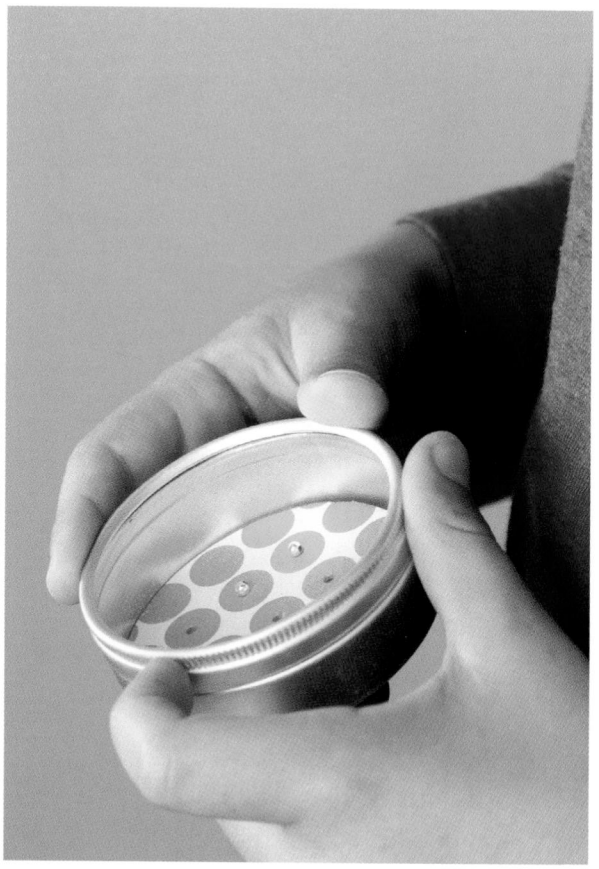

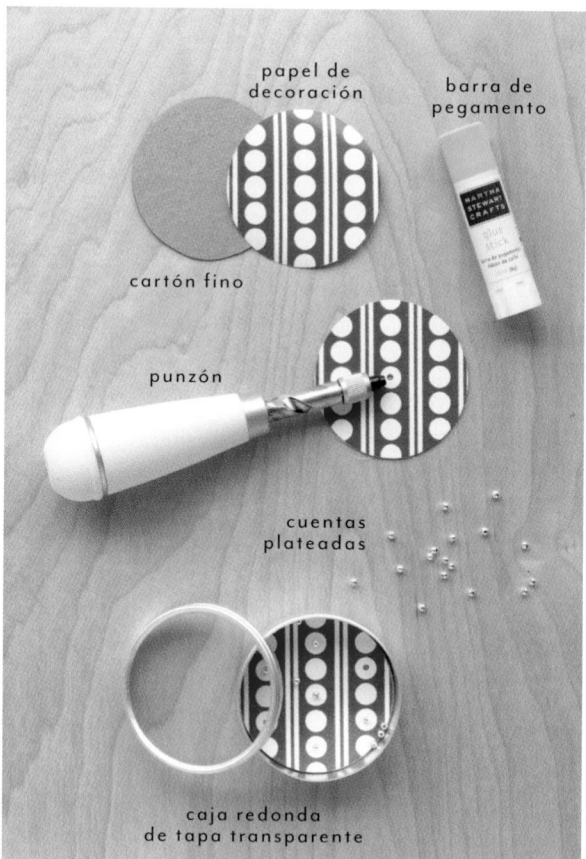

papel de
decoración

barra de
pegamento

cartón fino

punzón

cuentas
plateadas

caja redonda
de tapa transparente

MATERIALES:

- Lápiz
- Cajitas redondas
  de tapa transparente
  (disponibles en tiendas
  de manualidades)
- Cartón fino
- Papel de decoración
- Tijeras o cúter
- Barra de pegamento
- Punzón
- Cuentas plateadas
  (del mismo tamaño
  que los agujeros)

PASOS:

1. TRAZA el contorno de la caja sobre cartón y papel de decorar.
   RECORTA los círculos.

2. PEGA el papel al cartón. TOMA el punzón y crea un
   patrón de orificios sobre la superficie (es mejor un punzón
   destornillador, para darle profundidad a los orificios).

3. PEGA el círculo en el interior de la caja, con el papel de
   decoración hacia arriba, y luego INTRODUCE tantas bolitas
   como agujeros hayas hecho. COLOCA la tapa.

BINGO

Este juego colectivo es muy entretenido para gente de toda edad. Y una manera divertida de que los niños practiquen los números y las letras.

CÓMO HACERLO

MATERIALES:

- Letras y números (se pueden usar pegatinas o rotulador)
- Pelotas de ping-pong
- Plantilla de bingo (página 331)
- Surtido de cartulinas (en blanco y en varios colores, para hacer las fichas)
- Perforadora o sacabocados de papel (para circulitos de 2 cm de diámetro)

PASOS:

1. Para marcar las bolas, PEGA las pegatinas de letras y números a las pelotitas de ping-pong (o ESCRIBE sobre ellas con un rotulador). Esta versión está pensada para niños, así que hemos escogido números pequeños. La columna de la B comprende del 1 al 6; la de la I, del 7 al 12; la de la N, del 13 al 18; la de la G, del 19 al 24; la de la O, del 25 al 30.

2. Para los cartones, DESCARGA la plantilla e IMPRIME en cartulina blanca.

3. Usa un sacabocados de papel para RECORTAR fichas en cartulinas de colores; necesitarás unas 20 por jugador.

DOMINÓ DE PIEDRAS

Esas piedras planas y lisas que son perfectas para hacer sapito en el agua, también lo son para crear juegos de piezas. Reúne 28 piedras planas y ovaladas, más o menos del mismo tamaño y color, y podrás armar tu propio juego de dominó. Pinta una línea en el centro de cada una con pintura blanca. Luego, a cada lado de la línea, pinta los puntitos. Sigue hasta que tengas las fichas de todas las combinaciones posibles, de 0-0 hasta 6-6.

consejo

Así se juega al dominó: Mezcla las fichas y ponlas sobre la mesa de cara hacia abajo. Cada jugador saca 7 fichas. Empieza el que tenga la ficha más alta, que deberá girarla sobre la mesa. El siguiente coloca una ficha pegada a la primera, con un número igual al de uno de los lados de la primera ficha. Los jugadores se turnan colocando las fichas de esta manera, juntando siempre los lados de las fichas con la misma cantidad de puntos. Si uno no tiene ninguna ficha que haga juego con las que están sobre la mesa, toma una del montón. Si ya no quedan fichas, el jugador pierde su turno. El primero que se quede sin fichas gana.

ROMPECABEZAS

Este es un desafío para todos aquellos a los que les gusta la geografía. Un puzzle hecho con un mapa que podrás armar y desarmar cuantas veces quieras.

MATERIALES:

· Mapa
· Lápiz
· Tijeras
· Papel adhesivo
  transparente

PASOS:

1. EMPIEZA con un mapa de color (puedes DESCARGARLO e IMPRIMIRLO). Con un lápiz, DIBUJA líneas a pulso para hacer las piezas del rompecabezas.

2. RECORTA las piezas. CUBRE ambos lados con papel adhesivo.

3. RECORTA las formas con tijeras, dejando un mínimo borde de plástico alrededor de cada una.

RAYUELA DE MOQUETA

Si está lloviendo puedes entrarte los juegos en casa. Unos cuadrados de alfombrillas o moqueta en desuso, son más agradables de pisar que el cemento. Dibuja 6 alfombrillas con números grandes; puedes utilizar pintura para tela o pintura látex. Y usa una bolsita de semillas para jugar a la rayuela.

ZANCOS
DE ELEFANTE

El cuarto de juegos es una selva.
Los pequeños elefantes estarán
contentísimos con un par de patas
hechas con latas. Utiliza latas cerradas
de 400 g. Con un abrelatas pequeño
haz dos agujeros a los costados,
cerca del borde. Luego escurre las latas
por completo y quita las etiquetas.
Con pintura acrílica negra y rosa pintas
las uñas. Toma un cordón de nylon
de 1,10 m para cada pata, dependiendo
de la altura del niño, pásalo por los
agujeros y haz un nudo.

MUÑECOS
A CUADROS

Estos muñecos de confección casera
tienen un encanto retro y son muy
fáciles de hacer. (Puede que un adulto
tenga que echarles una mano a los
más pequeños, sobre todo con la
costura; en la página 144 están las
instrucciones básicas para coser.)
Forma una familia completa de
muñecos y muñecas, variando el
largo y el color del pelo, y añadiendo
accesorios de tela, como corbatas.

CÓMO HACERLO

MATERIALES:

· Plantillas
  (páginas 332)

· Tijeras

· Tela de guinga
  (a cuadros)

· Plancha de vapor

· Alfileres rectos

· Lápiz para tela

· Máquina de
  coser y elementos
  básicos para coser
  a mano

· Palitos chinos

· Relleno de
  poliespán

· Aguja e hilo

· Hilo de bordar

· Trozos de lana

PASOS:

1. Elige las plantillas y RECÓRTALAS, o dibuja un modelo de muñeca y recórtalo. DOBLA la tela por la mitad con los lados derechos hacia dentro. Plánchala y DIBUJA el contorno de la plantilla sobre la tela. RECORTA ambas capas y ponles alfileres.

2. Deja un margen de ½ cm. COSE toda la silueta por el borde, DEJANDO una abertura de 2,5 cm en el torso.

3. GIRA la muñeca, usando un palito chino para las esquinas. RELLÉNALA (usa el palito para meter el relleno en piernas y brazos). COSE a mano la abertura.

4. BORDA los rasgos faciales. Con hilo de bordar HAZ unos pespuntes para crear los ojos y la boca.

5. Para hacer el pelo: para las coletas y las trenzas CORTA entre 20 y 30 hebras de lana de unos 30 cm. CUBRE de costado la cabeza de la muñeca y COSE el pelo en el centro (o en un punto cercano al centro) para crear la raya. Para un cabello más largo, COSE la melena en la nuca. Para hacer coletas, SUJETA el pelo a los costados y ASEGÚRALO con un cabo de lana; COSE en ese punto. Para hacer trenzas, ENTRELAZA las coletas y ATA otro cabo de lana en los extremos. Para el pelo corto, BORDA todo sobre la cabeza dando pequeños pespuntes.

TÉCNICAS BÁSICAS DE COSTURA

Todas las labores de costura empiezan de la misma manera: enhebrando una aguja y haciendo un nudo doble. Para los principiantes será más sencillo practicar con un solo trozo de hilo y una aguja de ojo grande.

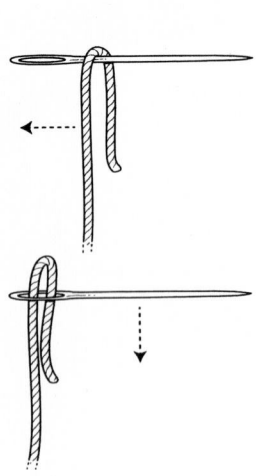

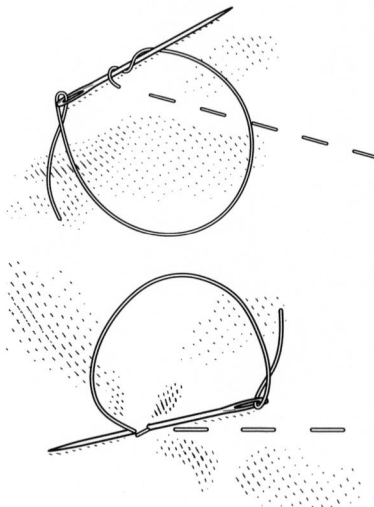

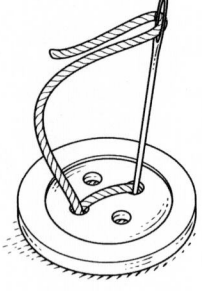

enhebrar la aguja

Toma un trozo de hilo de 60 cm. Rodea la aguja con la punta del hilo y junta los dos lados para formar un lazo. Tira de la aguja hacia arriba para que el hilo quede tirante y se estreche el lazo. Retira el lazo de la aguja. Haz descender el ojo de la aguja sobre el lazo. Tira de una de las puntas del hilo para que pase por el ojo de la aguja. Haz un doble nudo en la otra punta del hilo.

rematar

Cuando llegues al final o empieces a quedarte sin hilo, mete la aguja por detrás de la tela y da tres puntadas tirantes en el mismo sitio, dejando un pequeño lazo. Antes de dar la última, pasa la aguja por el lazo y tira del hilo para tensarlo. Corta el hilo con tijeras.

coser un botón

Sujeta el botón sobre la tela. Da una puntada hacia arriba desde debajo de la tela, a través de uno de los agujeros del botón, y luego otra hacia abajo por el agujero diagonalmente opuesto. Repite el procedimiento tres o cuatro veces. Haz lo mismo con los otros dos agujeros (te quedará una X), y acaba en la parte posterior de la tela. En la última puntada, empuja la aguja hacia arriba a través de la tela, pero no a través del agujero del botón, y envuelve el hilo tres veces alrededor del botón, entre el botón y la tela. Empuja la aguja otra vez hacia abajo y remata por detrás de la tela.

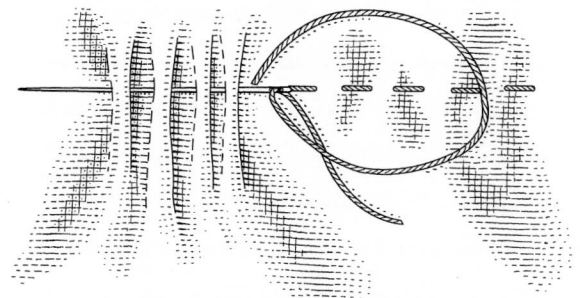

punto de hilván o de bastilla

Es muy sencillo y permite coser con rapidez. Pasa la aguja algunas veces por debajo y por arriba de la tela. Tira de la aguja y el hilo con suavidad, y continúa dando otras seis puntadas. Cuando hayas acabado, empuja la aguja hacia la parte de atrás de la tela y remata.

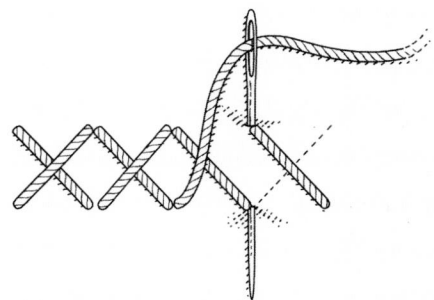

punto de cruz

Primero haz una hilera de puntadas diagonales paralelas equidistantes. Luego vuelve a coser en diagonal sobre las primeras puntadas, formando una costura de cruces. Donde las X se encuentran, intenta clavar la aguja en el mismo punto. Para formar un patrón, las puntadas de abajo deben ir todas en un sentido, y las de arriba en otro.

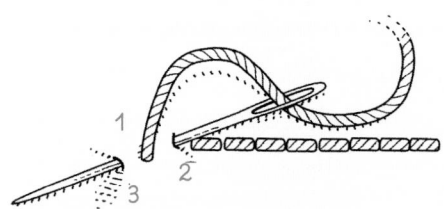

pespunte o punto atrás

Se llama así porque cada nueva puntada comienza retrocediendo en la línea de costura. Clava la aguja en la parte posterior de la tela sacándola por el punto 1. Mete la aguja en el punto 2 y sácala por el punto 3 de la costura, como lo hiciste en el punto de bastilla (arriba). Tira del hilo. Ya has hecho la primera puntada. Vuelve a pasar la aguja hacia abajo, cerca del final de la primera puntada, y luego otra vez hacia arriba, cerca de la parte delantera de la línea de costura. Repite. Empuja la aguja hacia la parte posterior de la tela y remata para terminar.

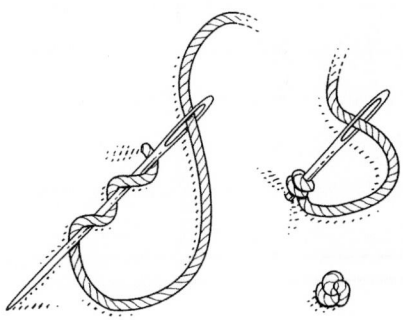

nudo francés

Mete la aguja por la parte posterior de la tela. Mientras mantienes el hilo tenso con una mano, usa la otra para enrollarlo en la aguja y darle dos vueltas. Vuelve a clavar la punta de la aguja en la tela, lo más cerca posible del punto por donde pasó la primera vez. Antes de volver a pasarla, tensa el hilo para que el nudo quede a ras de la tela. Tira de la aguja por el reverso de la tela sin soltar el hilo hasta que te quede un lazo ínfimo. Suelta el hilo para terminar el nudo. Para hacer nudos más grandes, debes dar más vueltas de hilo a la aguja.

MUÑECOS DE MAZORCA

Estos muñecos evocan tiempos pasados, una vida en la pradera o en lo profundo del bosque. Son muy fáciles de hacer. Solo necesitas algunas cosillas, como hojas de maíz secas (suelen venderse para hacer tamales); y para decorar, utiliza fieltro, rafia e hilo.

CÓMO HACERLO

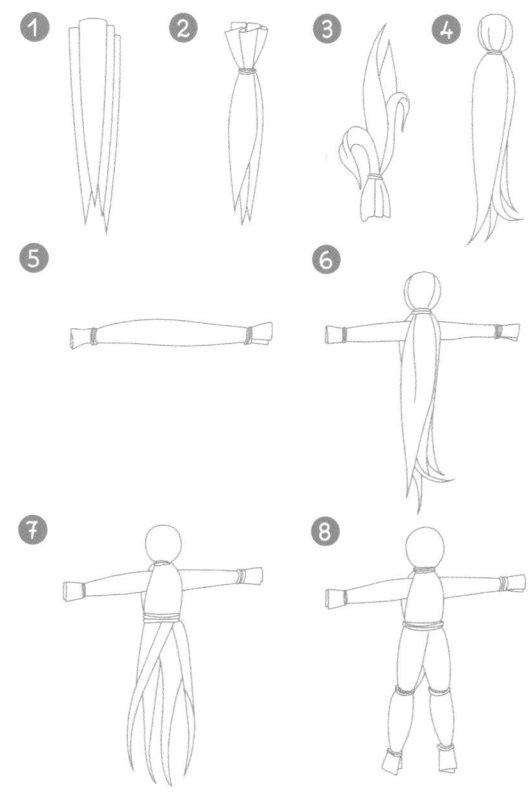

MATERIALES:

- Hojas de maíz secas
- Papel de cocina
- Hilo
- Tijeras
- Lana o rafia
- Fieltro
- Pegamento para tela

PASOS:

1. DEJA las hojas en remojo 10 min; SÉCALAS. HAZ pilas de 4 a 6 (siempre de la misma cantidad).

2. ÁTALAS con un hilo de rafia, a 2,5 cm del extremo superior.

3. SEPARA las hojas de 2 en 2, o de 3 en 3, y DOBLA las mitades hacia abajo cubriendo el hilo.

4. ATA las hojas con un hilo fino a 2,5 cm de la parte superior: será la cabeza.

5. Brazos: ENROLLA una hoja y ATA las puntas.

6. COLOCA los brazos. METE el rollito justo por debajo del cuello.

7. Haz la cintura ATANDO un hilo bajo los brazos. Para la falda, CORTA las hojas.

8. Para los pantalones, SEPARA las hojas en dos porciones iguales. ÁTALAS por las rodillas y los tobillos. IGUALA.

consejo

Para los vestidos, corta rectángulos de fieltro y en el centro corta una ranura (o un aspa). Pasa la cabeza, y fija el vestido por la cintura con una tirilla de fieltro o lana. Pega botones de fieltro. Corta los flequillos. Para el pelo, pega lana o rafia en la cabeza. Haz sombreros de fieltro y pégalos en su sitio.

MONTAR Y JUGAR

Estas estanterías son económicas y las puedes montar tú mismo. Y si las transformas en un pequeño puesto de mercado te ofrecen la posibilidad de pasar horas jugando. Crea una parada con un toldo y expositores para tus deliciosos productos. Una vez que esté lista, puedes usar la misma construcción como un teatro para títeres (ver página 150).

CÓMO HACER UN PUESTO DE MERCADO

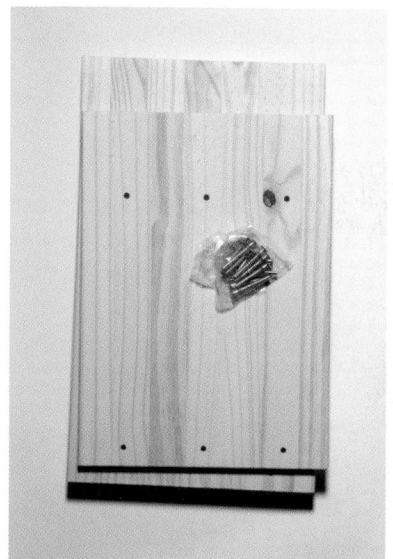

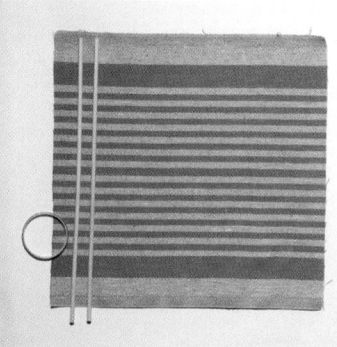

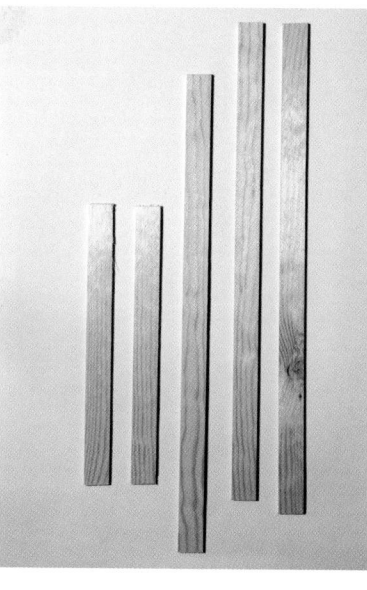

MATERIALES:

- 3 estanterías pequeñas de madera (las nuestras son de IKEA y miden 50 x 30 x 40 x cm)
- Ganchos para colgar
- Escurridor de cubiertos
- Tablillas de 4 cm de ancho (lamas de celosía de diferentes longitudes)
- Tornillos
- Clavos pequeños
- Martillo
- Cinta adhesiva de doble cara
- 2 clavijas (53 cm de largo por 0,80 cm de diámetro)
- 1 m de tela para el toldo
- Placas
- Soportes de ángulo

PASOS:

1. ARMA una estantería siguiendo las instrucciones del fabricante. ATORNILLA dos ganchos a los costados para colgar el escurridor (no lo cuelgues todavía).

2. Para montar el toldo, HAZ dos cruces laterales con las tablillas de madera. ATORNILLA un listón de 30 cm y uno de 1,20 m a 13 cm de la parte superior. FIJA las cruces en los laterales, colocando un tornillo cerca del suelo y otro a 3 cm por debajo del «mostrador». TIENDE un puente entre las cruces, clavando una tablilla de 53 cm.

3. COLOCA cinta adhesiva a lo largo de las clavijas. Toma un trozo de tela de 53 x 45 cm y adhiere los bordes más largos a las clavijas. CUELGA el toldo encima de la estructura. CUELGA el escurridor en el lateral.

4. Para el anaquel de atrás, APILA las otras dos estanterías y FÍJALAS con placas en las junturas, por delante y por detrás. Puedes ASEGURARLAS con soportes para evitar que la estructura se tambalee o vuelque.

teatro de títeres

Cuando el mercado ya ha cerrado, ¿qué tal un número de títeres? Un par de retoques y el anaquel del fondo de la tienda se convierte en un teatro. Una barra de quita y pon sostiene el telón; una tira de velcro en la parte trasera aguanta el decorado del fondo. Una pizarra, sostenida por un gancho en el estante del medio, oculta todo lo que ocurre detrás de la escena.

CÓMO HACER EL TEATRO DE TÍTERES

MATERIALES:

- 2 estanterías montadas y apiladas (ver página 149)
- 2 paños de cocina
- Cinta termoadhesiva
- Plancha
- Barra ajustable para cortinas
- Velcro
- 1 m de fieltro (aquí se ha usado azul y verde)
- 1 marco (el nuestro mide 50 cm²)
- Pintura para pizarra y pincel
- Gancho para colgar
- Soportes de ángulo

PASOS:

1. HAZ las cortinas con dos paños de cocina. HAZ un rollo en un borde de la cortina para pasar la barra y ciérralo con cinta termoadhesiva. PASA la barra por el interior y AJÚSTALA al ancho de la estantería.

2. PEGA una tira de velcro en todo el borde superior de la parte trasera del mueble. CORTA una medida de fieltro azul para cubrir la abertura. Sobre un fieltro verde DIBUJA una colina, recórtala y pégala al fondo azul con cinta termoadhesiva. PEGA otra tira de fieltro en todo el borde superior del telón de fondo.

3. QUITA el cristal del marco. PINTA el dorso con pintura para pizarra. ATORNILLA un gancho en el estante del medio para colgar el marco.

JUGUETES DE LATAS

Las latas vacías pueden convertirse en robots. Solo hay que unir las piezas con tornillos, arandelas y tuercas. Junta varias latas de diferentes formas y tamaños, y pídele a un adulto que las perfore para que puedas crear tus nuevas mascotas. Construye un perro, un gato o un ratón.

perro faldero

Se porta tan bien que podrás sacarlo a pasear sin la correa. Orienta la abertura de la lata pequeña hacia atrás, para poder ocultar las tuercas mariposa que sujetan las orejas.

consejos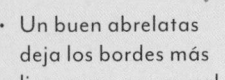

- Un buen abrelatas deja los bordes más lisos que uno normal.

- Guíate por nuestro diagrama y marca los puntos de los orificios con un rotulador indeleble.

- Para taladrar se necesita una broca de 0,51 cm (de esto se ocupará un adulto).

- Los imanes potentes funcionan mejor para fijar elementos decorativos metálicos.

Spot

CÓMO HACER JUGUETES DE LATAS

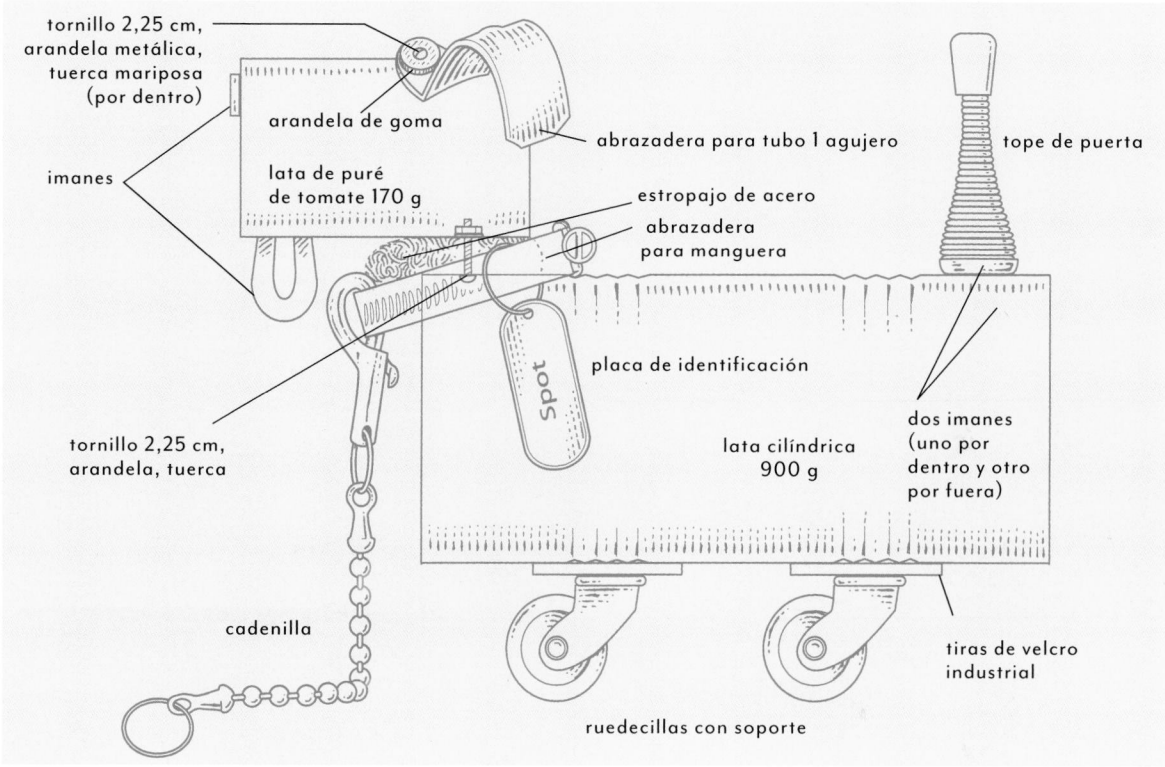

tornillo 2,25 cm,
arandela metálica,
tuerca mariposa
(por dentro)

arandela de goma

imanes

lata de puré
de tomate 170 g

abrazadera para tubo 1 agujero

tope de puerta

estropajo de acero

abrazadera
para manguera

tornillo 2,25 cm,
arandela, tuerca

spot

placa de identificación

lata cilíndrica
900 g

dos imanes
(uno por
dentro y otro
por fuera)

cadenilla

ruedecillas con soporte

tiras de velcro
industrial

el perro

1. Las piernas: PEGA las ruedas a los soportes; SUJÉTALOS a la lata grande con velcro.

2. Las orejas: HAZ 2 agujeros separados unos 3,80 cm, y a 1/3 del extremo abierto de la lata pequeña. ALISA los bordes con papel de lija. FIJA una abrazadera de tubo en cada agujero, con un tornillo, arandela metálica y tuerca mariposa (ajustada dentro de la lata). Los tornillos de las orejas serán los ojos. COLOCA una arandela de goma sobre la metálica a modo de mancha negra alrededor de un ojo.

3 Une la cabeza al cuerpo: HAZ un agujero a unos 2 cm del extremo cerrado de la lata grande, y otro en la lata pequeña, al otro lado de los ojos, a unos 2,5 cm del extremo

abierto. UNE la placa del perro en la abrazadera, y COLOCA esta alrededor del estropajo de acero: el collar para la correa. SUJETA la cabeza al cuerpo con un tornillo y una tuerca; mete el tornillo por el interior de la lata grande, a través del estropajo, y luego métalo en la pequeña. FÍJALO con la tuerca. ENGANCHA una cadenilla a la abrazadera, a modo de correa.

4. La cola: FIJA un tope de puerta pequeño (metálico) cerca del extremo abierto de la lata grande, con 2 imanes, uno dentro y otro fuera. USA un imán plano para hacer el hocico y otro con forma de herradura para la lengua.

gato casero

Este gatito no es para nada melindroso. Comerá cualquier cosa que le eches. Arma la cabeza con todas las piezas antes de unirla al cuerpo. Un adulto se encargará de hacer los agujeros.

CÓMO HACER JUGUETES DE LATAS

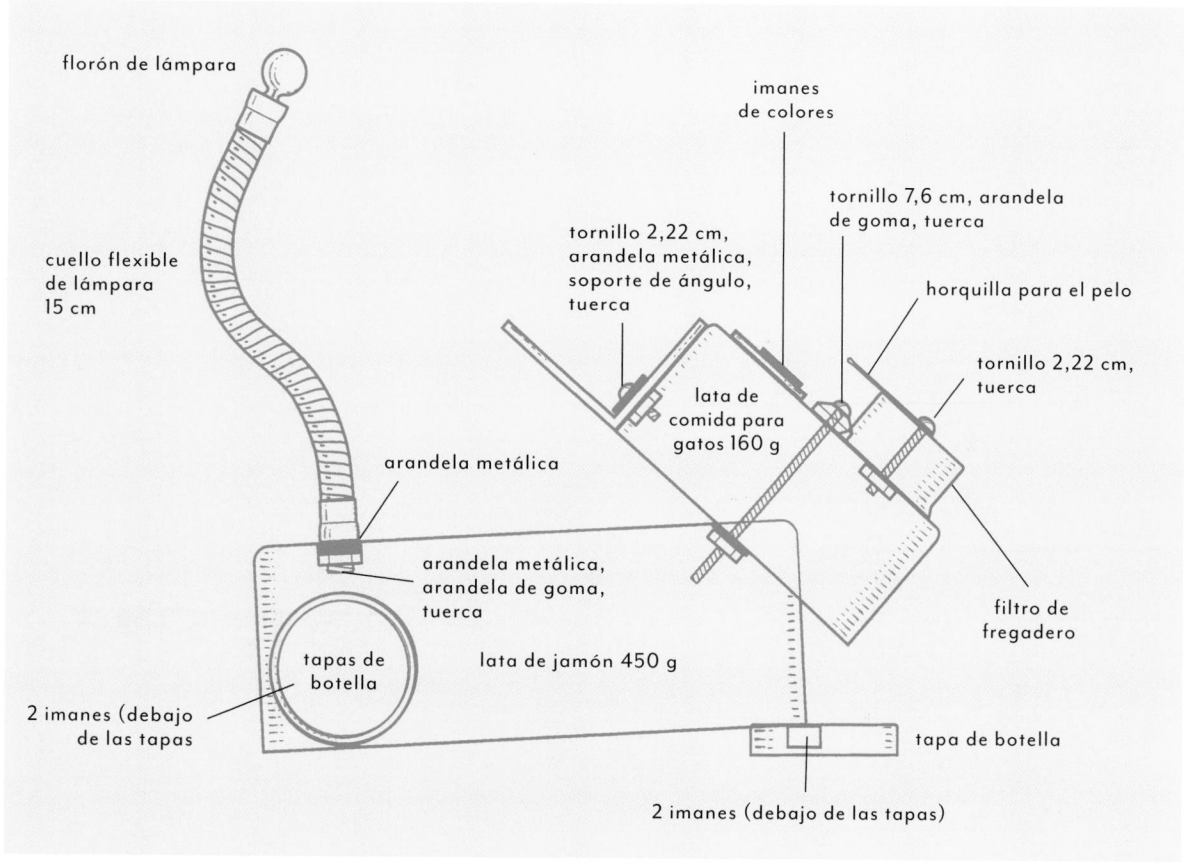

florón de lámpara

cuello flexible
de lámpara
15 cm

imanes
de colores

tornillo 7,6 cm, arandela
de goma, tuerca

tornillo 2,22 cm,
arandela metálica,
soporte de ángulo,
tuerca

horquilla para el pelo

tornillo 2,22 cm,
tuerca

lata de
comida para
gatos 160 g

arandela metálica

arandela metálica,
arandela de goma,
tuerca

filtro de
fregadero

tapas de
botella

lata de jamón 450 g

2 imanes (debajo
de las tapas

tapa de botella

2 imanes (debajo de las tapas)

el gato

1. La cabeza: HAZ 2 agujeros para las orejas en
un lado de la latita, con 5 cm de separación.
FIJA un soporte de ángulo en cada agujero,
con un tornillo, abrazadera y tuerca (por
dentro). HAZ 2 agujeros para la boca en la
base de la lata, con 4 cm de separación. FIJA
un filtro de fregadero en cada uno, con un
tornillo y una tuerca. Para hacer los bigotes,
ENGANCHA una horquilla en cada tornillo.

2. HAZ un agujero encima de los filtros, y otro
en la parte estrecha de la lata grande. UNE
la cabeza al cuerpo con un tornillo largo,
arandela de goma y tuerca: METE el tornillo

en la lata pequeña, y luego en la grande,
inclinado, y FÍJALO con una tuerca.

3. La cola: HAZ un agujero en la parte ancha
de la lata grande, centrado. COLOCA el
florón en el cuello de lámpara. PASA la otra
punta por una arandela y por el agujero,
y AJUSTA por dentro con una arandela
metálica, una de goma y una tuerca.

4. Las patas: PEGA las 4 tapas de botella en la
lata grande con imanes: 2 debajo del borde,
en la parte estrecha (delanteras), y 2 a los
costados en la ancha (traseras). AÑADE
imanes de colores en la latita para los ojos.

ratón de despensa

Este pequeño roedor está contento, pues parece que ha encontrado su queso. Incluso los niños más pequeños podrán armar este animalito, ya que no es necesario hacer agujeros.

CÓMO HACER JUGUETES DE LATAS

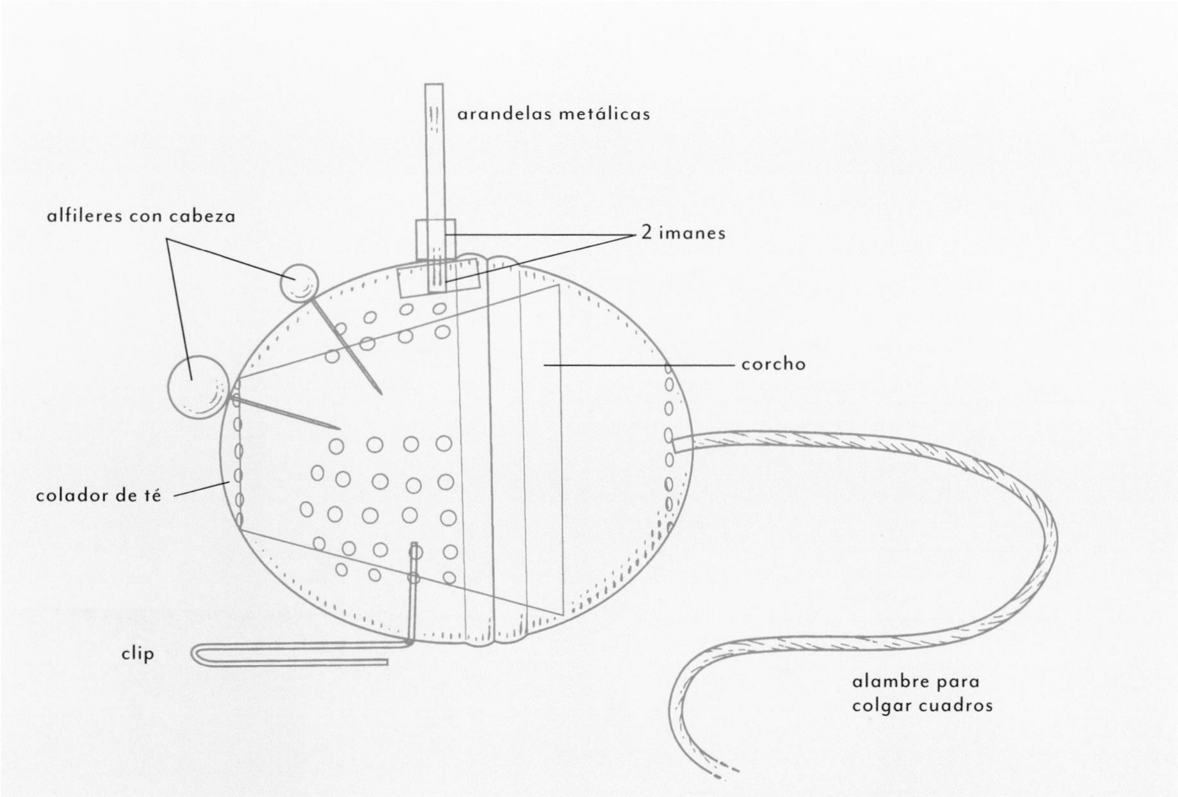

arandelas metálicas

alfileres con cabeza

2 imanes

corcho

colador de té

clip

alambre para colgar cuadros

el ratón

1. La cola: HAZ un nudo en la punta de un
   trozo de alambre, e INTRODUCE la otra por
   el lado de adentro de la base del colador de té.

2. PON un corcho en la otra mitad del colador,
   como en el diagrama; cierra el colador. Para
   los ojos, METE 2 alfileres por los agujeros del
   colador, clavados en el corcho interior. CLAVA
   otro alfiler más grande para hacer la nariz.

3. Para sujetar las orejas de arandelas USA 2 imanes,
   uno dentro y otro fuera, entre ambas. Para cada
   pata, DOBLA un extremo de un clip metálico y
   MÉTELO por un agujero clavado en el corcho.

CREA TU DISEÑO

Atención, vanguardista de la moda:
es fácil diseñar accesorios, crear bisutería y
customizar ropa. ¡Ponle color a los días grises!

PARAGUAS PINTADOS

¡Se acabaron los días de lluvia tristes! ¡Ya llegaron los nuevos paraguas alegres! Estos diseños pondrán contentos a todos en un plis-plas. Consigue pintura, pinceles y un paraguas liso de color. ¡Creatividad es lo que te sobra!

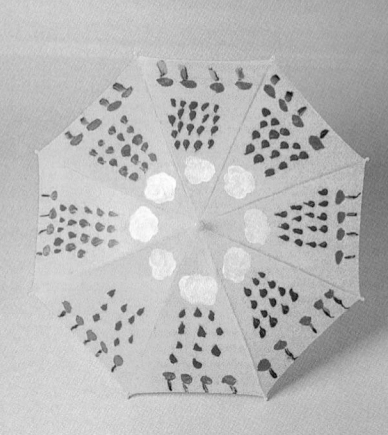

CÓMO HACERLO

consejo

Antes de empezar a pintar, lee las instrucciones del fabricante de pintura. Algunas pinturas para tela requieren de un fijador; otras, de un planchado posterior para fijar el estampado. Plancha a temperatura baja y alisa la tela del paraguas antes de pasar la plancha por las áreas pintadas. También puedes colocar una tela encima para proteger el nailon.

MATERIALES:

· Periódicos
· Bata
· Pinceles
· Pintura para tela, u otras pinturas resistentes al agua, como el acrílico (en varios colores)
· Paraguas de nailon para niños
· Bolígrafo de tinta lavable

PASOS:

1. CUBRE la mesa de trabajo con papel de periódico, y PONTE una bata para no ensuciarte la ropa.

2. PINTA a mano alzada sobre el paraguas, o DIBUJA una plantilla con un rotulador de tinta lavable. PRUEBA repitiendo un motivo simple, como rayas, puntitos, corazones, estrellas, números o letras. ¡No hay límites! Cuando termines, DEJA el paraguas abierto toda la noche para que la pintura se seque. Luego ya podrás usarlo.

MOCHILA ESTARCIDA

La mochila más guay es sin duda la que lleva tus iniciales de diseño propio. Muchos fabricantes de mochilas estampan el monograma de la marca, pero si la tuya lleva un logo de creación (dando a las letras un toque personal), entonces ya no será un producto en serie más.

CÓMO HACERLO

mochila

pintura para tela

brocha para
plantillas

plantillas

MATERIALES:

· Mochila
· Plantillas de letras
· Cinta protectora
· Pintura para tela
· Plato desechable
· Brocha para
  plantilla

PASOS:

1. ABRE la cremallera y COLOCA la mochila plana
   sobre la mesa. COLOCA las plantillas donde
   prefieras y FÍJALAS con cinta.

2. ECHA un poco de pintura en un plato. Moja la
   BROCHA, escúrrela y APLICA la pintura sobre
   las plantillas dando golpecitos para cubrir
   las áreas por completo.

3. DEJA secar la pintura y RETIRA las plantillas.
   FIJA el estampado, siguiendo las instrucciones
   del fabricante de pintura.

ACCESORIOS DE CINTA ADHESIVA

Los niños y niñas necesitan carteras donde guardar el dinerillo de la paga, así como para los lápices, llaveros y otras cosas. Estos accesorios son lo bastante resistentes para competir con muchos que se desgastan enseguida. La cinta de embalar es un material fuerte y versátil, y plegando y juntando los lados adhesivos se pueden crear objetos duraderos. Intenta experimentar con diferentes colores y diseños.

para todos los usos Crea diversos accesorios para cubrir todas tus necesidades. En este catálogo encontrarás monederos, carteras, estuches para lápices y llaveros con faltriquera, con bastante espacio para llevar el dinero del almuerzo, una llave extra o una nota secreta.

CÓMO HACERLO

MATERIALES:

· Cinta de embalar
  en varios colores
· Tijeras
· Tijeras dentadas
· Velcro
  autoadhesivo
· Perforadora
· Anilla de llavero

PASOS:

1. CREA una tela de cinta uniendo tiras por el lado adherente, de manera que cada tira cubra la mitad del ancho de la otra. Luego PEGA otra tira sobre la mitad restante, dejando otra mitad adherente expuesta. SIGUE superponiendo tiras de cinta de esta forma hasta que tengas una «tela» del tamaño que tú quieras. PLIEGA las solapas restantes para acabar la pieza.

2. RECORTA los bordes de la tela con unas tijeras. Para CORTAR bordes decorativos, usa las tijeras dentadas. Para un estampado de rayas, CORTA tiras de diferentes colores del ancho que desees, adhiérelas a la tela y recorta los bordes. Usa la perforadora para añadir detalles decorativos.

3. PLIEGA la tela en la forma que prefieras (aquí le hemos dado la forma de una cartera) y CIERRA los pliegues con cinta. AÑADE un trozo de velcro donde quieras colocar el cierre. Haz un agujero para pasar la anilla del llavero.

PORTAPAÑUELOS

Una funda de fieltro personalizada te servirá para guardar tus pañuelos
y tenerlos siempre a mano. Dibuja un corazón, recórtalo y bórdalo con tu inicial.
Después de hacer el tuyo, te inspirarás y harás muchos más para regalar.

¡qué preciosura! Con unas
tijeras dentadas corta un rectángulo de
fieltro de 16 x 12 cm. Pliega los lados cortos
de manera que los bordes se encuentren
en el centro. Cose los extremos con
punto de hilván. Borda una inicial
sobre el corazoncito y pégalo
con cola para tela.

FUNDAS PARA LIBRETAS Y LÁPICES

Los útiles escolares siempre lucen más en estuches hechos a mano. Para confeccionar estos sencillos objetos hemos usado dos rectángulos de fieltro (no hace falta el dobladillo). En la página 144 puedes consultar las instrucciones para coser.

MATERIALES:

· Tijeras y tijeras dentadas
· Fieltro
· Aguja
· Hilo de bordar
· Botones
· Libreta de 7 x 12 cm

Funda para lápices

1. RECORTA una banda de fieltro de 6,5 x 45 cm; PLIEGA 15 cm de un extremo.

2. COSE los bordes del pliegue con punto de hilván.

3. PLIEGA la solapa. COSE un botón, como en la foto, y HAZ un ojal en la solapa.

Funda para libretas

1. Con tijeras dentadas RECORTA una pieza de 27 x 13 cm; COLOCA la libreta abierta, centrada, sobre el fieltro. PLIEGA los costados sobre el interior de las cubiertas.

2. COSE el borde superior e inferior.

3. COSE un botón y AÑADE un lazo de hilo para cerrar el estuche.

BOLSO DE PUNTO DE HILVÁN

Este bolso con estilo se hace tan rápido que en una sola tarde podrás hacer varios para ti y tus amigas. Con el fieltro que venden en las tiendas es muy fácil trabajar, ya que no requiere dobladillo. Recorta un borde bonito con las tijeras dentadas y conservará su forma.

CÓMO HACERLO

MATERIALES:

- Fieltro de varios colores
- Tijeras dentadas
- Tijeras (para hacer los detalles)
- Aguja e hilo
- Pegamento para tela
- Hilo grueso o hilo de bordar (para las asas)
- Botones (opcional)

PASOS:

1. Para cada bolso, RECORTA un rectángulo largo de fieltro con tijeras dentadas, para el modelo de arriba a la derecha y abajo a la izquierda. O CORTA 2 trozos iguales de fieltro para hacer el modelo bordado de arriba a la izquierda y página anterior.

2. COSE o PEGA los detalles decorativos, como las cerezas con sus tallos, o la margarita con su hoja. Luego COSE los bordes. Haz lo mismo con las asas.

3. EMPLEA el punto de hilván (pág. 145) para coser los laterales (y el fondo, si trabajas con 2 trozos), dejando abierto el lado superior. Para hacer un bolso con solapa, deja la parte de arriba sin coser, pliega la solapa y COSE un botón decorativo.

BOLSAS DE FIELTRO

Puedes hacer fieltro en casa y crear toda clase de accesorios, como estas alegres bolsitas. Es un trabajo que empapa, así que hazlo en el fregadero, o usa una bandeja para hornear con bordes altos para evitar que se derrame el agua.

¿lo sabías?

Si echas agua jabonosa tibia sobre la lana de fieltro (o lana para fieltrar) puedes fabricar tu propio tejido, sin necesidad de un telar. Ya usamos esta técnica para hacer los títeres de dedos de la página 36. Se llama fieltrado, y se trata de frotar y apisonar la lana húmeda y tibia hasta que se convierta en un material compacto y sólido. Si alguna vez has visto cómo queda un jersey de lana que por error acaba en la lavadora, pues ya sabes lo que pasa. Las fibras se abultan y se condensan, y, en el caso de la lana fieltro, se convierten en un material muy maleable.

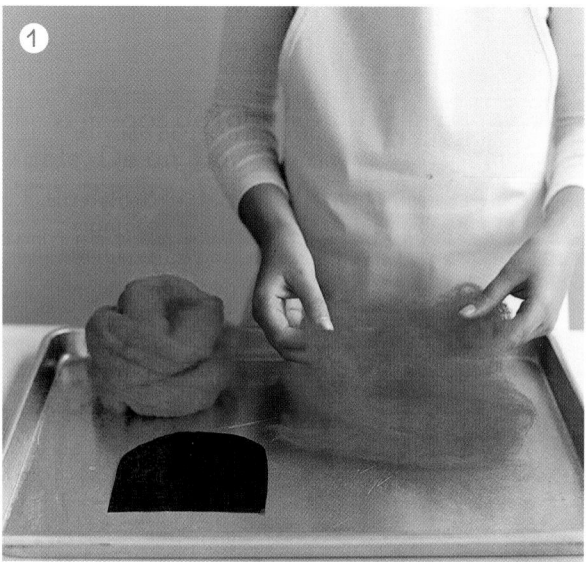

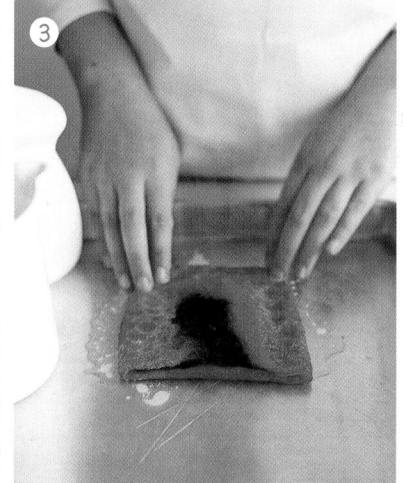

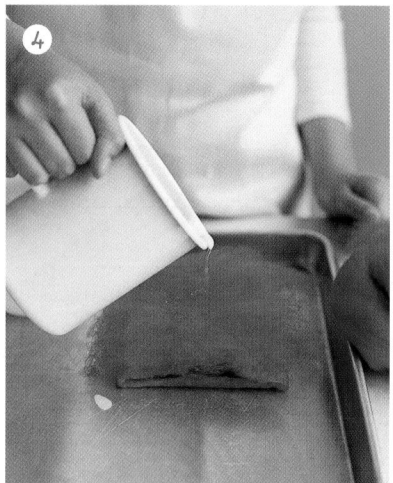

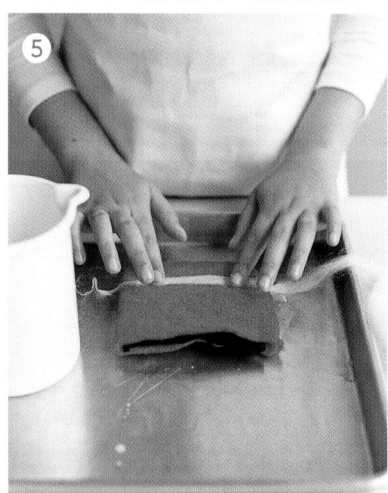

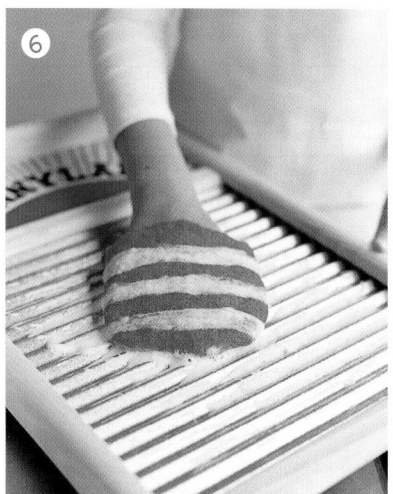

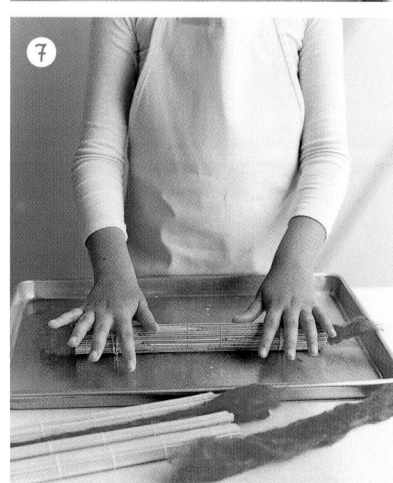

CÓMO HACER BOLSAS DE FIELTRO

MATERIALES:

- Bolsa de basura
- Tijeras
- Lana de fieltro (lana para fieltrar, disponible en tiendas de manualidades)
- Bandeja de horno con bordes altos
- Jabón líquido
- Jarra pequeña
- Esponja
- Tabla de lavar
- Esterilla de bambú
- Gomitas
- Aguja e hilo

PASOS:

1. RECORTA una plantilla sobre la bolsa de basura, que tenga la forma y el tamaño que prefieras para tu bolsa. DESPLIEGA algunas bandas de lana hasta alcanzar unos centímetros más de longitud que el ancho de la plantilla. Las bandas deberían ser lo bastante gruesas como para no ver a través de ellas. COLOCA la lana en tres capas sobre la bandeja, formando una pila que, al presionarla, tenga ½ cm de altura.

2. COLOCA la plantilla encima de la lana. LLENA una jarra con agua jabonosa caliente y empieza a FIELTRAR la lana. HUMEDECE la lana debajo de la plantilla, pero no en los bordes. PRESIONA sobre la plantilla con los dedos, en distintos puntos, durante unos 10 minutos (a medida que lo haces, absorbe el agua sobrante con una esponja y escúrrela en la jarra).

3. Para el «dobladillo» de la bolsa, MOJA el borde superior, PLIÉGALO por debajo de la plantilla y vuelve a presionar con los dedos para FIELTRAR la lana. PLIEGA los demás bordes cubriendo la plantilla. Sigue FIELTRANDO. Continúa con el resto de la bolsa, algunos minutos más.

4. HAZ otra capa de lana (ver paso 1) y COLÓCALA sobre la parte que queda a la vista de la plantilla. Esta se queda dentro para que no se peguen los lados de la bolsa. MOJA la lana, PRESIONA en diferentes puntos durante 10 minutos. Da vuelta la bolsa y haz un dobladillo como antes. PLIEGA los lados de esta nueva capa sobre la bolsita. FIÉLTRALO todo junto.

5. AÑADE los detalles decorativos, como puntos o formas florales, u otros motivos sencillos, ya sea con tiras o trozos de lana en otros colores. SIGUE fieltrando por los dos lados, manteniendo la lana húmeda y tibia.

6. Cuando el fieltro parezca compacto, SACA la plantilla, METE la mano en la bolsita y FRÓTALA sobre la tabla. Frota un poco y cambia de dirección enseguida, ya que el fieltro se contrae siempre en la dirección en la que frotas. FROTA un poco más las zonas donde el material se hace más duro. Asegúrate de frotarlo en todas las zonas.

7. ENROLLA una serpiente de lana con las manos, para el asa. SUMÉRGELA en agua caliente con jabón. AMÁSALA en el interior de una esterilla enrollada, y AÑÁDELE más lana. ENVUÉLVELA otra vez en la esterilla. ATA las puntas de la esterilla con gomas. GIRA la esterilla como si fuera un palo de amasar, adelante y atrás, durante 15 min, hasta que el asa esté bien rígida. Una vez seca, CÓSELA en la bolsa con hilo y aguja.

GUANTES BESTIALES

Los amantes de guantes y manoplas caerán rendidos ante estas bonitas prendas diseñadas con la apariencia de criaturas feroces. Sobre manoplas de lana hemos cosido algunos rasgos de fieltro: escamas, aletas y melenas. Luego añadimos los detalles faciales, como ojos de abalorios, dientes de zigzag y hocicos de botones.

CÓMO HACERLO

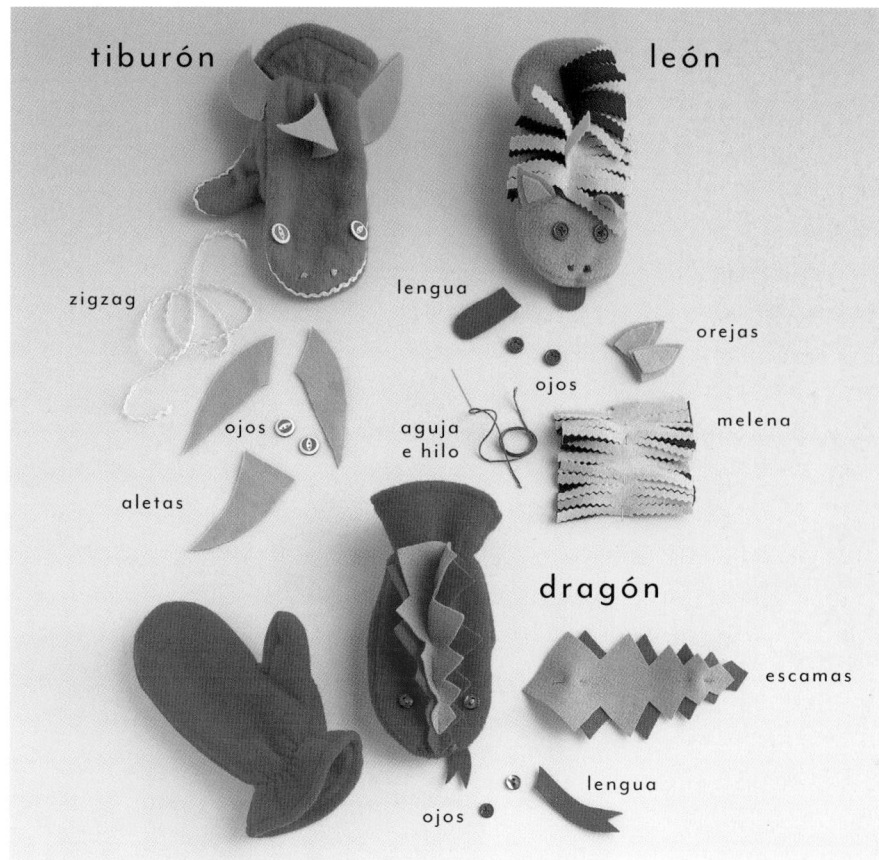

tiburón

león

zigzag

lengua

orejas

ojos

melena

ojos

aletas

aguja
e hilo

dragón

escamas

lengua

ojos

MATERIALES:

· Plantillas
  de guantes
  (página 333)
· Manoplas de lana
· Fieltro de varios
  colores que combinen
  con las manoplas
· Tijeras y tijeras
  dentadas
· Hilo y aguja
· Botones, hilo
  de bordar,
  cinta zigzag
  (para los detalles)
· Plancha
· Alfileres
· Cola blanca
  de manualidades

el tiburón

Recorta 3 plantillas sobre fieltro azul para cada guante (nosotros escogimos azul cerceta). Cose una aleta a cada lado de la manopla y una encima. Para los dientes, cose un trozo de cinta zigzag blanca sobre la costura superior del guante. Cose 2 botones como ojos. Borda 2 puntos como orificios nasales (consulta las instrucciones de la página 144).

el león

Usa las plantillas para recortar las piezas. Para la melena, corta 2 piezas de fieltro (1 negra y 1 dorada), para cubrir 3/4 partes de cada manopla. Un adulto plegará las piezas por la mitad a lo largo y pasará la plancha sobre el pliegue. Une las piezas con alfileres y luego recorta flecos en los bordes con unas tijeras dentadas. Coloca las piezas una encima de la otra y cóselas en la parte superior de la manopla, siguiendo la línea de pliegue. Para las orejas, pega los triángulos de fieltro rosa y naranja; luego cose las orejas en su sitio. Recorta una lengua de fieltro y cósela en la parte inferior de la manopla. Cose 2 botones-ojos, y borda los orificios nasales (ver página 144).

el dragón

Para cada manopla, recorta dos plantillas de fieltro con la misma forma (escamas), y dos más de otro color. Colócalas una encima de la otra; desliza la pieza de arriba un poco hacia abajo. Únelas con alfileres. Un adulto se encargará de plegar las piezas por la mitad a lo largo y pasar la plancha por el pliegue. Cóselas en la manopla por la línea de pliegue. La lengua es un rectángulo rojo con un corte en V; cóselo en su lugar. Cose los ojos-botones, y borda los puntos de la nariz (ver página 144).

PULSERAS
DE BOTONES

Con una caja de botones podemos
pasarnos horas de inspiración
creando bisutería. Ensártalos en un
cordón elástico para crear pulseras.
Los botones abombados se montan
unos sobre otros, mientras que los
botones corrientes, enhebrados por
sus agujeros en el centro, suelen
formar una ristra plana.

CÓMO HACERLO

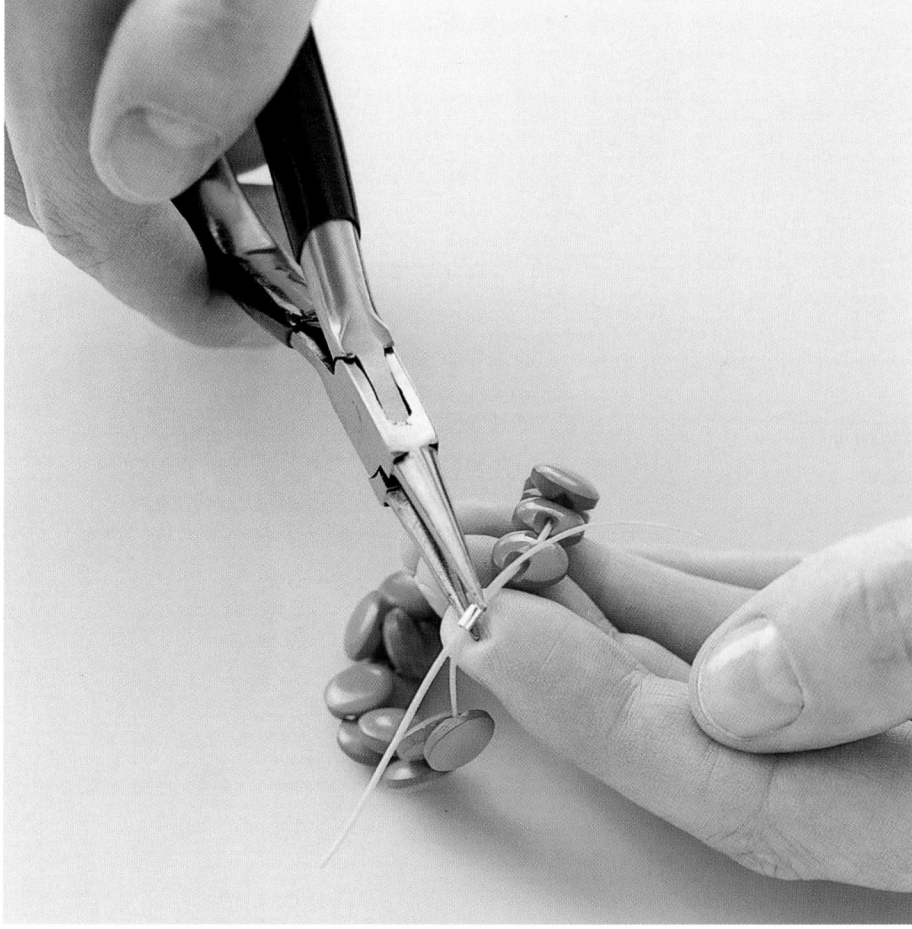

MATERIALES:

- Cordón elástico
- Tijeras
- Botones
- Chafas para pulseras (en tiendas de bisutería o manualidades)
- Alicate

PASOS:

1. CORTA un trozo de cordón lo bastante largo para rodear tu muñeca.

2. Para hacer una pulsera de botones normales, ENHEBRA los botones de atrás hacia delante y luego otra vez hacia atrás. Para botones de 4 agujeros, PASA el cordón por 2 agujeros enfrentados en diagonal.

3. Para hacer una pulsera de botones abombados, PASA el cordón elástico por el agujero de la parte posterior, dando vuelta uno de cada 2 botones para que se superpongan.

4. Una vez que has ensartado suficientes botones para cubrir toda la muñeca, PASA los extremos del cordón por una chafa para pulseras. APRIETA suavemente con un alicate. CORTA las puntas.

PASADORES DE FIELTRO

Una flor fresca detrás de tu oreja apenas durará unas horas. Pero si haces algunos pasadores con adornos florales podrás disfrutar de su belleza en todo momento. Estos modelos se pueden producir en cantidades. Aprovecha la ocasión y crea varios de una sola vez.

CÓMO HACERLO

amapola   pensamiento   margarita   tulipán   trébol

MATERIALES:

- Fieltro de varios colores
- Plantillas para pasadores (página 333)
- Tijeras
- Pistola encoladora
- Horquillas para el pelo en colores que hagan juego

PASOS:

1. Para la amapola, CORTA una tirita de fieltro, enróllala en espiral y PEGA la punta: será el centro de la flor. Con las plantillas RECORTA los pétalos y la forma de la hoja, en diferentes colores. PEGA la hoja detrás del círculo y la espiral delante. DEJA secar y luego PEGA la flor a la horquilla.

2. Para el pensamiento, corta un rectángulo largo y haz flecos; ENRÓLLALO y PEGA el borde inferior: es el centro. Recorta la plantilla de pétalos en otro color. PEGA el centro en el círculo de pétalos. DEJA secar. AHUECA los pétalos apretando con las uñas por detrás. PEGA la flor en la horquilla.

3. Para la margarita, CORTA una tirita muy fina, ENRÓLLALA en espiral y ENCOLA el extremo. Con la plantilla RECORTA 4 piezas de dos pétalos, en otro color. JUNTA los pétalos y PÉGALOS en la horquilla. AÑADE la espiral en el centro de la flor.

4. Para el tulipán, usa la plantilla para RECORTAR los tulipanes y las hojas, en diferentes colores. AHUECA un tulipán pellizcando en la parte inferior, y FIJA la forma con pegamento. Luego PEGA la flor y la hoja en la horquilla. Deja el otro tulipán plano, y PÉGALO en la horquilla.

5. Para el trébol de cuatro hojas, usa la plantilla para RECORTAR las hojas. AHUECA las hojitas pellizcando la parte inferior y FIJA con pegamento. PEGA en la horquilla.

PULSERAS DE LA AMISTAD

Se pueden tejer diferentes modelos. Solo necesitamos hilo de bordar. Las pulseras son ideales para regalar a los amigos. ¡Y hacerlas es la mar de divertido! Una vez que aprendas la técnica podrás ampliar el catálogo, creando collares y cinturones con estilo.

CÓMO HACERLO

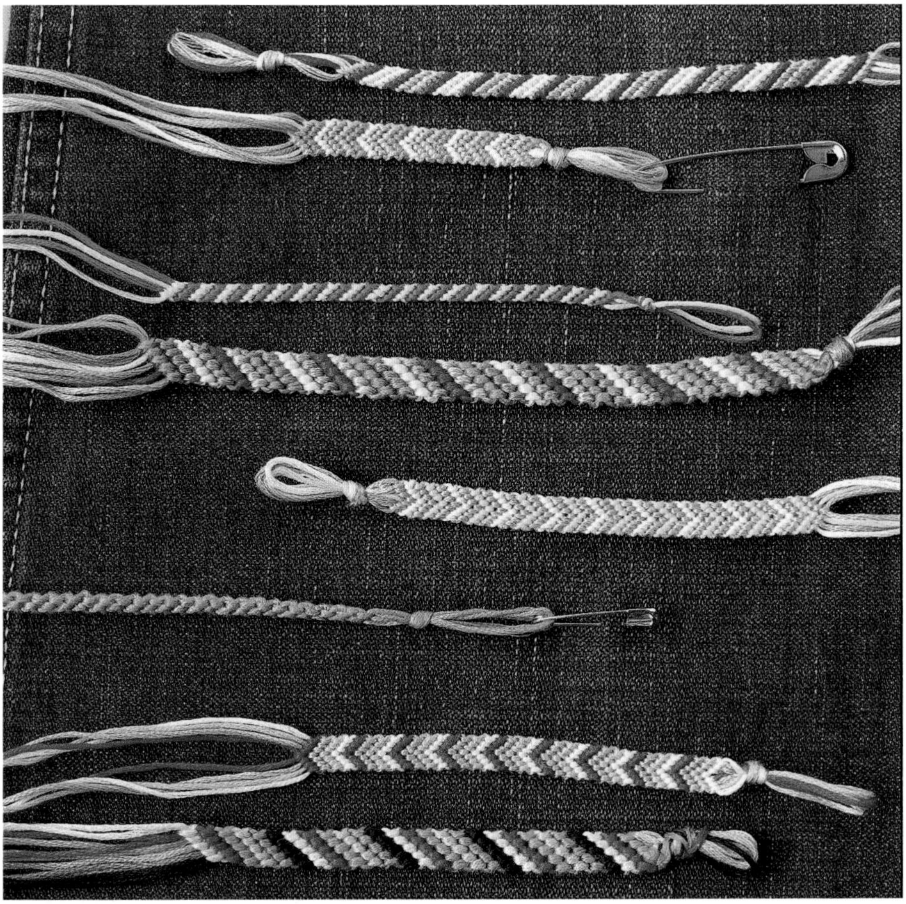

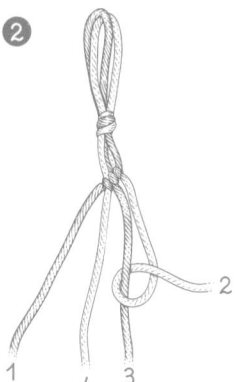

modelo en diagonal

Empieza con 2 hilos de 1,42 m; si utilizas más de 2, que sean más largos. Cuantos más hilos emplees del mismo color, más anchas serán las bandas. Dobla los hilos por la mitad. Anuda el extremo superior, dejando un lazo. Ahora tienes 4 hebras. Sigue las ilustraciones (arriba a la derecha) para crear el diseño.

1. Pasa la hebra 1 por encima y por debajo de la 2, tirando fuerte del nudo hacia arriba. Repite. Luego haz 2 nudos con la hebra 1, pero pasándola por debajo de las hebras 3 y 4.

2. Ahora la hebra 1 quedará del otro lado. Repite el mismo procedimiento con la hebra 2. La fila 3 empezará con la hebra 3. Continúa hasta que la pulsera tenga el largo que tú quieras. Para ajustar, separa las hebras en dos mitades y átalas con un lazo.

modelo en forma de V

Para crear este modelo con 4 hilos, dóblalos y anúdalos de modo que te queden 8 hebras. Ordena los colores para que queden enfrentados (por ejemplo, que la hebra 1 y la 8 sean azules; la 2 y la 7, rojas; y así sucesivamente). Empieza por el exterior, pasando la hebra 1 alrededor de la 2 (haciendo el nudo dos veces, como se describe a la izquierda). Luego anuda la hebra 1 a las hebras 3 y 4. Luego, anuda la 8 a las 7, 6 y 5. Por último, la hebra 1 a la 8, en el medio. Entonces repite para la siguiente V. Continúa hasta que la pulsera tenga el largo que tú quieras. Para ajustar, separa las hebras en dos mitades y átalas con un lazo.

JOYAS DE ARCILLA

Una vez moldeadas, perforadas y cocidas, estas cuentas de arcilla ya están listas para ser ensartadas. Alterna bolas y discos para crear diseños exclusivos. Pasa las cuentas por un hilo si quieres usarlas para un collar, y por un cordón para hacer una pulsera.

como botones

En lugar de moldear bolitas, aplana las cuentas con los dedos. Luego toma un cuchillo y córtalas en forma de botones. Antes de hornearlas, perfóralas con un palillo.

CÓMO HACERLO

consejos

Para los proyectos de esta página, haz bolitas de arcilla polimérica y adórnalas con puntos, espirales, flores y caras.

- Hagas lo que hagas, la arcilla tiene que estar blanda y flexible. Al abrir un nuevo paquete la arcilla está dura y se deshace con facilidad. Solo tienes que amasarla y enrollarla entre tus manos.

- Antes de cambiar de color, lávate las manos, para que el color anterior no manche.

- Las bolitas de arcilla suelen aplanarse sobre su punto de apoyo. Para evitarlo usa un clip metálico como pincho. Despliégalo hasta que quede recto. Ensarta las bolitas manteniendo una distancia para que no se toquen. Coloca el clip encima de una copa. (Los agujeros servirán para ensartar las cuentas con un hilo o un cordón).

- Hornea las cuentas a 135 grados, entre 6 y 15 min, siguiendo las instrucciones del paquete (el tiempo de cocción varía según el tamaño de las piezas; hornea en tandas del mismo tamaño para un mejor resultado). Si la arcilla no se ha endurecido después de enfriarse, vuelve a meterla en el horno unos minutos más.

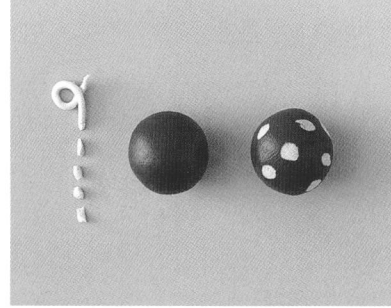

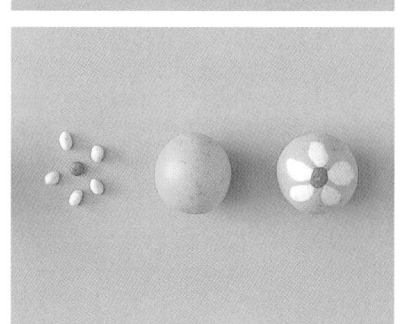

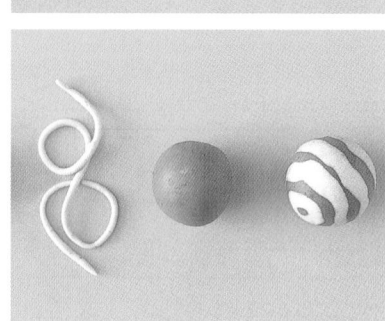

puntos

Amasa un poco de arcilla blanca hasta que quede casi tan fina como un hilo. Corta el hilo en trocitos. Amasa los trocitos hasta convertirlos en microbolitas. Colócalas sobre las bolas de arcilla de color (antes de hornear) y presiona. Alisa la superficie de las bolas sobre la mesa.

margaritas

Haz cinco microbolitas de arcilla blanca para los pétalos, y una naranja, para usar como centro de la flor. Ordena las piezas sobre las bolas de arcilla de color y presiona. Antes de hornear, alisa la superficie de las bolas sobre la mesa.

caras

Haz una bola mediana con arcilla blanca y achátala con el pulgar hasta convertirla en un disco. Haz microbolitas de otros colores para los ojos y la nariz, y un tronquito para la boca, y coloca las piezas sobre el disco. Luego presiona la cara encima de una bola más grande de arcilla. Antes de hornear, alisa la superficie de la bola sobre la mesa.

espirales

Amasa un poco de arcilla blanca hasta que quede casi tan fina como un hilo. Envuelve este hilo en una bola de arcilla de color. Presiona. Antes de hornear, alisar la superficie de la bola sobre la mesa.

ANILLOS DE ORIGAMI

Estas gemas extragrandes de papel son la actividad perfecta para una fiesta. Es tan divertido hacerlas como llevarlas puestas. Haz que los invitados creen sus propios anillos para llevarse a casa.

CÓMO HACERLO

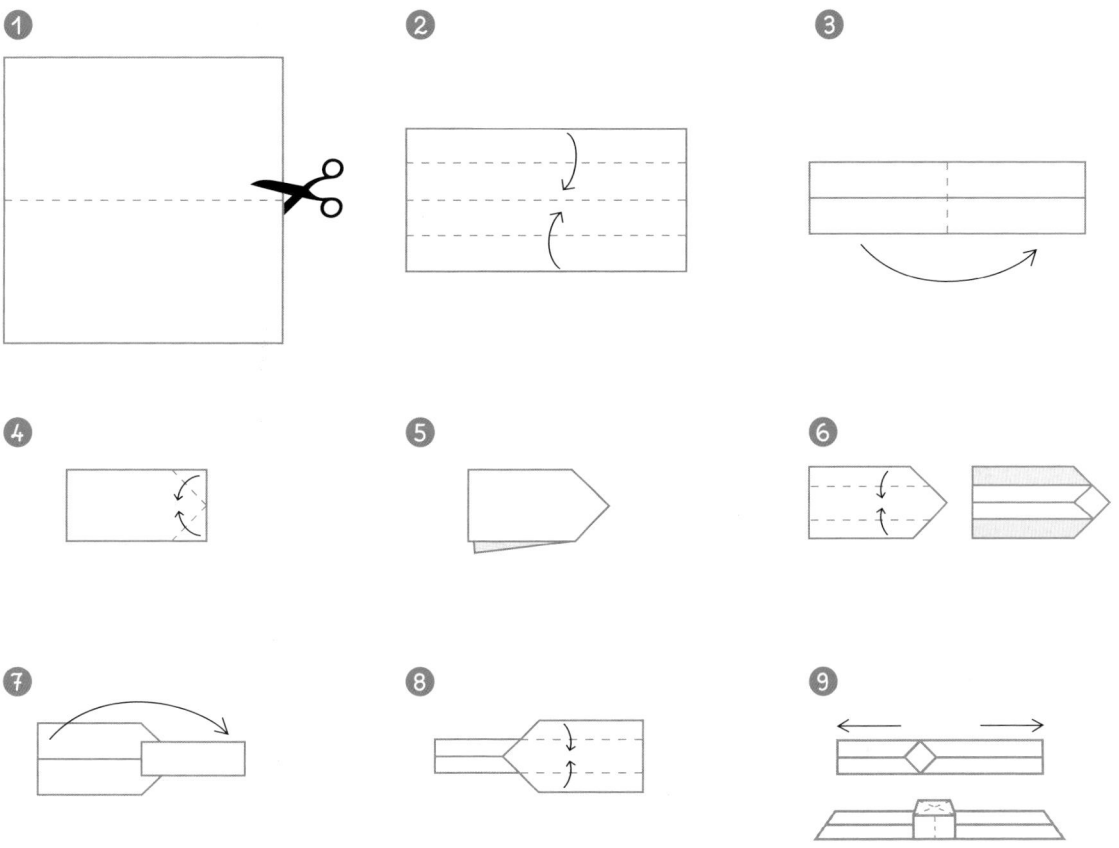

PASOS:

1. CORTA el papel de origami por la mitad.

2. PLIÉGALO a lo largo por la mitad. DESPLIÉGALO. Pliega las partes de arriba y abajo hasta que se encuentren en el centro.

3. PLIEGA el papel por la mitad de izquierda a derecha.

4. PLIEGA las esquinas de la derecha hacia dentro, hasta el centro, y vuelve a desplegarlas. Luego pliégalas hacia afuera de la misma manera; DESPLIÉGALAS.

5. METE las esquinas dentro del papel plegado.

6. PLIEGA las partes de arriba y abajo para que los bordes se encuentren en el centro.

7. PLIEGA esta pieza central hacia la derecha; da vuelta el papel.

8. PLIEGA los bordes de arriba y abajo del otro lado para que se encuentren en el centro.

9. TIRA de las puntas para que se abra la caja en el centro; aplana la parte superior de la caja y dale forma con los dedos. PEGA las partes de la izquierda y la derecha (puedes usar cinta o cola) para completar el anillo. Si es necesario, RECORTA los extremos.

COLLARES DE PAPEL

Las cuentas de estos collares son tan elaboradas que nadie se creerá
lo fácil que es hacerlas. Para cada uno hay que enrollar un triángulo de
papel alrededor de una brocheta. Aquí hemos usado papel de origami,
pero los recortes de revistas también van de maravilla.

CÓMO HACERLO

MATERIALES:

- Papel de origami o papel decorativo (cuadrados de 10 x 10 cm)
- Lápiz
- Regla
- Tijeras
- Brochetas o palillos gruesos
- Cola blanca de manualidades
- Pincel pequeño
- Hilo

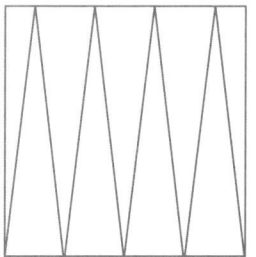

1,25 cm   3,75 cm   6,25 cm   8,75 cm

2,5 cm   2,5 cm   2,5 cm   2,5 cm

PASOS:

1. De cada cuadrado de papel sacaremos 7 cuentas. Sobre uno de los lados haz MARCAS separadas por intervalos de 2,50 cm. En el lado opuesto, haz MARCAS en los siguientes puntos: 1,25 cm, 3,75 cm, 6,25 cm, 8,75 cm. Con una regla UNE las marcas con líneas diagonales. Estas forman 7 triángulos; 4 de ellos apuntan en una dirección, y 3 en otra. RECORTA los triángulos.

2. COLOCA los triángulos sobre la mesa con la cara de color hacia abajo. USA un palillo un poco más largo que la base de los triángulos; colócalo alineado con la base de un triángulo y enrolla 1,25 cm de papel, de manera que quede ajustado. ENCOLA el resto de la superficie del triángulo con un pincel. Sigue enrollando hasta el final. RETIRA la cuenta del palillo y ESPERA hasta que la cola se seque.

3. CORTA un trozo de hilo, del largo que te parezca apropiado para tu collar, y HAZ un nudo a 2,5 cm de la punta. ENSARTA las cuentas. ATA las puntas y RECORTA los cabos.

COLLARES Y PULSERAS DE CUENTAS

Puedes llevar un collar de margaritas durante todo el año. Usa estas preciosas cuentecillas florales para diseñar uno, combinando los colores que más te gusten, desde los pasteles más discretos hasta los tonos brillantes más atrevidos.

CÓMO HACERLO

consejos ✳

- **selecciona los abalorios** Las cuentas para collares y pulseras se consiguen en diferentes tamaños en tiendas de manualidades y bisutería, o por internet.

- **selecciona el material para enhebrar** El alambre recubierto viene en diferentes colores. Es flexible y resistente, y puedes ensartar las cuentas sin usar una aguja. El cordón elástico es una buena elección para bisutería, pero hay que usar una aguja. Al escoger el material, ten en cuenta el tamaño de las cuentas con que vas a trabajar. El que escojas, debe ser lo bastante fino para pasar dos veces por el agujero de las cuentas.

- **prepara la mesa de trabajo** Escoge un sitio bien iluminado, cerca de una ventana o una lámpara. Cubre la mesa (o la bandeja) con fieltro u otra tela, para evitar que las cuentas echen a rodar. Sepáralas por color en platitos o tapas de frascos.

- **aprende a manipular las cuentas** Es difícil cogerlas con los dedos. En el momento menos pensado acaban todas desparramadas por el suelo. Para evitarlo, mete la punta de la aguja en el agujero, y luego usa los dedos para deslizarlas por el cordón.

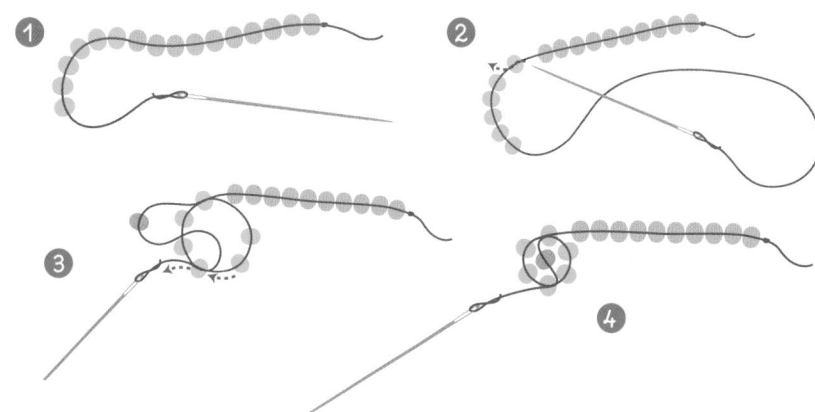

PASOS:

1. Para hacer cadenas de margaritas, CORTA un trozo de cordón 4 veces más largo de lo que será el collar terminado. PASA un extremo por un broche de collar y haz un doble nudo. PASA la otra punta por el ojo de la aguja (usa un enhebrador), pero no hagas un nudo; en lugar de eso, deja un cabo de 5 cm. ENHEBRA algunas cuentas. Para hacer una flor, PASA 6 cuentas de otro color por el cordón.

2. VUELVE a pasar la aguja por la 1ª cuenta (la aguja en dirección contraria al nudo).

3. Para hacer el centro de la flor, ENSARTA una cuenta de otro color, y PASA la aguja por la cuarta cuenta en dirección opuesta.

4. TIRA del cordón para formar la flor. Para añadir una hoja, ENSARTA 10 o 12 cuentas más en el extremo final del cordón. HAZ un lazo y PASA el extremo por la primera cuenta de la hoja. TIRA del cordón para ajustar las cuentas. Continúa enhebrando el resto de las piezas.

5. TIRA con fuerza. Para acabar pulseras y collares, PASA algunas cuentas y ATA la punta a un broche (o ata las puntas). Para acabar anillos, ENHEBRA algunas cuentas con la parte posterior del cordón.

MATERIALES:

- Tijeras
- Cordón elástico (0,5 mm de espesor)
- Broches para collares
- Aguja para ensartar cuentas
- Enhebrador
- Cuentas para bisutería en diferentes colores (de 2,5-3 mm)

CAMISETAS TEÑIDAS

Estos estampados psicodélicos son muy divertidos y fáciles de producir.
En las siguientes páginas te enseñamos a crear tres de estos populares diseños.
Experimenta libremente y crea otros diseños propios. Las posibilidades son infinitas.
Para un mejor resultado, utiliza camisetas cien por cien algodón.

¿lo sabías?

El teñido es una técnica de decoración «en negativo». La tela se ata de tal manera que, al sumergirla, solo ciertas zonas quedan teñidas. Junto con las zonas no teñidas forman el dibujo decorativo.

CÓMO HACERLO

guantes de goma

tinte

cuchara

sal

pinzas para la ropa

gomas

canicas

MATERIALES:

- Camisetas de algodón
- Gomas
- Guantes de goma
- Tinte para la ropa
- Bol de cristal o esmaltado
- Sal (opcional)
- Cuchara
- Canicas
- Detergente suave
- Toalla vieja y limpia
- Pinzas para la ropa

PASOS BÁSICOS:

1. Para empezar, ESCOGE un diseño y ata la prenda con las gomitas (sigue las instrucciones de las páginas siguientes para crear diferentes modelos). Ponte los guantes de goma para no mancharte las manos. En un bol grande MEZCLA el tinte siguiendo las instrucciones del fabricante. Puedes AÑADIR un poco de sal para obtener un color más intenso.

2. SUMERGE la prenda y MUÉVELA suavemente con una cuchara. RETÍRALA cuando el color parezca un poco más oscuro del tono que tú prefieres; esto puede tardar entre 5 y 20 min. ENJUAGA la prenda con agua caliente y después con agua fría, hasta que el agua se vuelva clara.

3. QUITA las gomitas. LAVA la prenda a mano con detergente y agua caliente. ENJUÁGALA con agua fría (o deja que se aclare en la lavadora). ESTRÚJALA dentro de una toalla limpia y luego CUÉLGALA para que se seque (o ponla en la secadora para que se seque en frío).

CÓMO HACER EL TEÑIDO ANUDADO

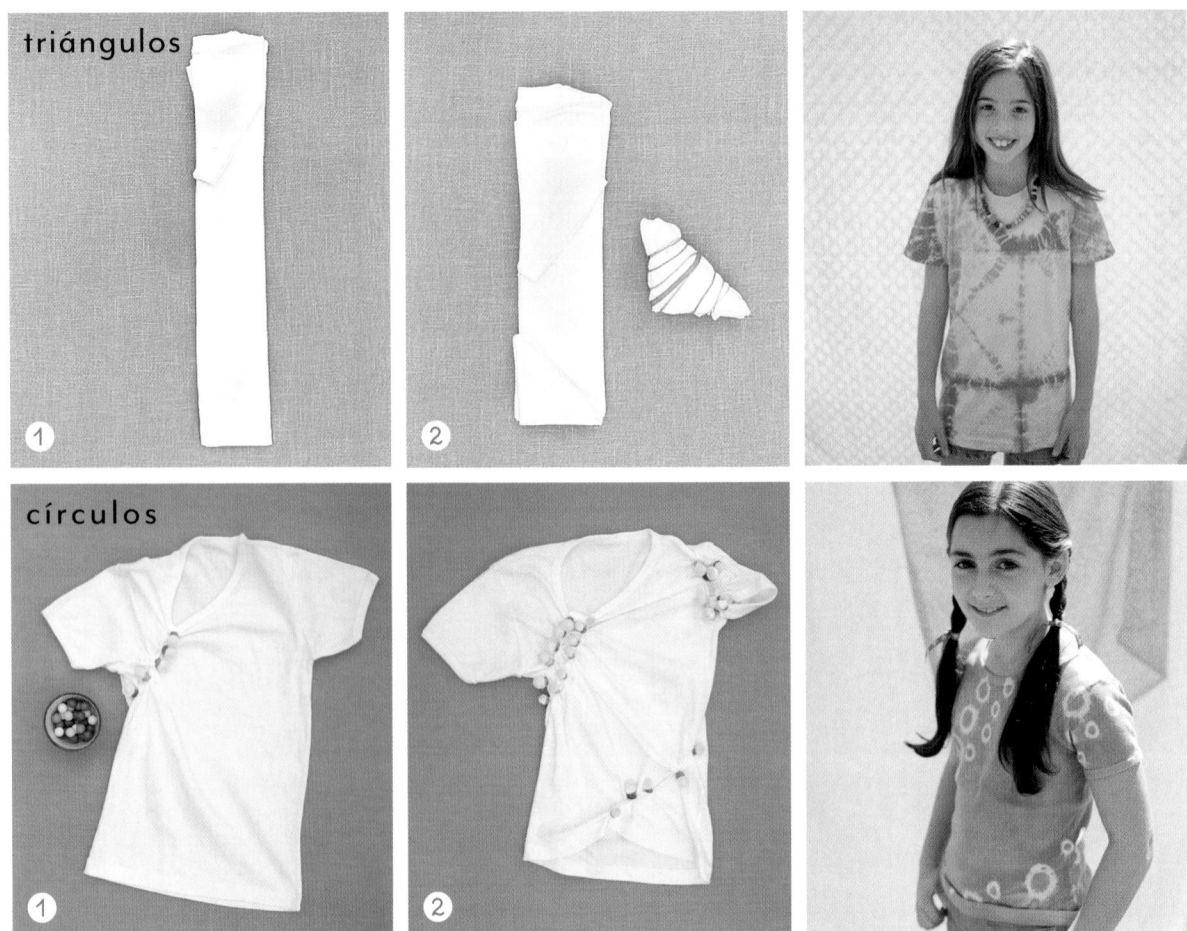

triángulos
círculos

diseño de triángulos

1. DOBLA la camiseta a lo largo por la mitad. PLIEGA las mangas para que queden mirando hacia afuera.

2. DOBLA la esquina inferior de la tela a 90°. REPITE hasta envolver toda la camiseta en forma de triángulo. ATA el bulto con gomitas. Para teñir, sigue las instrucciones de la página 191.

diseño de círculos

1. HAZ un croquis para decidir qué diseño quieres. EXTIENDE la camiseta sobre una superficie plana y pon una canica en el interior de la prenda. Usa una gomita para sujetarla a la tela.

2. AÑADE otras canicas para completar el diseño que prefieras. para TEÑIR, sigue las instrucciones de la página 191.

rayas

①

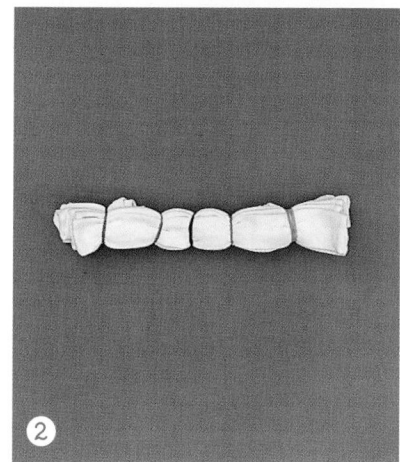

②

diseño a rayas

1. EXTIENDE la camiseta sobre una superficie
   plana y pliega las mangas hacia adentro. Desde
   abajo, empieza a doblar la camiseta formando un
   acordeón. Los pliegues tendrán el ancho
   que desees para las bandas.

2. CIÑE un extremo del acordeón con una gomita.
   coloca otras gomitas cada 3 cm. Para teñir,
   sigue las instrucciones de la página 191.

TRAJES DE SUPERHÉROES

¡Zas! ¡Pum! ¡Plaf! Estos superhéroes pequeños pero fuertes siempre están preparados para salir a combatir el crimen. Por suerte, con ayuda de un adulto, todos ellos podrán producir un traje en un plis-plas. Empieza con unos leggings y una camiseta de manga larga, para luego darle al traje un toque personal. Haz una capa, un cinturón, un antifaz y unos puños. Por último imprime una inicial en el pecho que sugiera las habilidades del superhéroe. Las instrucciones están en las páginas siguientes.

CÓMO HACER LA CAPA Y LA CAMISETA

letra o símbolo

fieltro y papel brillante

tijeras

alfileres

pantalón poliéster

goma

pegamento para tela

camiseta

MATERIALES:

· Tijeras pequeñas y afiladas
· Plantillas de trajes de superhéroes (páginas 334, 335)
· Bolígrafo de tinta lavable
· Fieltro y papel artístico
· 1 m de raso (poliéster)
· Plancha
· Camiseta de manga larga
· Aguja e hilo, o máquina de coser y elementos básicos para la labor (incluido un alfiler de gancho)
· Cinta de 60 cm por 1,25 cm de ancho
· Pegamento para tela

Para hacer la capa y la camiseta

1. RECORTA la plantilla de la letra o del símbolo del rayo. DIBÚJALA con tinta lavable sobre fieltro o sobre papel artístico. RECÓRTALA.

2. Sigue con la capa. HAZ un dobladillo de 2,5 cm en un borde de la tela de raso. PLANCHA el dobladillo a baja temperatura (debería hacerlo un adulto). COSE el dobladillo creando un túnel. PON un alfiler de gancho en un extremo de la cinta y PÁSALA por el interior del pliegue cosido.

3. EXTIENDE la capa o la camiseta sobre una superficie plana. PON pegamento en la parte posterior de la letra o el símbolo. PÉGALA donde corresponde y DEJA secar.

CÓMO HACER TRAJES DE SUPERHÉROES

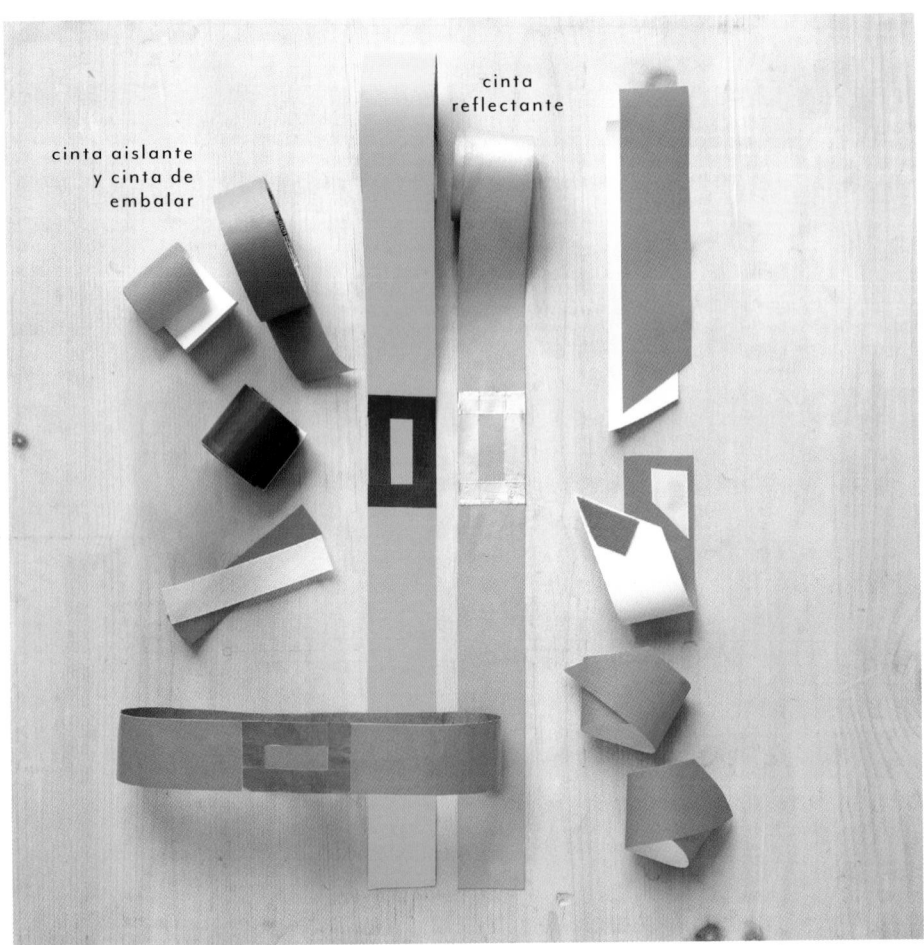

cinta aislante
y cinta de
embalar

cinta
reflectante

MATERIALES:

- Tira de papel de embalaje de 5 cm de ancho (y de largo, la cintura del niño, más 3 cm)
- Cinta aislante, cinta de pintor, cinta de embalar o cinta reflectante en diferentes colores
- Plantillas para el traje (página 335)
- Tijeras pequeñas y afiladas
- Bolígrafo
- 2 tiras de papel de embalaje o muselina, de 5 x 20 cm

para hacer el cinturón y los puños

1. El cinturón: CUBRE la tira larga de papel con la cinta adhesiva que prefieras. La hebilla la puedes hacer RECORTANDO trozos de cinta y PEGÁNDOLOS en el centro del cinturón. Pídele a un adulto que te coloque el cinturón y lo pegue por detrás (con cinta o cola).

2. Los puños: DIBUJA las plantillas sobre las tiras más cortas y recórtalas. CÚBRELAS con la cinta que prefieras. PÓNTELAS alrededor de las muñecas de manera que los bordes se superpongan formando un pico. PÉGALOS con cinta.

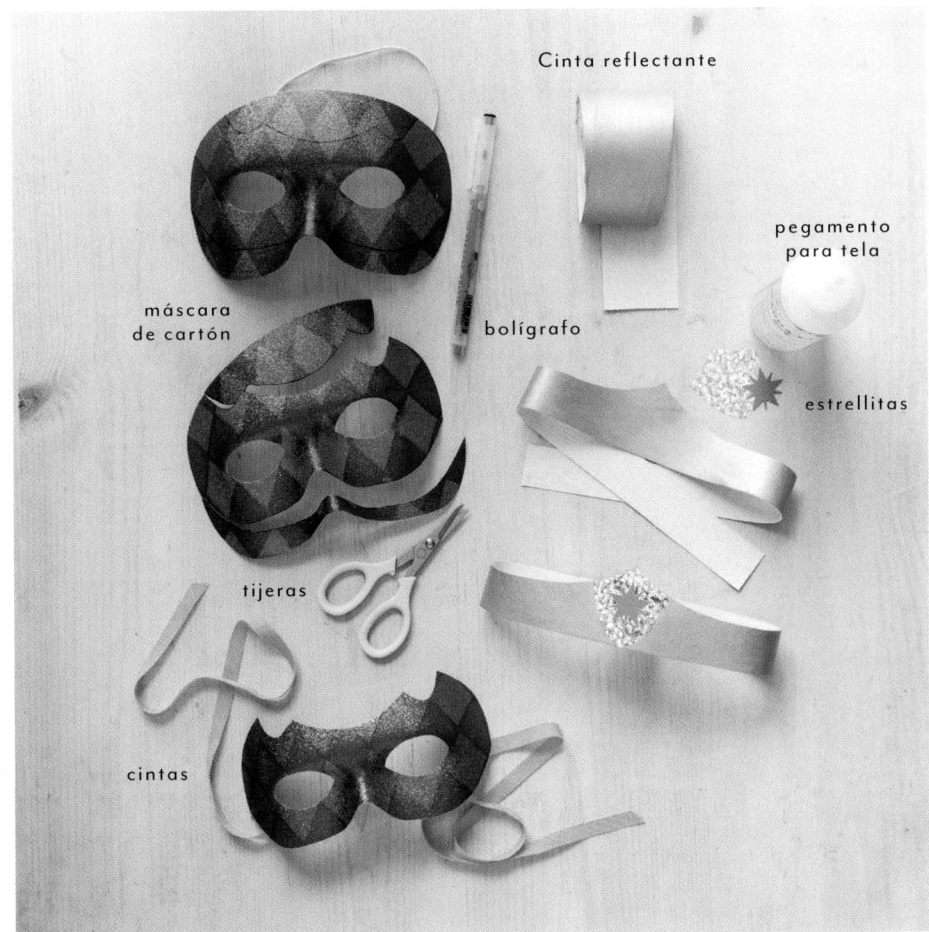

Cinta reflectante

máscara
de cartón

bolígrafo

pegamento
para tela

estrellitas

tijeras

cintas

MATERIALES:

- Máscara de cartón
- Bolígrafo
- Tijeras pequeñas y afiladas
- Pegamento para tela
- 2 trozos de cinta de 25 cm
  por 1,25 cm de ancho
- Plantillas para el traje (pág. 335)
- Cinta reflectante
- 2 tiras de papel de 5 cm de ancho
  (y de largo, la cabeza del niño,
  más 3 cm)
- Papel brillante
- Estrellitas recortadas (con
  tijeras o sacabocados de papel)

para hacer el antifaz y la diadema para la cabeza

1. Para hacer un antifaz personalizado, TRAZA unas líneas sobre la máscara por arriba y por debajo de los ojos, como a ti más te guste. RECORTA siguiendo las líneas, pero deja intactos los costados. QUITA la goma y REEMPLÁZALO con una cinta, PEGANDO los bordes a los costados.

2. Para hacer la diadema, PEGA la tira de papel sobre la cinta reflectante. DIBUJA la plantilla sobre el papel y recórtala. REPITE con la insignia sobre papel brillante. PEGA la estrella sobre la insignia, y esta sobre la diadema. DEJA secar. Colócate la diadema, con la estrella centrada sobre la frente. PEGA los extremos.

CORONAS Y CORONITAS

Algunas ocasiones exigen un tratamiento real. Cuando necesites un sombrero para una fiesta a lo grande o quieras resaltar la elegancia diaria de tu vestimenta, estas coronitas serán más que suficiente. Para crear estos modelos solo necesitas un par de cosillas que seguramente ya tienes en casa.

CÓMO HACERLO

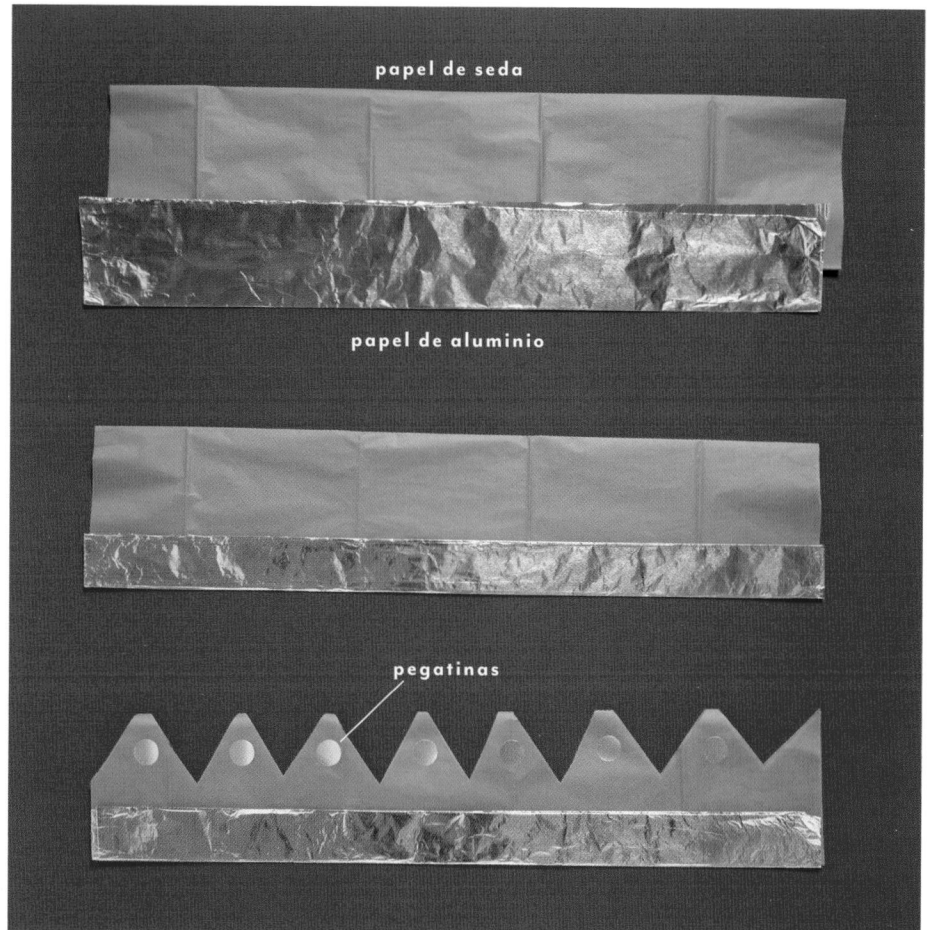

papel de seda

papel de aluminio

pegatinas

MATERIALES:

· Papel de aluminio
· Papel de seda de color
· Tijeras
· Puntitos adhesivos (pegatinas)
· Cinta o grapadora

PASOS:

1. Para hacer la base de la corona, PLIEGA 50 cm de papel de aluminio 2 veces por la mitad, los lados largos juntos. Colócalo con la abertura hacia arriba. PLIEGA 50 cm de papel de seda 2 veces por la mitad, a lo largo. Con el borde plegado hacia arriba, introdúcelo en el papel plateado; el borde inferior queda apenas por debajo del centro de la base.

1. Vuelve a PLEGAR la tira de papel de aluminio, desde el borde inferior hacia arriba (esto sujetará el papel de seda).

1. RECORTA «uves» en el papel de seda, unidas por el pliegue, y decora con puntos. Une los extremos de la corona, superponiéndolos (a la medida de tu cabeza). Mete un extremo de papel plateado en el otro. Pégalo o grápalo.

NUDOS CREATIVOS PARA CORDONES

¿Por qué atarse los cordones siempre de la misma manera? Hay muchas maneras diferentes y divertidas de entrelazarlos. Estos nudos mantienen los cordones bien ajustados, a la vez que les dan a tus bambas y zapatos un estilo genial.

todo bien atado

Adiós cordones blancos aburridos.
Combina dos colores llamativos para
personalizar tu calzado (y si quieres
ser el más atrevido, lleva cordones de
colores distintos en cada pie). Luego
experimenta con diferentes trenzados
y nudos para crear diseños divertidos.
Estos son nuestros favoritos.

cuadros   rejilla   lazos   cremallera

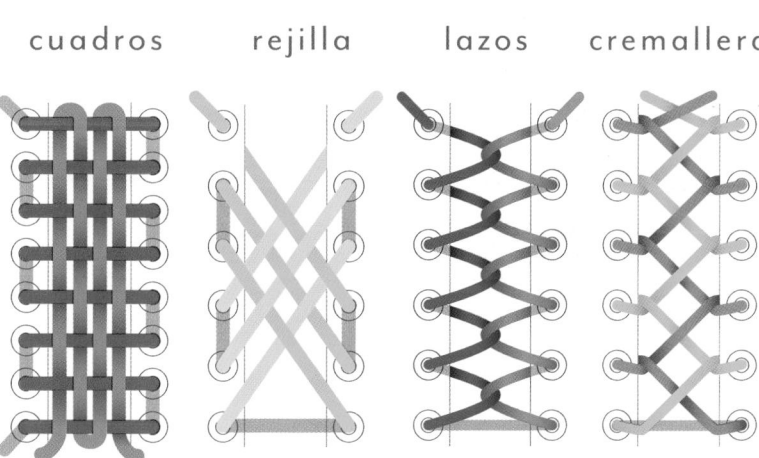

CHANCLAS SALVAJES

He aquí una manera rápida, divertida y facilísima de vestir bien aunque lleves
chanclas. Fíjate qué bonita quedaría una mariposa sobre los dedos de tus pies.
Una serpiente o una lagartija harán que tus amigos salten de un susto.

CÓMO HACERLO

chanclas

animales
e insectos
de plástico

pistola
encoladora

consejo

En muchas jugueterías puedes encontrar tubos llenos de animalitos de plástico. También en las tiendas de regalo de los zoológicos y museos de ciencias naturales. Fíjate en que la base de la figura tenga una superficie plana, para que pueda adherirse a la tira de la chancla.

MATERIALES:

· Chanclas de caucho
· Animales e insectos
  de plástico
· Pistola encoladora

PASOS:

1. PRUEBA con diferentes animales hasta que encuentres el ornamento adecuado. Nosotros solo hemos empleado un elemento decorativo en cada chancla, pero tú puedes adornarlas como quieras.

2 Pídele a un adulto que PEGUE las figuras en su sitio (la pistola encoladora debe estar en el nivel alto). También puedes usar pegamento transparente extrafuerte. DEJA secar.

ESTAMPADOS DE PATATA

Imprimir una imagen sobre una camiseta lisa es tan fácil como cortar una patata por la mitad. Gracias a su textura, las patatas crudas pueden usarse como sellos, pues el interior suave es perfecto para cubrirlo con pintura de tela (recuerda usar un trozo distinto cuando cambies de color). Puedes usar moldes de galletas o cualquier otro molde de cocina, y enseguida la patata se convertirá en un sello para estampar. Pídele a un adulto que recorte formas y pequeños detalles con un cuchillo de pelar.

CÓMO HACERLO

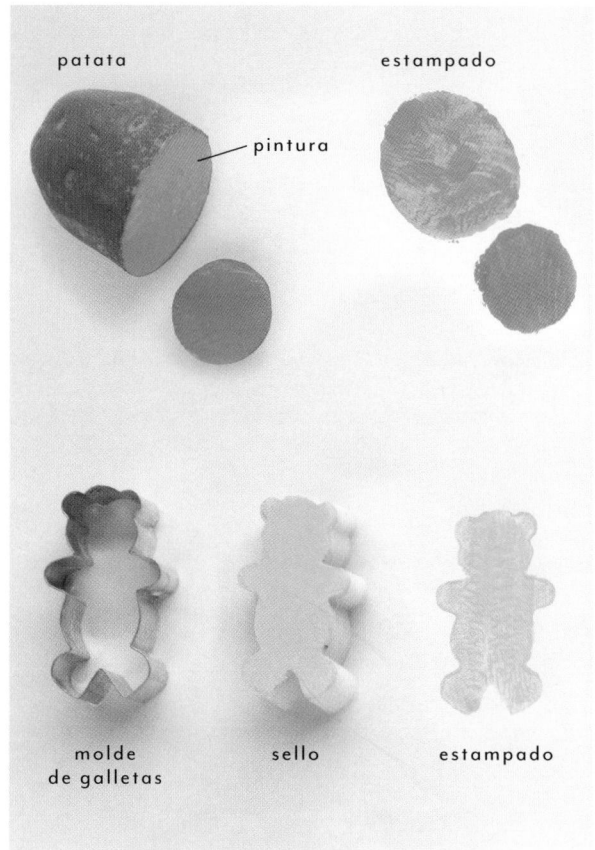

patata

pintura

estampado

molde
de galletas

sello

estampado

MATERIALES:

- Cuchillo afilado
- Patatas (preferentemente, grandes y ovaladas)
- Molde de galletas
- Papel de cocina
- Pintura para tela y pinceles
- Platos de cartón
- Paleta de madera para manualidades
- Camiseta de algodón
- Cartón

PASOS:

1. Pídele a un adulto que CORTE la patata a lo largo por la mitad. Para la flor usamos una patata grande y ovalada para estampar los pétalos, y una pequeña y redonda para el centro de la flor.

2. Para el oso, APOYA el molde sobre el borde afilado encima de una mitad (deja la otra mitad para sacar otra forma). PRESIONA el molde en la patata colocada sobre la mesa, y extrae la forma. SACA la forma del interior del molde. LÍMPIALA con un papel de cocina.

3. EXTIENDE un poco de pintura en un plato de cartón. MOJA la forma en la pintura varias veces, moviéndola para absorber una capa pareja. LIMPIA los restos de pintura adheridos en los costados del sello con papel de cocina.

4. ESTAMPA la figura sobre la camiseta (con un cartón dentro), presionando 5 seg. Pinta los otros detalles: el tallo de la flor o los rasgos faciales del osito. Deja que se seque la pintura, siguiendo las instrucciones del fabricante.

PECES ESTAMPADOS

Cuando lleves esta camiseta estampada por ti te sentirás
como pez en el agua. Usa pintura para tela y un pez de goma.
Ya verás qué fácil es darle a tu camiseta un toque refrescante.

CÓMO HACERLO

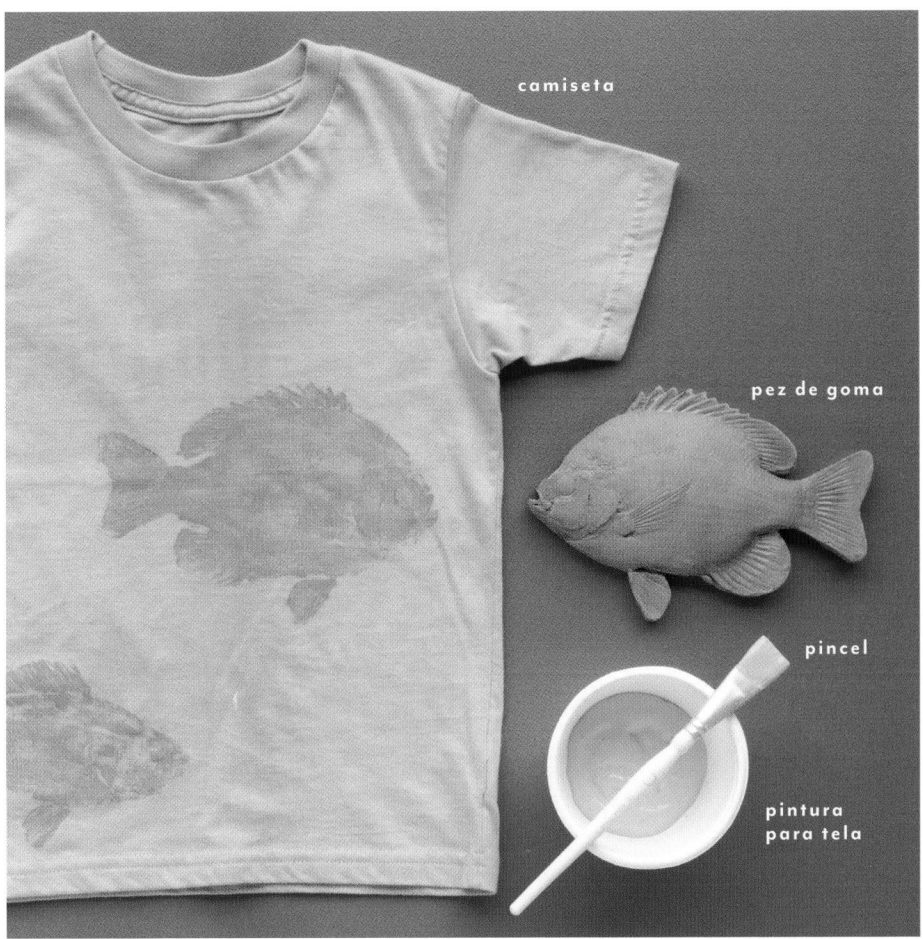

camiseta

pez de goma

pincel

pintura
para tela

MATERIALES:

· Pintura para tela
  y pincel

· Pez de goma

· Camiseta de
  algodón

PASOS:

1. Si lo prefieres, MEZCLA los colores para encontrar un
   tono que combine bien con tu camiseta. USA el pincel
   para darle al pez una capa de pintura. Recuerda cubrir
   todas las áreas de la superficie.

2. COLOCA el pez sobre la superficie de trabajo. EXTIENDE
   la camiseta sobre el pez y presiona con los dedos para
   que se graben bien todos los detalles y texturas (pero ten
   cuidado de que no se mueva el molde mientras presionas).
   LEVANTA la camiseta lentamente. DEJA que se seque,
   según las indicaciones del fabricante de pintura.

EXPERIMENTA Y EXPLORA

Encontramos diversión sin fin cuando nos interesamos en las maravillas del mundo natural que nos rodea.

Es fascinante observar cómo un pequeño cristal de sal se convierte en uno gigantesco. Para este proyecto se necesita paciencia, ya que puede llevarnos varios días. ¡Pero vaya si merece la pena!

CÓMO HACERLO

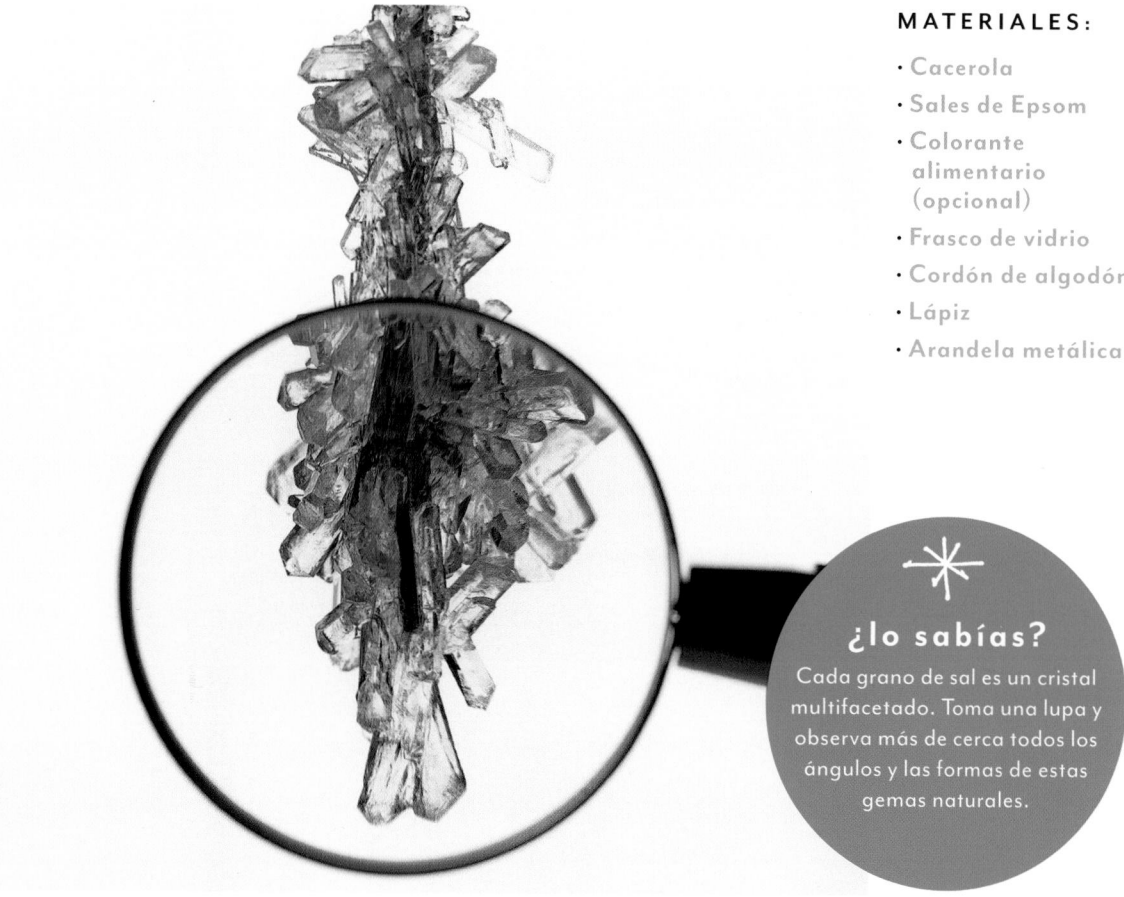

¿lo sabías?

Cada grano de sal es un cristal multifacetado. Toma una lupa y observa más de cerca todos los ángulos y las formas de estas gemas naturales.

PASOS:

1. VIERTE 1 taza de agua en una cacerola. Pídele a un adulto que haga hervir el agua y retire la cacerola del fuego. Añade ½ taza de sales de Epsom y REMUEVE hasta que se disuelva. Si quieres, añade unas gotas de colorante alimentario. ECHA sal hasta que ya no se disuelva (¼ de taza o ½ taza más). Deja que se enfríe. PASA la mezcla a un frasco de vidrio.

2. ATA el cordón en medio del lápiz, y en la otra punta del cordón ATA una arandela. El cordón tiene que ser lo bastante largo para que la arandela cuelgue a pocos centímetros del fondo. PON el lápiz sobre la boca del frasco, con la arandela suspendida dentro. Durante los días siguientes OBSERVA el proceso (quita las costras que se formen en la boca del frasco). A medida que el agua se evapore, la sal se aglutinará formando cristales.

3. Una vez evaporada el agua, puedes GUARDAR tu formación de sal. SACA el cordón cubierto de sal y cuélgalo en un frasco limpio.

FUEGOS ACUÁTICOS

Provoca una explosión... de color, por supuesto. Este estallido espectacular se produjo en un frasco lleno de agua, usando ingredientes básicos de cocina. Llena un frasco con agua. En un vaso, mezcla 1 cucharada de aceite vegetal y unas gotas de colorante alimentario rojo, azul y amarillo. Mézclalo todo con un tenedor. Echa el aceite coloreado en el agua y observa cómo descienden las serpentinas de color.

¿lo sabías?

El colorante alimentario es hidrosoluble. No se disuelve en aceite, solo en agua. Pero al echar la mezcla en el agua, el colorante está atrapado en el aceite. Finalmente se hunde, entra en contacto con el agua y se disuelve.

XILOFÓN DE FRASCOS

La música es un arte, por supuesto, pero también una ciencia: la ciencia del sonido. Para apreciar cómo se forman los sonidos crea un xilofón echando diferentes cantidades de agua en varios frascos (echa un poco de colorante alimentario en algunos para que quede más vistoso). Verás que dejando espacios vacíos de diferentes medidas, se crea una escala de notas. Lo notarás cuando toques una melodía con un palillo de tambor.

✳ ¿lo sabías?

La percusión consiste en golpear o agitar un instrumento hueco. Las vibraciones, llamadas «ondas de sonido», rebotan en el interior y se vuelven sonoras. Probablemente los primeros instrumentos de percusión fueron troncos huecos. Las versiones modernas de hoy en día incluyen tambores, tamboriles, maracas, castañuelas, platillos y xilofones.

BURBUJAS GIGANTES

Un concurso de burbujas no se gana con esas varitas que vienen en una botellita de plástico. Por suerte es fácil crear un soplador que produzca pompas grandes, así como también una solución líquida casera para asegurarte el suministro constante.

CÓMO HACERLO

¿lo sabías?

Una burbuja está compuesta de una fina película de jabón que se forma alrededor de una bolsa de aire. El lavavajillas que lleva la solución para hacer burbujas vuelve el agua flexible, y la tensión de la superficie permite al líquido mantener la forma de una burbuja cuando se sopla aire en el interior. No importa cuál sea su forma inicial, siempre tenderá a convertirse en esfera.

MATERIALES:

- Lavavajillas
- Jarabe de maíz ligero
- Recipiente grande y poco profundo
- Cordón de algodón
- Pajitas
- Solución para burbujas
- Tijeras

PASOS:

1. Para preparar la solución, ECHA en un recipiente grande 10 tazas de agua, 4 tazas de lavavajillas, 1 taza de jarabe de maíz. REMUEVE para que se mezcle (también puedes comprarla preparada).

2. PASA el cordón por 2 pajitas (CORTA el segmento flexible, si lo tienen) y HAZ un rectángulo en el que las pajitas sean los lados largos y el cordón los lados cortos (ver la foto de la página anterior). ATA y RECORTA los trozos sobrantes.

3. Agarra las pajitas, y sin tensar SUMERGE la varita en el líquido y sácala. Después, con cuidado, TIRA de las pajitas hacia afuera para que se tense el cordón, y SOPLA. Tal vez tengas que practicar un poco. Puedes CAMBIAR la posición de las pajitas para crear burbujas de diferentes formas y tamaños. Para las burbujitas que se ven en la foto de la derecha, CAMBIA la posición de las pajitas, de manera que queden abajo, y el cordón arriba.

PRONÓSTICO DEL TIEMPO

¡Ah, la belleza de un día de viento! No solo es perfecto para remontar un cometa, sino también para aprender algunas cosas sobre el pronóstico del tiempo. Los meteorólogos miden la velocidad y dirección del viento para estimar cómo será el día. Tú también puedes intentarlo con la ayuda de algunas herramientas de fabricación casera.

¿lo sabías?

En este aparato, llamado anemómetro, la brisa hace girar los vasos, lo que te permite calcular la velocidad del viento. Cuenta las rotaciones de los vasos para determinar qué tan rápido sopla el viento. Presta atención a las mediciones. La precisión te ayudará a obtener un resultado exacto.

CÓMO HACER UN ANEMÓMETRO

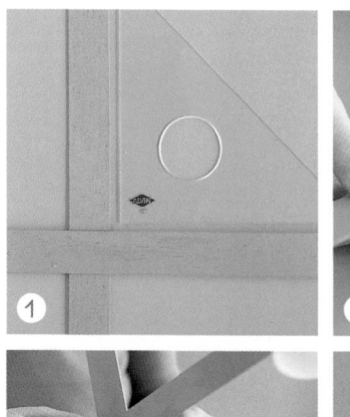

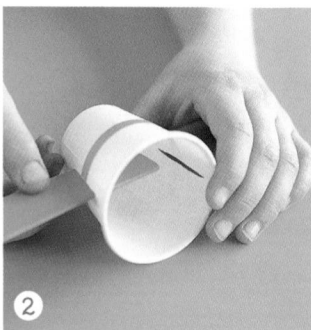

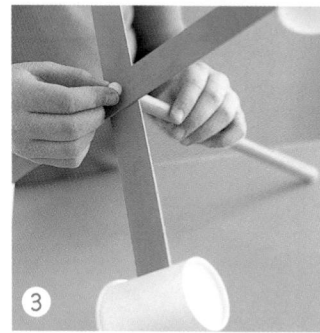

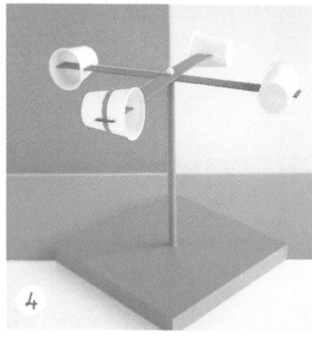

MATERIALES:

- Pintura acrílica y pincel
- Cuadrado de madera de 20 cm, para la base
- Clavija de madera (1,25 cm de grosor y 25 cm de largo)
- 2 tablillas de madera balsa de 35 x 2,5 cm
- Chinchetas
- Pegamento para madera
- Escuadra
- Cúter
- Cuatro vasos de papel
- Cinta adhesiva de color
- Agujas señalizadoras
- Taladro

PASOS:

1. PINTA la base, las clavijas y las tablillas con pintura acrílica. En el centro de cada tablilla HAZ un agujero con una chincheta. UNTA con pegamento el centro de una tablilla, PEGA otra encima y asegúralas en posición perpendicular con una escuadra. DEJA que se seque el pegamento. CLAVA una chincheta a través de ambos agujeros.

2. Pídele a un adulto que con el cúter HAGA dos cortes de 4 cm en los lados opuestos de los vasos. MARCA un vaso con cinta de color. ATRAVIESA cada vaso con una tablilla, de manera que los vasos queden orientados en la misma dirección.

3. COLOCA la cruz de tablillas encima de la clavija. HAZ un agujero en la clavija con una chincheta. REMPLAZA la chincheta por una chincheta de mapa, asegurándote de que las tablillas puedan girar sin problema. Pídele a un adulto que HAGA un agujero de 1,25 cm en la base (con el taladro). PON pegamento en el agujero y mete la clavija. DEJA que se seque.

4. Para calcular la velocidad del viento en kilómetros por hora, cuenta la cantidad de rotaciones (las vueltas que da el vaso marcado con cinta pasando por el mismo punto). En este anemómetro casero, 10 vueltas por minuto representan una velocidad del viento de unos 2 km/h. Así que solo tienes que hacer el cálculo: si da 20 vueltas por minuto significa que la velocidad del viento será de unos 4 km/h.

¿lo sabías?

Si casi todos los vientos soplan desde el oeste, y el aire viene desde otra dirección, eso indica un cambio de clima. Con esta veleta podrás saber en qué dirección sopla el viento, y, basándote en eso, pronosticar si se avecina una tormenta.

CÓMO HACER UNA VELETA

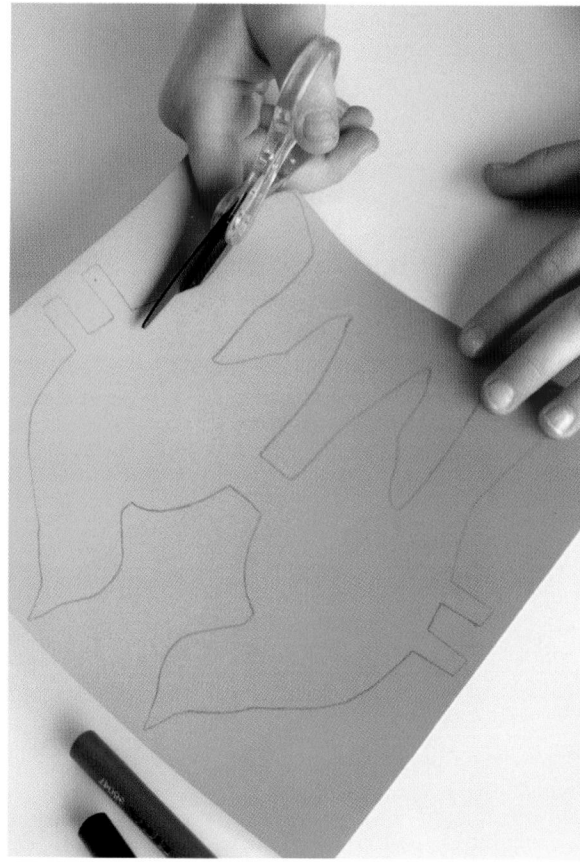

MATERIALES:

- Pintura acrílica y pincel
- Cuadrado de madera de 20 cm, para la base
- Clavija de madera (1,25 cm de grosor y largo 25 cm)
- Plantillas de letras o pegatinas
- Taladro
- Pegamento para madera
- Lápiz
- Plantilla de la veleta (página 335)
- Vinilo naranja
- Tijeras
- Pegamento transparente extrafuerte
- Chinchetas
- Agujas señalizadoras
- Brújula

PASOS:

1. PINTA base y clavija con acrílico. DEJA secar. Con las plantillas de letras, PINTA sobre la base: N, S, E, W (O). Un adulto debería TALADRAR un agujero en el centro de la base. PONLE pegamento, INSERTA la clavija y DEJA secar.

2. DIBUJA la plantilla del pájaro sobre vinilo; RECORTA. DOBLA por la línea de pliegue. Pega las lengüetas. Con una aguja, HAZ un agujero por arriba de la clavija. Encima de esta, PON la paloma en equilibrio. CLAVA una aguja señalizadora en el agujero, de modo que la paloma pueda girar sin problema.

3. COLOCA la base, con ayuda de una brújula, de manera que la N quede orientada hacia el norte. La veleta apuntará en la dirección de donde venga el viento.

ARENAS MOVEDIZAS DE MAÍZ

Este extraño pegote que cambia de forma parece un fenómeno sobrenatural. Si quieres atrapar un puñado en la mano se escurrirá entre tus dedos, pero si lo golpeas la superficie se endurecerá de repente. ¿Por qué ocurre eso? El mejunje, parecido a una arena movediza, está compuesto de maicena y agua, y se denomina hidrolato. Algo así como la mezcla de un sólido diseminado en un líquido, que conserva ambas propiedades.

CÓMO HACERLO

¿lo sabías?

Este experimento funciona porque estás aplicando una presión sobre la mezcla. Lo que haces al golpear la superficie es atrapar unas gotitas de agua en fragmentos diminutos de almidón. Así la superficie se vuelve sólida. Al disminuir la presión, la mezcla se vuelve de nuevo líquida.

MATERIALES:

· Bol
· Maicena
  (harina de maíz)
· Agua

PASOS:

1. En un bol MEZCLA una taza de maicena y media taza de agua. REMUEVE con los dedos hasta que la mezcla se convierta en un engrudo espeso. Si hace falta, puedes AÑADIR más agua. LÁVATE las manos.

1. GOLPEA la superficie y verás que tu puño ni siquiera consigue dejar una marca. Ahora SUMERGE la mano lentamente en la mezcla. SACA un poco y verás cómo se escurre entre tus dedos. APRIÉTALA, PÁSALA de una mano a la otra y OBSERVA cómo el líquido viscoso se transforma en polvo seco y luego otra vez en una sustancia pegajosa.

EXPERIMENTO DE GAS NATURAL

Algunos ingredientes comunes y corrientes te servirán para hinchar un globo fácilmente, ¡sin tener que soplar! El experimento funciona a causa de la reacción química entre el bicarbonato y el vinagre, la cual produce dióxido de carbono. Este gas llena la botella y no encuentra salida, así que el flujo acaba llenando el globo.

CÓMO HACERLO

 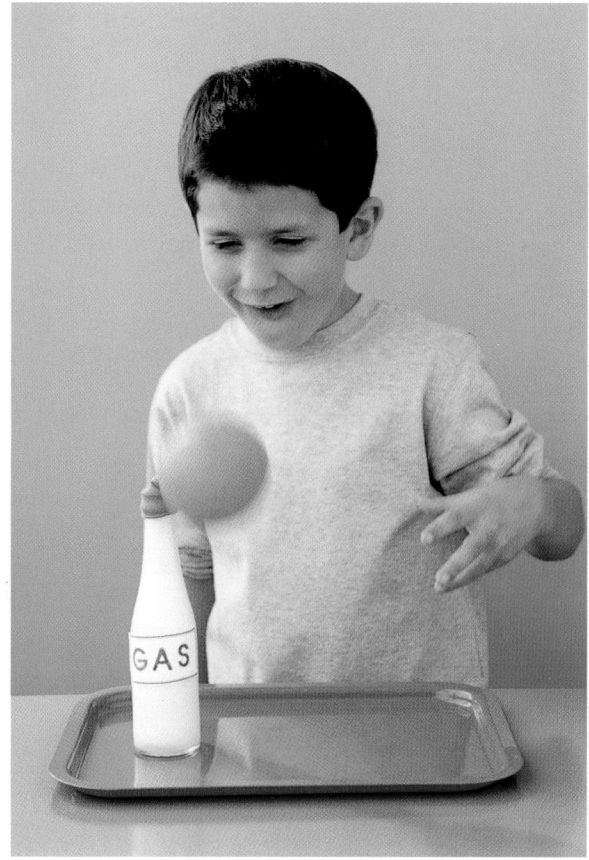

MATERIALES:

- Vinagre
- Botella de vidrio limpia
- Embudo
- Globo pequeño
- Bicarbonato

PASOS:

1. ECHA 1/4 de taza de vinagre en la botella.

2. USA el embudo para ECHAR en el globo 1 cucharada de bicarbonato.

3. Manteniendo a un costado la cabeza del globo, CIÑE cuidadosamente la boca del globo al cuello de la botella.

4. LEVANTA la cabeza del globo para que el bicarbonato caiga en el interior de la botella. VUÉLCALO todo y observa la reacción. Verás cómo el globo se infla.

EL SISTEMA SOLAR EN CASA

Los niños sueñan con visitar los rincones remotos de nuestro sistema solar. Por eso se deleitan observando el Cosmos desde la cama. Crea un modelo de cada planeta (no te olvides del Sol) y cuélgalos del techo con ganchos adhesivos y monofilamentos. Luego crea una constelación de las estrellas sobre la persiana y disfruta de tu planetario privado.

CÓMO HACERLO

el estor estrellado

Empieza por colocar una cortina enrollable azul noche. Luego descárgate de internet una imagen libre de derechos del diagrama de la constelación Orión y Tauro, o de otra. Amplíala e imprímela del tamaño necesario para cubrir todo el estor. Encima de una mesa, coloca la copia ampliada sobre el estor, con una cartulina debajo para proteger la mesa. Toma un punzón destornillador y perfora tanto el papel como el estor. Para las estrellas lejanas haz agujeros pequeños; para las más próximas y brillantes, agujeros más grandes. Une los puntos con un marcador blanco.

el sol

Cubre la superficie de trabajo para no ensuciar. Salpica una lámpara de papel amarillo con manchas solares; para ello debes remojar un viejo cepillo de dientes en agua, y luego en una mezcla de pintura roja y naranja. Pasa el pulgar por las cerdas, rociando la lámpara.

*

¿lo sabías?

A pesar de que el **Sol** es una estrella de tamaño medio, podría contener un millón de Tierras en su interior.

saturno

¿lo sabías?

En una noche despejada, **Saturno** se deja apreciar a simple vista. Está rodeado de nubes gélidas y veloces. Sus anillos resplandecen. El planeta se mueve despacio en el cielo.

para crear saturno

Pídele a un adulto que con un cuchillo de sierra corte una bola de poliespan en dos mitades (debe ser de 20 cm y superficie lisa, como las que tienen en las tiendas de manualidades). Coloca una de las mitades sobre un disco de vinilo. Marca el contorno sobre el vinilo y retira la media esfera. Pinta anillos de pegamento en todo el borde exterior del disco y rocíalos con purpurina de diferentes colores (usa un color para cada anillo). Pinta franjas onduladas alrededor de las dos mitades semiesféricas, en rojo, amarillo y marrón. Con una brocheta, haz un agujero en la parte superior de cada mitad. Pasa un trozo largo de monofilamento (para colgar el planeta) por un agujero y el agujero del disco. Ata un palillo en la punta del hilo para sujetarlo debajo del disco. Pídele a un adulto que adhiera las dos mitades al disco con pegamento extrafuerte.

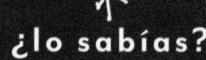

mercurio

tierra

venus

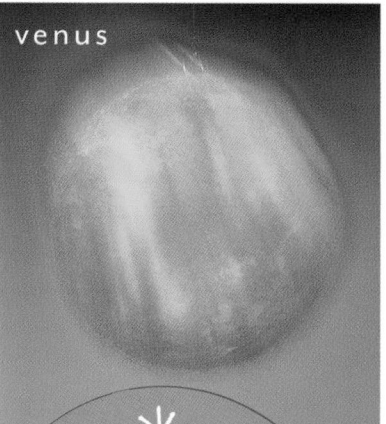

para crear mercurio

Agujerea una pelota de goma roja con un punzón
e introduce una armella con un hilo para colgarla.

para crear venus

Usa una pelota de tenis amarilla (la superficie vellosa le
dará al planeta un aspecto radiante). Moja una esponja en
pintura roja, y luego en pintura naranja. Pásala por la bola.
Cuélgala de una armella.

para crear la tierra

Pinta una pelota de béisbol de azul. Luego pásale una esponja
humedecida en pintura verde. Deja secar. Para simular las
nubes, pasa un pincel con pegamento en algunas áreas, y luego
rocíalas con purpurina blanca. Usa un punzón para hacer el
agujero y una armella para colgar tu creación.

júpiter

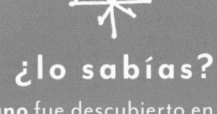

¿lo sabías?

Urano fue descubierto en 1781, y lo confundieron con un cometa. Por su atmósfera de gas metano, tiene un ligero brillo verde azulado. Está rodeado por anillos de rocas negras. A diferencia de los demás planetas, gira de costado.

urano

marte

¿lo sabías?

Marte es casi la mitad de grande que la Tierra. Hay evidencias de que en este planeta alguna vez hubo agua, y los científicos creen que podría haber habido vida. Los romanos le dieron el nombre del dios de la guerra. También se le conoce como el planeta rojo, debido a su suelo de tono oxidado.

para crear júpiter

Pinta una bola de poliespan de 25 cm con franjas intermitentes de pegamento blanco, y rocíala con arena de manualidades marrón y naranja. Con arena naranja, haz un óvalo alargado en la mitad de cada lado (como se ve en la foto de arriba). Para colgarlo, afila una clavija larga con un sacapuntas y fija una armella del otro lado para incrustarla en la bola.

¿lo sabías?

La enorme mancha roja de este planeta es un huracán que empezó a desatarse cómo mínimo hace cien años. **Júpiter** es tan grande que los romanos lo bautizaron con el nombre de su dios principal.

para crear urano

Usa una pelota de gimnasia azul de 15 cm. Pinta de plateado un aro de madera (para tejer) de la misma medida. Deja secar. Úntalo con cola y cúbrelo con purpurina. Colócalo alrededor de la pelota a modo de anillo. Cuelga el planeta del cierre del aro.

para crear marte

Pinta de rojo una pelota de golf. Déjala secar. Con una broca o un punzón, un adulto hará un agujero. Para colgarla, usa una armella.

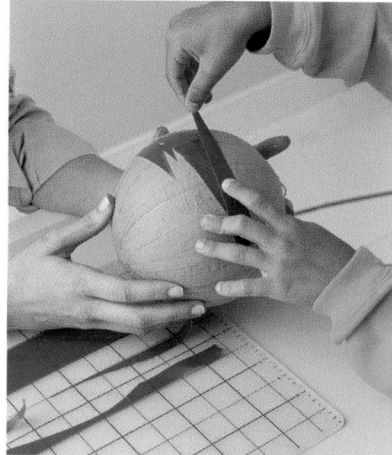

neptuno

para crear neptuno

Empieza con una pelota de papel maché de 15 cm de diámetro (la encontrarás en tiendas de manualidades). Pídele a un adulto que con un cúter te corte tiras finas y onduladas de cinta aislante azul. Envuelve la pelota con las tiras, superponiéndolas, hasta cubrirla completamente. Adhiere dos pegatinas de puntos azules, uno grande y otro pequeño para representar los puntos oscuros y tormentosos del planeta. Para las nubes, pinta ligeramente con cola blanca y rocía con purpurina. Cuelga con una armella.

✳ ¿lo sabías?

Neptuno tiene una atmósfera espesa de nubes de metano que le dan un color azulado. Sus vientos son los más fuertes del sistema solar. Como el gélido planeta está compuesto mayormente de líquido, los romanos le dieron el nombre del dios del mar.

HOJAS PRENSADAS

La naturaleza está repleta de tesoros en todos los rincones, así que no es raro regresar de un paseo por el bosque con los bolsillos llenos de hojas. Conserva tu colección en una prensa o úsalas para hacer calcos en un cuaderno.

tipos

bordes

colores

ordena
Es sumamente entretenido agrupar las hojas de nuestra colección por categorías, como las que te mostramos aquí.

formas

CÓMO HACERLO

Bolsa de plástico con cierre hermético

guía práctica

prensa para hojas

lupa

sacapuntas

binoculares

lápices de colores

cuaderno de notas

brújula

mochila

MATERIALES:

- Bolsa de plástico con cierre hermético (para guardar las hojas que recogemos)
- Guía práctica (para identificar las especies de árboles en el bosque)
- Servilletas de papel, cartón y pulpo elástico (para la prensa)
- Lupa y binoculares para observar las especies de cerca
- Lápices de colores y sacapuntas
- Cuaderno de notas y goma de borrar
- Mochila
- Brújula

prensar

Pon dos servilletas de papel encima de un trozo de cartón de la misma medida. Coloca una sola hoja encima de las servilletas, y encima otra servilleta. Repite con el resto de las hojas. Al final pon otras dos servilletas y otro trozo de cartón de la misma medida. Asegura con un pulpo elástico. Cuando llegues a casa, quita el pulpo y coloca un objeto pesado encima de la prensa. Déjalo así una semana. Si las hojas estaban húmedas o acababan de caer, al cabo de unos días tendrás que cambiar las servilletas.

calcar

Si hace falta, empieza prensando la hoja que vas a usar (usa la prensa, tal como se explica arriba). Coloca la hoja debajo de una página de tu cuaderno. Fíjate que esté plana. Frota sobre la página con el costado de un lápiz de color. Fíjate que se graben todas las venas y detalles de la textura. También puedes hacer calcos sobre la corteza de un árbol y obtener otros patrones diferentes.

TERRARIO AFRICANO

Puede que un día hagas un safari. De momento ve echando un vistazo a la exótica vida de la selva. Construye un terrario para cebras, jirafas, elefantes y otros animales. Es un ambiente cerrado, así que cuando hayas conseguido el nivel apropiado de humedad no necesitará mantenimiento. Los materiales y figuras puedes conseguirlos en las tiendas de museos y zoológicos, centros de jardinería, tiendas especializadas o en internet.

CÓMO HACERLO

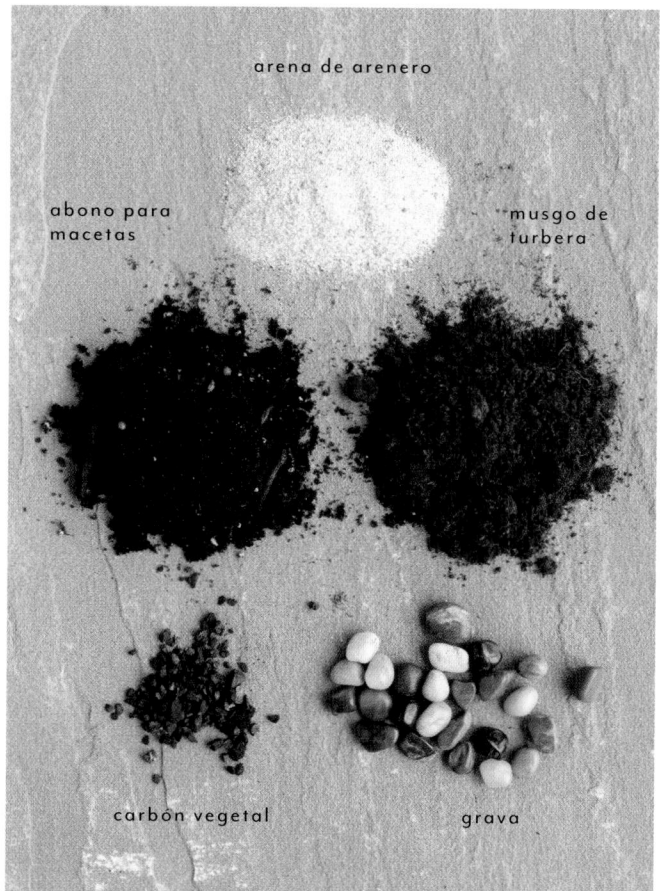

arena de arenero

abono para
macetas

musgo de
turbera

carbón vegetal

grava

consejos para el terrario

- **La luz solar directa** es demasiado intensa para un terrario. Colócalo en un sitio donde el sol no caliente tanto, cerca de una ventana soleada que no reciba la luz de lleno, o en el alféizar de una ventana orientada al norte. No lo dejes cerca del radiador ni de ninguna otra fuente de calor. Ponlo encima de una superficie que soporte todo el peso.

- **Supervísalo a diario,** y cuando esté seco échale agua con un rociador. Si lo riegas así, e igualmente se seca, es que se está evaporando la humedad. Fíjate si la tapa es del tamaño adecuado. Si las paredes se empañan, deja la tapa entreabierta durante un día.

- **Controla el crecimiento de las plantas** y mantén un registro de lo que has plantado. Las plantas nuevas suelen echar brotes.

- **Saca las hojas secas** o muertas. Corta las partes de las plantas que estén en contacto con las paredes, ya que esto provoca el crecimiento de bacterias. Córtalas antes de que crezcan demasiado. Reemplaza las plantas que no crecen, y las que crecen demasiado.

MATERIALES:

- Acuario de 9,5 litros
- Grava
- Carbón vegetal
- Abono para macetas
- Musgo de turbera
- Arena de arenero
- Cuchara
- Árboles en miniatura (por ejemplo, un bonsái)
- Hierba y rociador
- Piedras y figuras de animales
- Tapa de acrílico cortada a medida

PASOS:

1. CUBRE el fondo de la pecera con una capa de 2 cm de grava limpia. ECHA encima una capa de ½ cm de carbón vegetal.

2. MEZCLA 2 partes de abono, 2 de musgo y 1 de arena. Echa todo en la pecera. APISONA el abono suavemente. Con una cuchara CAVA unos hoyos para las plantas.

3. SACA el bonsái y las hierbas de las macetas (RETIRA los excesos de tierra) e introdúcelos en los hoyos. Ten cuidado de no dañar las raíces. PLÁNTALOS a la misma profundidad en que estaban plantados en las macetas. ALISA el abono suavemente. AÑADE las piedras grandes y los animales. COLOCA la tapa. Si es necesario, ROCÍALOS con agua.

LA VENTANA JARDÍN

¿Qué darías a cambio de un puñado de alubias mágicas? Resulta que todas las alubias (de hecho, todas las semillas) son en cierto modo mágicas. Si no te lo crees, planta una y observa cómo germina, crece y se transforma. Los vasos de vidrio transparentes son mejores que los de cristal opaco. Escoge semillas grandes (alubias, guisantes, remolachas), así puedes apreciar cada paso del proceso.

CÓMO HACERLO

bolsa de plástico
con cierre hermético

semillas

servilletas
de papel

bolsas de alubias,
guisantes y remolacha
(de arriba-abajo)

vasos
transparentes

consejos

Para plantar las
semillas puedes
elegir uno de los
dos métodos que
se describen abajo,
dependiendo de si
tienes abono. En
cualquier caso, una
vez que las semillas
hayan germinado
puedes pasarlas
a una maceta con
drenaje o plantarlas
al aire libre.

MATERIALES:

- Vasos de vidrio
  transparentes
- Tierra para
  macetas
- Semillas (aquí
  usamos alubias,
  guisantes y
  remolachas)
- Servilletas de papel
- Bolsa de
  plástico con
  cierre hermético
  (opcional)

PASOS:

1. Para plantar en tierra: LLENA el vaso con tierra húmeda e
   INTRODUCE dos semillas cerca de los costados, enterrándolas a
   una profundidad tres veces superior a su diámetro.

2. Para plantar entre vasos: USA servilletas de papel húmedas para
   sujetar dos semillas contra las paredes de los vasos. INTRODUCE
   un vaso más pequeño para sostener la servilleta y las semillas en su
   sitio. (Las semillas que germinan en servilletas de papel húmedas
   también lo harán en una bolsa de plástico con cierre hermético.)

3. DEJA el germinador en un lugar oscuro para simular las
   condiciones bajo tierra hasta que observes un brote. Luego PONLO
   en un sitio iluminado por una luz natural suave.
   MANTÉN húmedos el abono o el papel.

LA MAGIA DEL CINE

Pequeños cinéfilos, escuchad esto: para hacer una peli no necesitáis una cámara. Basta con un poco de imaginación y ciencia. Cada uno de los juguetes ópticos que te presentamos se basa en una sencilla noción científica para animar imágenes quietas, creando una ilusión de movimiento. Inténtalo y pronto te convertirás en un productor de cine.

CÓMO HACER UN TAUMATROPO

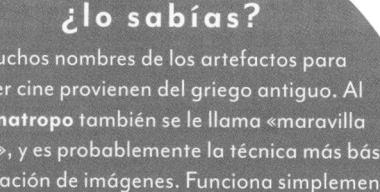

¿lo sabías?

Muchos nombres de los artefactos para hacer cine provienen del griego antiguo. Al **taumatropo** también se le llama «maravilla giratoria», y es probablemente la técnica más básica de animación de imágenes. Funciona simplemente haciendo girar una varilla entre tus manos, lo que crea la ilusión de dos imágenes fundidas en una. Estas maravillas se hacen de manera fácil y rápida. En un día de lluvia puedes crear unas cuantas películas para tus amigos. Cada una presenta una serie de imágenes que parecen unirse cuando haces girar el palito.

MATERIALES:

- Figuras para el taumatropo (página 336)
- Folios de cartulina blanca
- Tijeras
- Cinta adhesiva protectora
- Varillas de madera de 40 cm
- Cola blanca de manualidades

PASOS:

1. FOTOCOPIA la jaula y el pájaro, o el pez y la pecera, en color y en folios de cartulina blanca, aumentando el tamaño tal como se indica. RECORTA los discos. Puedes crear tu propia película: DIBUJA dos imágenes relacionadas en discos de cartulina blanca.

2. PEGA la varilla en el reverso de un disco, de manera que trace una línea recta hacia abajo desde el centro del círculo. PEGA el dorso del segundo disco al dorso del primero, dejando la varilla entre ambos círculos y cuidando que las imágenes queden alineadas. Haz GIRAR la varilla entre las palmas de las manos y observa cómo se funden las imágenes.

¿lo sabías?

Si miras fijamente un **fenaquisticopio** (o «espectador ilusorio») en movimiento, las imágenes se volverán borrosas ante tus ojos. Pero si miras su reflejo en el espejo a través de las ranuras, tu cerebro captará la escena y pondrá las figuras en movimiento.

MATERIALES:

- **Figura para el fenaquistiscopio** (página 337)
- **Lápiz** (para trazar el contorno)
- **Papel blanco grueso**
- **Pegatinas en varios colores y diseños**
- **Cola blanca de manualidades**
- **Folios de cartulina negra**
- **Tijeras**
- **Chincheta**
- **Lápiz con goma** (para usar de eje)

PASOS:

1. FOTOCOPIA la figura en color y en papel blanco, ampliando como se indica. Puedes realizar tu propia creación visual: DIBUJA el contorno de la figura en papel blanco y USA pegatinas y rotuladores para componer una secuencia de 12 imágenes que empiece y termine con la misma (nosotros usamos pegatinas para hacer la cara de un payaso que pierde su sombrero). Cada imagen debe caber en el espacio y forma de una porción de pastel.

2. PEGA el papel blanco sobre la cartulina negra. RECORTA el disco. RECORTA las 12 ranuras.

3. CLAVA la chincheta en el centro del disco y en el costado del lápiz, de manera que el disco pueda girar. SUJÉTALO delante del espejo y míralo girar a través de las ranuras.

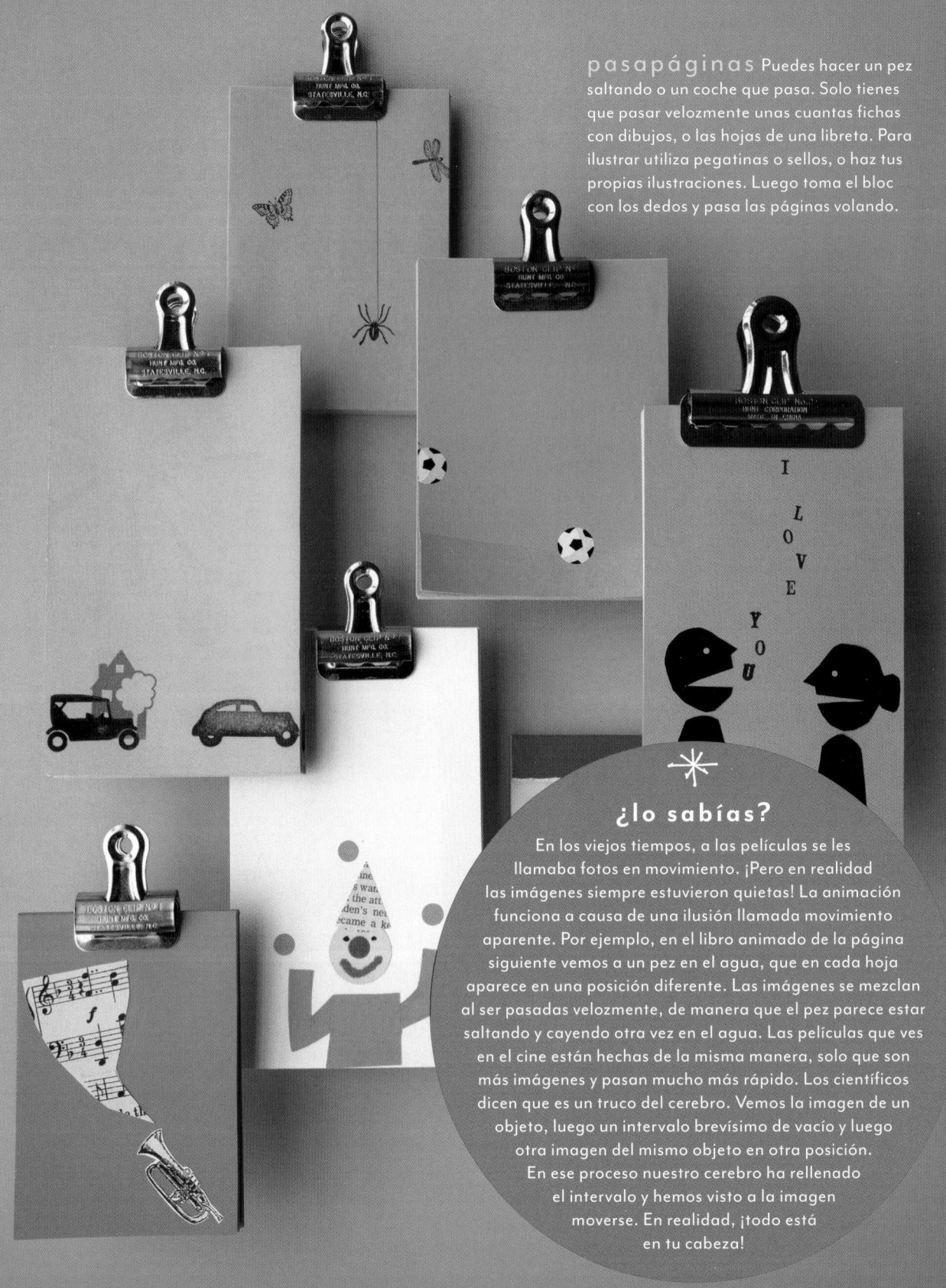

pasapáginas Puedes hacer un pez saltando o un coche que pasa. Solo tienes que pasar velozmente unas cuantas fichas con dibujos, o las hojas de una libreta. Para ilustrar utiliza pegatinas o sellos, o haz tus propias ilustraciones. Luego toma el bloc con los dedos y pasa las páginas volando.

¿lo sabías?

En los viejos tiempos, a las películas se les llamaba fotos en movimiento. ¡Pero en realidad las imágenes siempre estuvieron quietas! La animación funciona a causa de una ilusión llamada movimiento aparente. Por ejemplo, en el libro animado de la página siguiente vemos a un pez en el agua, que en cada hoja aparece en una posición diferente. Las imágenes se mezclan al ser pasadas velozmente, de manera que el pez parece estar saltando y cayendo otra vez en el agua. Las películas que ves en el cine están hechas de la misma manera, solo que son más imágenes y pasan mucho más rápido. Los científicos dicen que es un truco del cerebro. Vemos la imagen de un objeto, luego un intervalo brevísimo de vacío y luego otra imagen del mismo objeto en otra posición. En ese proceso nuestro cerebro ha rellenado el intervalo y hemos visto a la imagen moverse. En realidad, ¡todo está en tu cabeza!

CÓMO HACER UN LIBRO ANIMADO

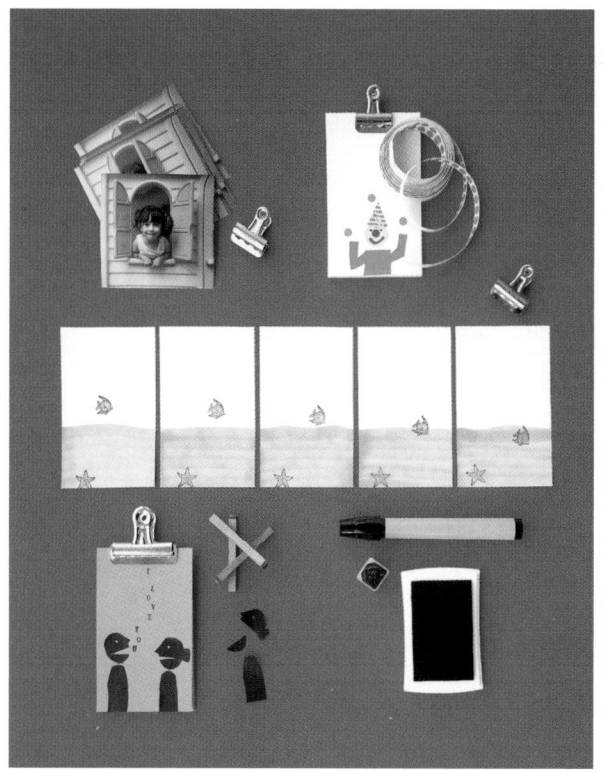

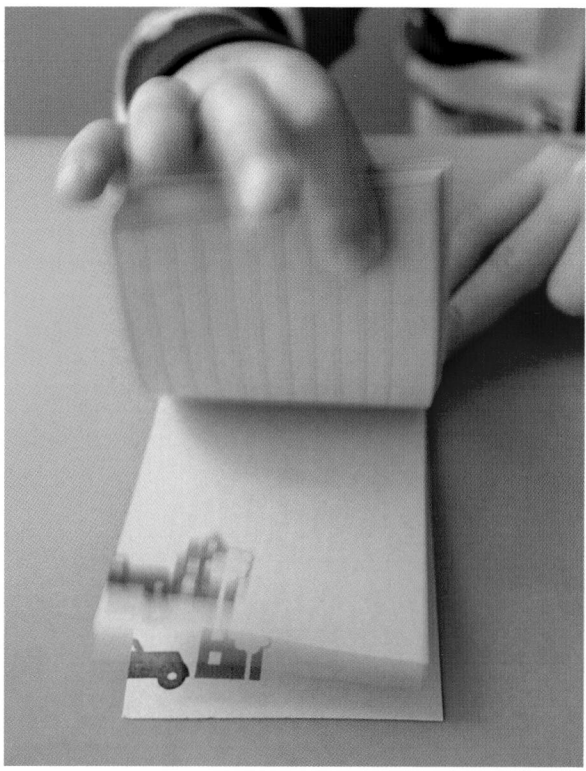

MATERIALES:

- Fichas o un cuaderno de notas
- Sellos de goma, pegatinas, imágenes recortables o fotos
- Lápices de color o rotuladores
- Tijeras
- Sujetapapeles

PASOS:

1. DECIDE y PLANIFICA la escena a animar.

2. CREA la secuencia de imágenes en fichas o en las hojas de un cuaderno. Pueden imprimirlas con sellos, dibujarlas, usar figuras recortables o recortar una serie de fotos. En cada hoja las imágenes deben presentar un cambio sutil: dibuja un elemento de la escena en otro sitio (como en la secuencia del pez), con un desplazamiento de entre 0,3 y 0,9 cm. Si al pasar las páginas el salto es demasiado brusco, AÑADE entre las páginas otros dibujos con un desplazamiento menor.

3. APILA las fichas para el visionado, pon la última imagen en primer lugar. SUJÉTALAS con un sujetapapeles. Empieza a pasar las imágenes de atrás para adelante.

consejo

Las fichas del libro animado desarmado (arriba a la izquierda) muestran cómo organizar la secuencia. El pez primero está en el aire. Luego, un poco más lejos y a menor altura. Después entra en el agua y continúa sumergiéndose. También se pueden armar fabulosos libros animados con sellos, rotuladores, pegatinas, e incluso con una serie de fotos que describan una secuencia.

CAPÍTULO 6

REÚNE TUS TESOROS

Vale la pena ordenar y guardar lo que coleccionas día a día y en ocasiones especiales. ¡Y la próxima vez ya sabrás dónde encontrarlo!

CAJA ACORDEÓN

Una cajita de cartón es la mejor opción para guardar esas joyitas que vale la pena conservar: sellos postales, botones, pegatinas… Si es posible adherir estas cosillas en un papel grueso con pliegues, ya puedes ponerte a trabajar (el precioso resultado lo verás en la página 242).

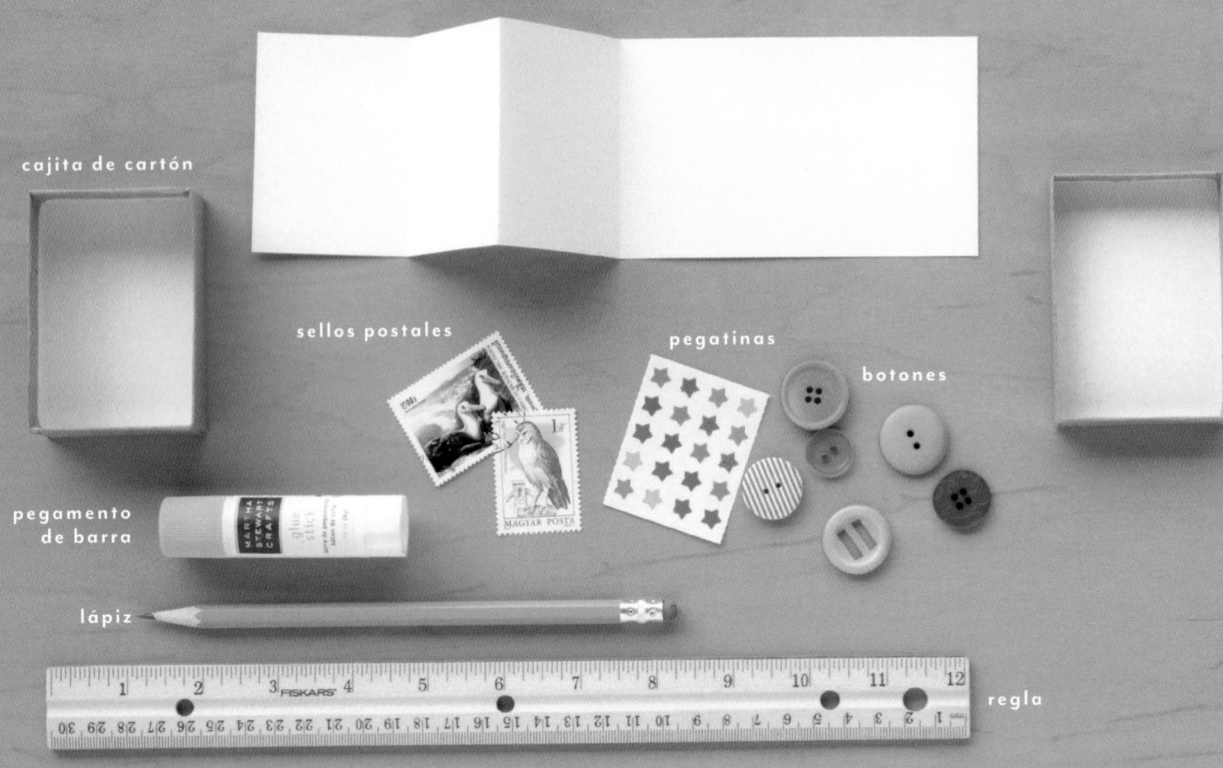

cajita de cartón

sellos postales

pegatinas

botones

pegamento de barra

lápiz

regla

papel grueso

para hacer las cajas Toma una tira de papel grueso y pliégala como un acordeón. La medida debe ser apenas inferior a las medidas de la caja. Pega la primera y la última sección de los pliegues en el fondo de la cajita y el interior de la tapa. Adhiere los objetos como más te guste. Deja algunos espacios libres para que puedas agrandar la colección.

MINIÁLBUM DE RECORTES

Un cumpleaños inolvidable, un compañero de clase, unas vacaciones alucinantes.
Son algunas cosas de las que vale la pena conservar un recuerdo. Llenar un álbum de
recortes con momentos especiales lleva tiempo y esfuerzo. Hazlo fácil y crea pequeños
álbumes de papel que luego irán en un álbum más grande.

para hacer
un miniálbum

La cubierta del álbum
queda mucho más
bonita si el lomo y las
esquinas están forrados
con un papel de otro
color. Añade un cierre
hecho con un broche
y un hilo. Una vez
terminado, pégalo
en un álbum de tamaño
real.

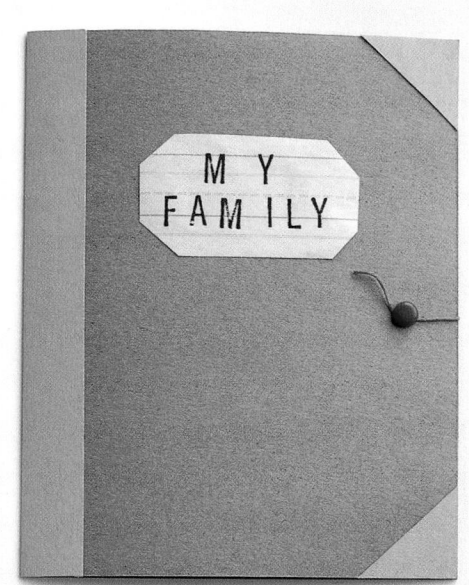

RECUERDOS DE VIAJES

Todo explorador necesita una caja para guardar sus hallazgos.
Tenemos la solución: una caja con tapa y un mapa del lugar visitado
en el fondo. Esconde la caja en un lugar secreto y sácala siempre
que quieras volver a recordar tu aventura.

la caja de los recuerdos

Traza tu recorrido en el mapa con un lápiz,
y recorta el mapa a la medida del fondo
de la caja. Pega el mapa en el fondo de la
caja. Usa etiquetas para identificar cada
recuerdo, especificando lugar y fecha del
hallazgo. Decora la tapa por ambos lados.
Coloca un rótulo en el exterior de la caja
para poder identificarla cuando la busques.

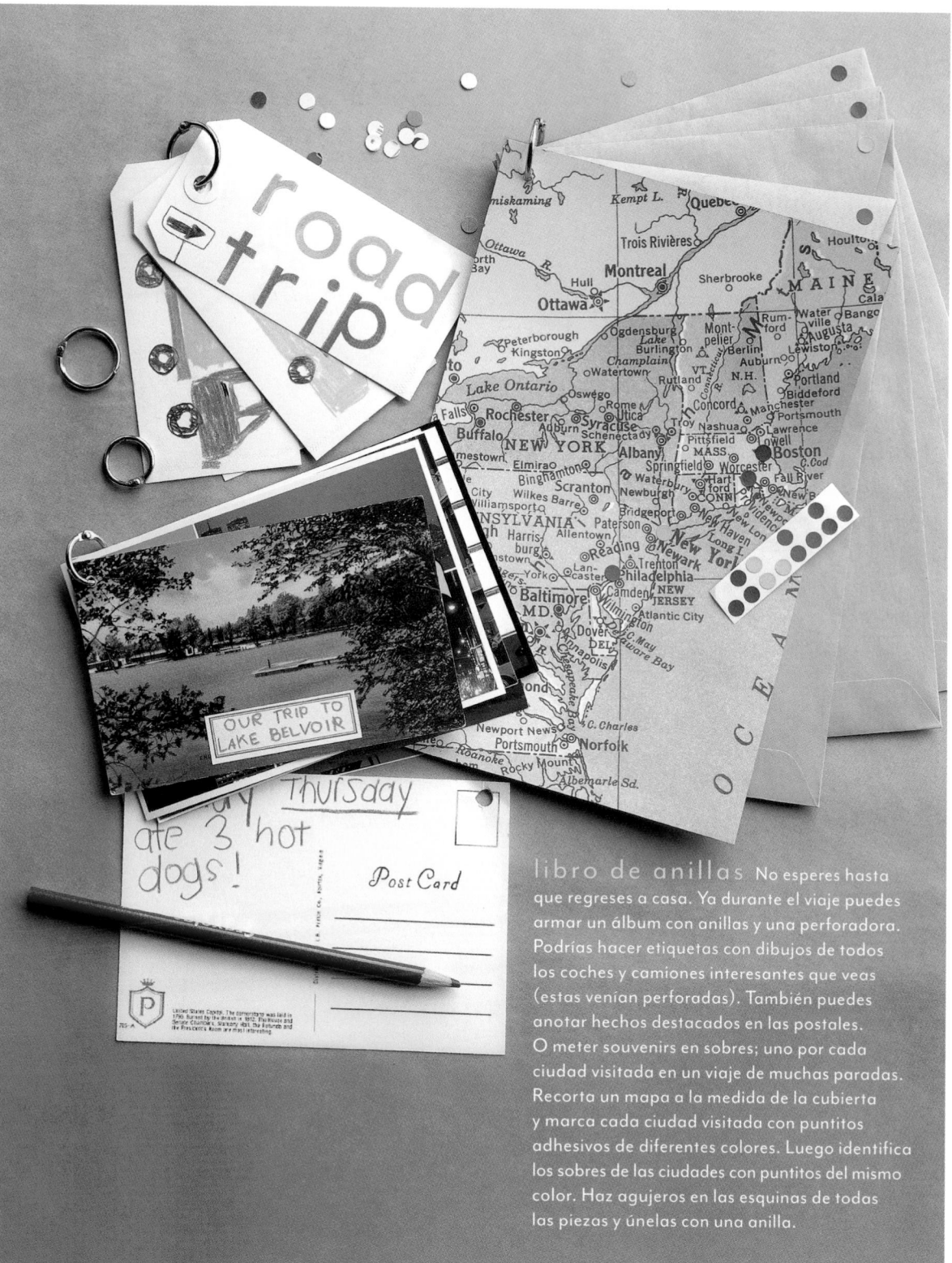

libro de anillas No esperes hasta que regreses a casa. Ya durante el viaje puedes armar un álbum con anillas y una perforadora. Podrías hacer etiquetas con dibujos de todos los coches y camiones interesantes que veas (estas venían perforadas). También puedes anotar hechos destacados en las postales. O meter souvenirs en sobres; uno por cada ciudad visitada en un viaje de muchas paradas. Recorta un mapa a la medida de la cubierta y marca cada ciudad visitada con puntitos adhesivos de diferentes colores. Luego identifica los sobres de las ciudades con puntitos del mismo color. Haz agujeros en las esquinas de todas las piezas y únelas con una anilla.

DIORAMAS DE MAR

Hacer un «álbum de recortes» de tus tesoros marinos es una manera de llevarte la playa a casa. Para eso nada mejor que las latas vacías de sardinas. No solo son un marco estupendo, también suelen traer etiquetas con imágenes de la vida en el mar (peces, faros y cosas por el estilo) que podrás recortar y usar para realzar el diseño de tu objeto.

CÓMO HACERLO

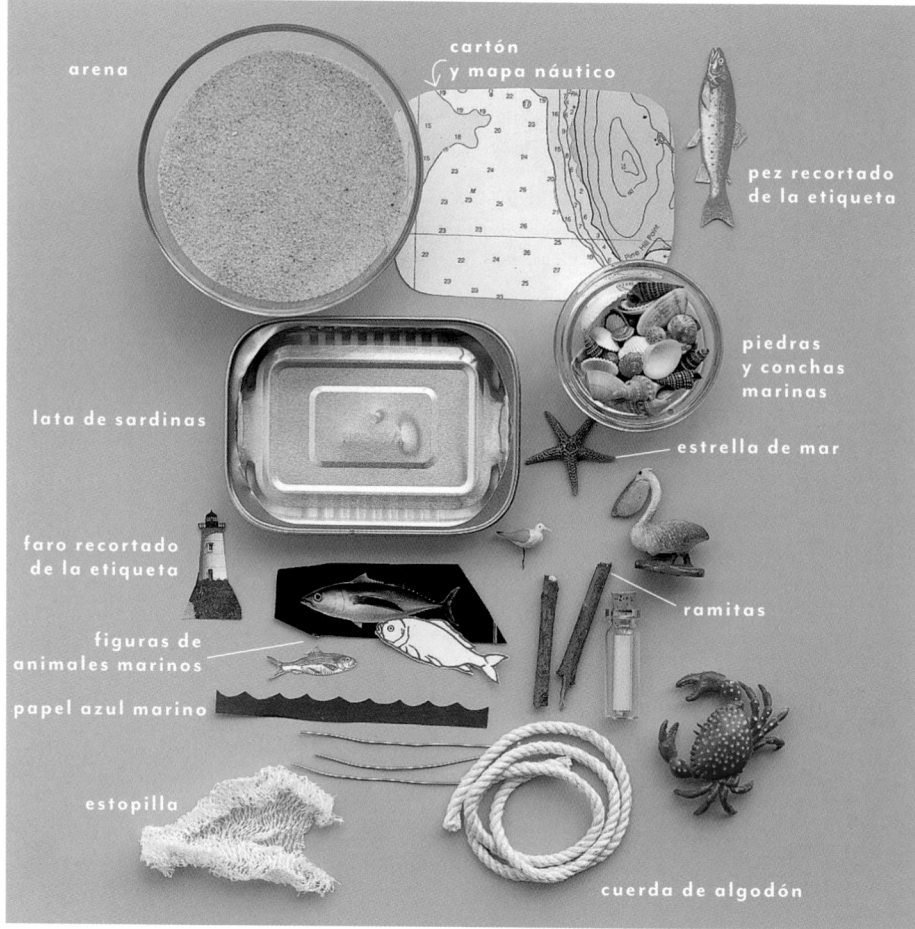

arena

cartón
y mapa náutico

pez recortado
de la etiqueta

piedras
y conchas
marinas

lata de sardinas

estrella de mar

faro recortado
de la etiqueta

ramitas

figuras de
animales marinos

papel azul marino

estopilla

cuerda de algodón

MATERIALES:

- Lápiz para trazar el contorno de la lata
- Latas de sardinas vacías, limpias y secas
- Cartón
- Mapa náutico
- Tijeras
- Cola blanca de manualidades
- Conchas, ramitas, piedras, figuras de aves marinas y estrellas de mar, estopilla, imágenes recortadas de las etiquetas
- Cartulina
- Arena
- Papel de decoración azul marino
- Cuerda fina
- Cinta adhesiva

PASOS:

1. Para crear el fondo, TRAZA el contorno de la lata sobre el cartón y el mapa. RECORTA. PÉGALOS juntos. PEGA en el fondo de la lata.

2. APLICA pegamento en las conchas, figuras, imágenes de la etiqueta y en la estopilla (a modo de red). Para hacer el pez flotante, CORTA unas tiras finas de cartulina, y PEGA un extremo detrás del pez y el otro en el fondo.

3. APLICA pegamento en la base del diorama. ROCÍA con arena, o pega olas recortadas de tiras de papel azul marino (haz pestañas en las olas para fijarlas a la lata). Si quieres, PEGA conchas o un trozo de cuerda alrededor de la lata. Para colgar el diorama, PEGA un trozo de cuerda por detrás.

COFRE DEL TESORO

No dejes que tus mejores recuerdos playeros se los lleve el mar.
Atesóralos al estilo pirata. Utiliza sellos usados para componer un cuadro
marino en el interior de la tapa. Luego llena el cofre con tu botín.

MATERIALES:

· Caja de cartón
  con tapa adherida

· Pintura o
  rotuladores

· Sellos postales
  usados

· Arena

PASOS:

1. COMPÓN una escena en el interior de la tapa, usando
   pintura, sellos usados o rotuladores. Aquí hemos hecho un
   collage con sellos para crear dos barcos de velas y el sol.

2. CUBRE el fondo de la caja con arena. Ahora solo te queda
   DISPONER los objetos sobre la arena.

FRASCOS DE RECUERDOS

Para tener esas vacaciones siempre presente, exhibe los objetos
recolectados en frascos grandes. Utiliza uno para cada viaje realizado
y etiquétalos señalando fecha y lugar. Los frascos de boca ancha te
permiten introducir la mano y acomodar los objetos en el interior.
En caso contrario, utiliza un alambre doblado.

ÁLBUMES ESCOLARES

¿Qué mejor para documentar el progreso de un niño en el cole que una serie de álbumes que reúnan sus logros y otros recuerdos escolares? Usa carpetas con folios de plástico trasparente. Ponles un rótulo en la cubierta que señale el curso y una fotografía de ese año. En el interior puedes guardar trabajos escritos, libretas de calificaciones, premios y otros papeles significativos.

CAJAS DE CEREALES-ARCHIVADORES

Utiliza las cajas vacías para hacer unos archivadores de escritorio. Las grandes van bien para los libros, las pequeñas para los útiles escolares.

MATERIALES:

- Cajas de cereales vacías
- Cúter
- Papel de embalaje
- Tijeras
- Cinta adhesiva de doble cara

PASOS:

1. Haz que un adulto CORTE la caja, indicándole la altura y el ángulo que desees. USA las cajas grandes para poner libros y carpetas, cortando en diagonal desde arriba. USA las cajas pequeñas para lápices, reglas y otros útiles. Para hacer un fichero, GIRA de lado una caja pequeña y corta la parte de arriba.

1. ENVUELVE la caja con papel de regalo para ver cuánto necesitas. DESENVUELVE y CORTA el papel a medida. PEGA con cinta adhesiva. RECORTA los sobrantes.

TABLERO SIN CHINCHETAS

Tiene un colorido atractivo. Y un entramado de gomitas que te permite poner fotos, notas de amigos y dibujos. Además, no tendrás que agujerear tus papeles importantes, ya que no se usan chinchetas para colgarlos.

MATERIALES:

- Pintura acrílica y pincel
- Tablero de corcho de 30 x 30 cm
- Gomas elásticas largas de colores.

PASOS:

1. Pinta el tablero por ambos lados y DEJA secar completamente.

2. COLOCA las gomas a lo largo y a lo ancho, asegurándote de que se entrecrucen intercaladamente por encima y por debajo.

3. INSERTA fotos, dibujos y notas, debajo de las gomitas.

LIBRETAS DE NOTAS

¿Te lo pasas haciendo listas? ¿Eres un periodista? Algunos niños tienen ideas todo el tiempo y necesitan donde volcarlas. El soporte ideal para tanta inspiración son estas libretitas. Las cubiertas están hechas con postales, papel de regalo, mapas, páginas de revistas o impresiones de fotos. A simple vista son preciosas, y contienen toda la información sobre ti y lo que te gusta. Haz las páginas con papel blanco plegado, grapado en el centro. Coloca las libretitas en bolsillos de plástico transparentes y guárdalas en una carpeta de tres aros.

MINICAJITAS

Incluso las cosillas más diminutas merecen un cofre propio, si es que queremos conservarlas y mostrarlas. Las cajitas de cerillas son ideales para guardar miniaturas con un encanto infinito. Fórralas con una imagen escaneada de los objetos que permita identificar su contenido.

una buena tapa Para lograr un fondo interesante, coloca un papel encima de los objetos sobre el escáner. Con objetos de colores claros, usa papel brillante o negro, para que resalten.

MATERIALES:

- Cajitas de cerillas vacías de todos los tamaños
- Escáner
- Papel de color o papel adhesivo
- Tijeras
- Pegamento de barra

PASOS:

1. ESCOGE el tamaño de la cajita en función del tamaño de las cosas que quieras guardar.

2. SELECCIONA algunos objetos para hacer la etiqueta que irá en el exterior de la caja. COLÓCALOS sobre el escáner y prueba diferentes disposiciones. Puedes distribuirlos al azar o alinearlos formando un marco. Luego ESCANEA la imagen.

3. IMPRIME la imagen en papel de color o papel adhesivo, que viene en diferentes colores e incluso transparente.

4. RECORTA según la medida de la cajita. Si usas papel corriente, aplica pegamento en el dorso de la etiqueta. PEGA la etiqueta sobre la caja, empezando por un extremo y alisando la superficie a medida que la pegas. Si es necesario, RECORTA los bordes. Guarda tus tesoros en la caja.

CUBÍCULO PORTÁTIL

Para concentrarse en una tarea, sobre todo en un lugar repleto de gente, a veces hace falta aislarse. Crea tu propio espacio de trabajo y pon las cosas esenciales en su lugar.

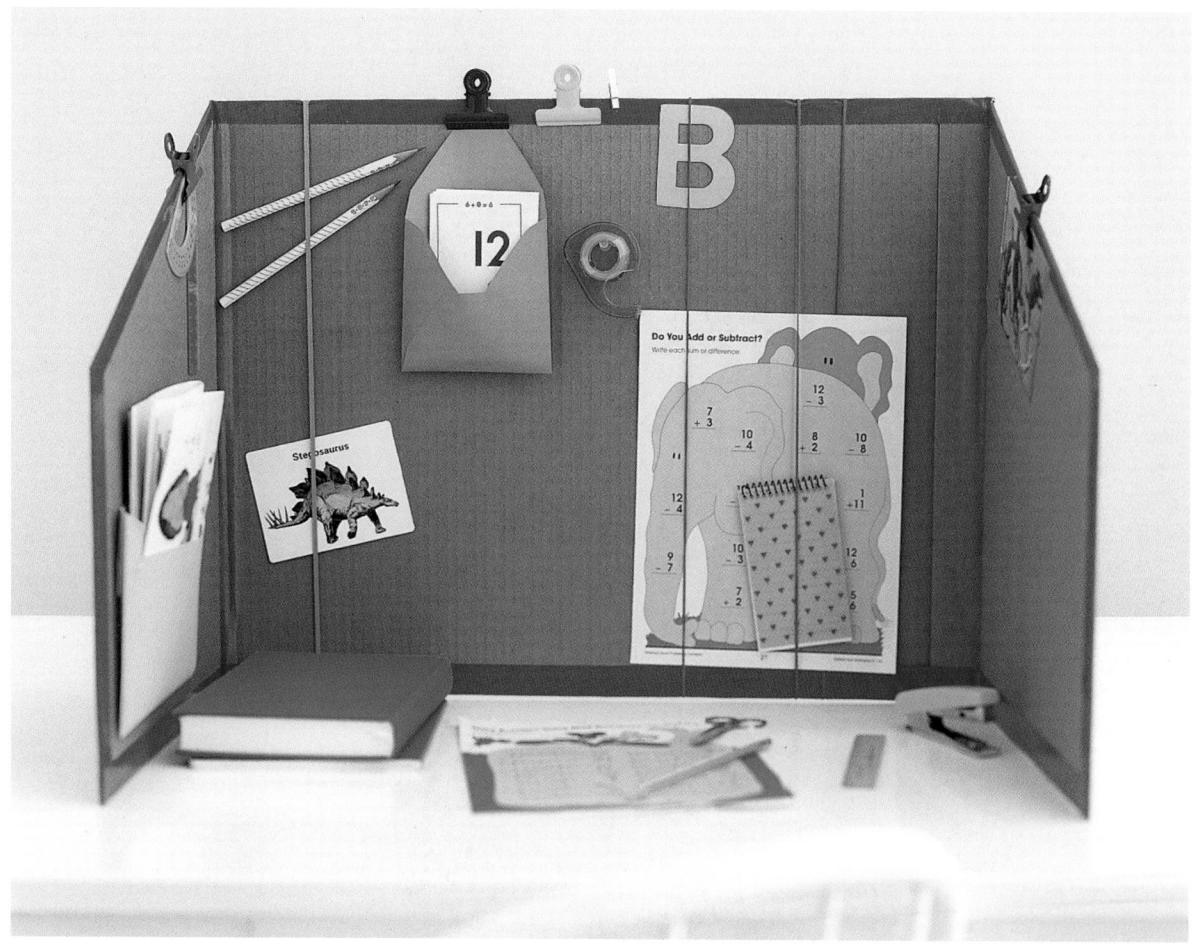

MATERIALES:

- Caja grande de cartón
- Cúter
- Cinta adhesiva de color
- Gomas elásticas largas
- Pinzas sujetapapeles
- Chinchetas

PASOS:

1. Pídele a un adulto que CORTE la caja con un cúter, separando el fondo, la tapa y uno de los lados largos.

2. RECORTA a la altura deseada, y después los laterales inclinados.

3. CUBRE los bordes con cinta adhesiva de color. COLOCA algunas gomas elásticas de arriba abajo, y pinzas y chinchetas para sujetar papeles, notas, calendarios y otros elementos.

HUCHAS DE FRASCOS

Los frascos pequeños son ideales para guardar monedas. Usa uno para cada valor. Pídele a un adulto que haga un corte en las tapas para introducir las monedas. Con unas pinzas de punta presiona los bordes cortantes de la ranura contra la parte inferior de la tapa. En una habitación bien ventilada pinta las tapas con pintura látex en aerosol. Cuando estén secas, usa un rotulador y plantillas para escribir en las tapas el valor de las monedas que contiene cada frasco.

HUCHAS DE BOTELLAS

Los cerditos se lo zampan todo. En lugar de dejar las monedas sueltas por ahí puedes hacer dos huchas con forma de cerdo: una para los gastos, otra para los ahorros. Utiliza botellas de plástico anchas. Al mismo tiempo es una manera estupenda de reciclar.

MATERIALES:

- Tijeras
- Papel de color y papel estampado
- Botellas de agua
- Cola blanca de manualidades
- Plantillas de la página 340
- Cúter
- Perforadora
- Cuentas de madera

PASOS:

1. RECORTA una tira de papel larga y ancha. PÉGALA alrededor de la botella. Un adulto con un cúter debería CORTAR una ranura arriba para meter las monedas.

2. RECORTA en papel las plantillas de las orejas. PÉGALAS. Dobla el borde inferior de las orejas y pégalas a la botella.

3. Usa la perforadora para CORTAR unos ojillos en papel negro, y los orificios nasales en papel rosa. PÉGALOS donde corresponde.

4. Para hacer las patas, PEGA las cuentas de madera sobre el papel, debajo de la hucha. Deja secar.

ALFABETO INGLÉS DE HOJAS

Tan fácil como el A, B, C. Junta hojas de diferentes formas, colores y tamaños, y crea todo tipo de figuras. Luego pégalas en folios de cartulina con su letra inicial correspondiente. Es una tarea ideal para que los niños hagan en clase de inglés y practiquen el alfabeto.

butterflies

Christmas

deer

elephant

fish

grasshopper

hair

insect

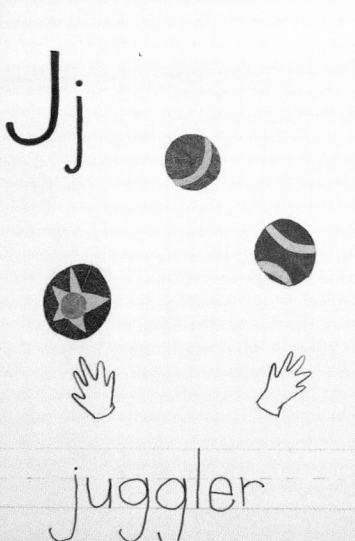
juggler

kite

Ll

love

Mm

moustache

Nn

necklace

Oo

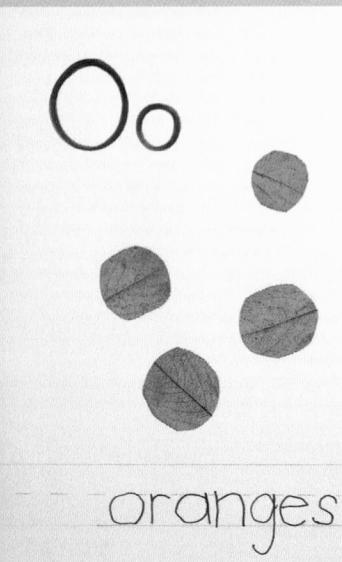

oranges

Pp

peacock

Qq

quail

Rr

rooster

Ss

sparrow

Tt

tree

Uu

umbrella

Vv

violin

Ww

whale

reciclaje
inteligente
¿Te has quedado sin
espacio en la pared?
Cubre los collage
con papel adhesivo
transparente y úsalos
como mantelitos
individuales (como ves a
la izquierda), o puedes
convertirlos en un libro.

Xx

xylophone

Yy

yacht

Zz

Zack

CÓMO HACER EL ALFABETO DE HOJAS

MATERIALES:

- **Hojas de diferentes formas, tamaños y colores**
- **Libros pesados**
- **Listín telefónico o periódico**
- **Papel grueso o cartón**
- **Tijeras**
- **Pegamento de barra o cola blanca de manualidades**
- **Lápiz y bolígrafo**

PASOS:

1. RECOGE muchas hojas que no estén mohosas ni podridas. COLÓCALAS entre las páginas de un listín telefónico o un periódico. PRÉNSALAS con libros pesados encima. DEJA 2 semanas para que se sequen y se aplanen completamente. Si vives en una zona donde no hay mucha variedad de hojas (o quieres ampliar tu colección), puedes comprar hojas por internet, ya prensadas.

2. CREA figuras con las hojas sobre folios de papel grueso, una figura para cada letra del alfabeto. EXPERIMENTA combinando colores y formas. ADORNA los dibujos con muescas y cortes para formar los rasgos: bocas, colas, aletas. RECORTA todos estos detalles de las hojas de reserva.

3. PEGA las hojas con pegamento de barra o cola blanca. COLOCA encima un folio y FROTA suavemente para ALISAR y APLANAR la superficie. QUITA el papel con cuidado.

4. ESCRIBE el nombre de la figura y la letra inicial del nombre. Un adulto puede ESCRIBIRLOS con lápiz, usando unas guías, y luego el niño puede REPASAR las letras con tinta. Las hojas prensadas pueden resquebrajarse, así que NO DOBLES ni enrolles el collage. PEGA tus obras de arte en un tablero o en la pared.

DALE UN TOQUE PERSONAL

Los mejores regalos siempre son aquellos hechos a mano. Ya sea un bolso, una caja de dulces o un retrato bordado. Intenta que todo lo que regales lleve tu toque personal.

RETRATOS DE PUNTO DE CRUZ

Tus familiares y amigos los encontrarán divertidísimos. Hacer estos retratos es más sencillo de lo que parece: si puedes coser un botón, también podrás con esto. Usa papel cuadriculado para dibujar tus modelos de la cabeza a los pies. Enhebra la aguja y empieza a retratar a tus seres más queridos.

the Emersons

consejos para el punto de cruz

- La tela especial para hacer punto de cruz se llama Aida. Si eres principiante usa la tela Aida 11 (4,3 puntos o cruces por centímetro). Eso permite dar puntadas más grandes y hacer figuras de mayor tamaño. Con las medidas más altas, como la 14, hay que dar puntadas más pequeñas.

- El hilo de bordar se puede separar en hebras más finas. Para una tela de cuenta 11, enhebra la aguja con 4 hebras. Para una de 14, con 2. (Para el punto atrás, usa 2 hebras para una tela de 11, y 1 para una de 14.)

- Empieza siempre representando tu diseño en papel cuadriculado. Un cuadrado equivale a un punto o cruz. Guíate por nuestros ejemplos de las páginas 338 y 339. Luego improvisa.

- Nos pareció que lo mejor era hacer las cabezas de los adultos de 10 puntos, y las de los niños de 9. Las de los bebés son aún más pequeñas, solo de 3 puntos. El espacio entre los ojos y el tamaño de la boca puede variar con la edad.

- En el punto de cruz, como en la vida, el peinado tiende a captar la esencia de una persona. Insiste hasta perfeccionar las coletas de tu hermana o la barba de tu abuelo.

- El nudo francés va bien para los botones y los ojos de los bebés (en la página 145 tienes las instrucciones).

- Con el punto atrás puedes añadir pequeños detalles, como los marcos de las gafas, los cuellos de las camisas, el hilo de una cometa o un globo y las etiquetas (consulta las técnicas básicas para coser, páginas 144-145).

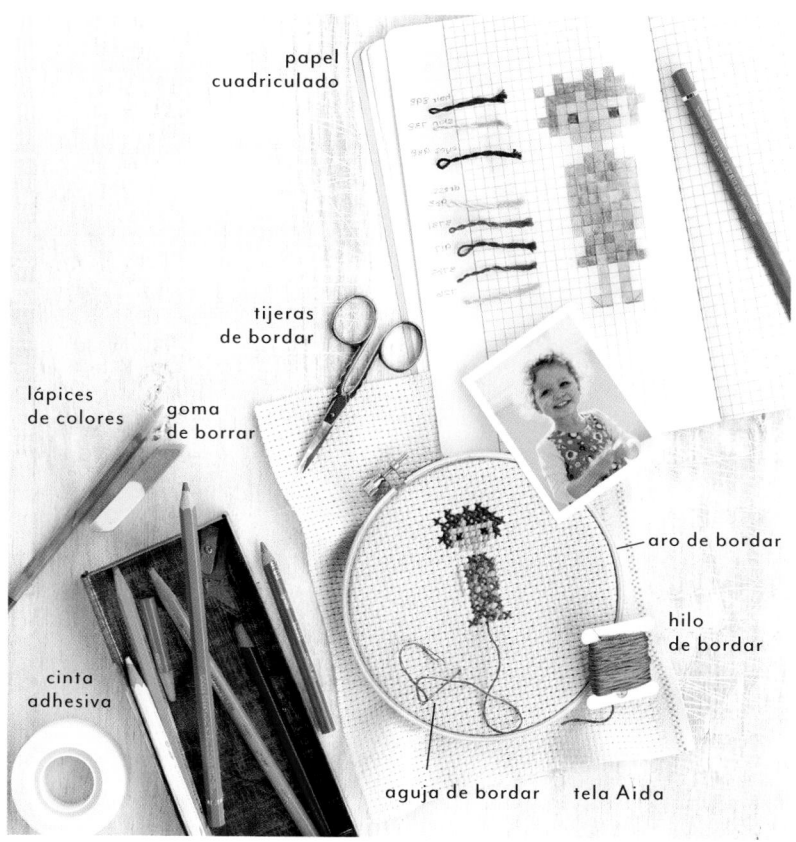

papel cuadriculado

tijeras de bordar

lápices de colores

goma de borrar

cinta adhesiva

aro de bordar

hilo de bordar

aguja de bordar   tela Aida

consejo

Para captar la personalidad de alguien en un retrato de punto cruz, recuerda que ciertos detalles hacen la diferencia. Un delantal, un globo, unos auriculares, todo puede ser representado con puntos. Y por supuesto, las mascotas también son un accesorio. Cuando se trata de camisas, pantalones y vestidos, hay un montón de posibilidades. Basa tu diseño en prendas reales, pero simplifícalo.

MATERIALES:

- Plantillas de las páginas 338-339.
- Foto color
- Papel cuadriculado
- Lápices de colores y goma de borrar
- Cinta trasparente
- Hilo de bordar de todos los colores
- Tela Aida
- Aro de bordar de 10 cm
- Aguja de bordar
- Tijeras de bordar

PASOS:

1. GUÍATE por nuestras plantillas o tus propios modelos, y PLASMA el diseño en papel cuadriculado (ver página anterior). ELIGE colores e hilos. CENTRA la tela en el aro. En tu dibujo CUENTA los puntos por cada línea.

2. Usando la trama de la tela como cuadrícula, COSE el mismo número de puntos. Primero CREA una hilera de diagonales con intervalos iguales, luego vuelve cosiendo sobre la hilera y creando cruces (X). Para hacer una cruz de tres cuartos (por ejemplo, para representar el cuello de una camisa), DA la primera puntada desde la esquina hasta el centro del cuadrado, y la segunda de manera normal.

3. Continúa cosiendo, siguiendo siempre tu patrón. Una vez que hayas completado el diseño CORTA la tela sobrante. Puedes USAR el aro como marco de tu retrato, o quitar la tela del aro y hacerla enmarcar.

BOLSAS DE ASAS

Con algunos dibujitos simpáticos, estas bolsas lisas de algodón, como las que se usan para ir a comprar o para la playa, se convierten en un regalo estupendo para amigos y familiares. También puedes decorar bolsas más pequeñas y fundas para el móvil.

para decorar

Puedes usar un dibujo grande, o hacer una foto de un dibujo y ampliarla. Escanea tu obra de arte o haz un dibujo en el ordenador. Dale el tamaño adecuado. Luego imprime la imagen en papel de transferencia sobre tela para impresoras de chorro de tinta (lo encontrarás en las tiendas de artículos de oficina). Recorta la imagen a la medida de la bolsa. Pídele a un adulto que la planche en seco para imprimir la imagen en una bolsa de tela limpia (sigue las instrucciones del fabricante).

BOLSAS CON INICIALES

La profesora siempre agradece los regalos, pero lo cierto es que siempre le regalan lo mismo. Hazle un regalo diferente. Estas bolsas son muy prácticas, y sin duda un obsequio para recordar. Imprime la inicial de su nombre en una bonita tela termoadhesiva para fijar con la plancha. Ni siquiera tendrás que ponerte a coser.

para decorar Imprime la inicial. Si es necesario amplíala en una fotocopiadora. Luego recórtala para crear el patrón. Coloca la letra al revés sobre una tela termoadhesiva. Traza los contornos y recórtala. Coloca la letra de tela bien centrada sobre la bolsa. Pídele a un adulto que la fije con la plancha (siguiendo las instrucciones del producto). Para terminar, añade un lazo de color y una tarjetita escrita a mano.

PORTALÁPICES Y PORTADOCUMENTOS

Alégrale el día a tu padre o a tu madre con un cambio radical de su escritorio. Sé creativo, usa tus pinturas más alegres o pinta algo nuevo especialmente para la ocasión. También puedes usar una de esas postales coloridas que están en la puerta de la nevera.

CÓMO HACERLO

para hacer un portalápices

Toma una lata del contenedor de reciclaje, lávala bien y quítale la etiqueta. Imprime o fotocopia en color una obra de arte que se ajuste a las medidas de la lata (amplía o reduce si es necesario). Envuelve la lata, asegurándote de que los extremos del papel se superpongan unos centímetros. Usa pegamento de barra o cinta adhesiva.

para hacer un portadocumentos

Compra una funda trasparente para el pasaporte y otra para el talonario de cheques (visita una tienda de artículos de papelería, o busca en internet). Imprime o fotocopia en color una obra de arte (amplía o reduce si es necesario). Usando una funda como plantilla, dibuja el contorno sobre una sección de la imagen. Recorta por el interior de la línea del contorno. Introduce el recorte artístico en el interior de la funda trasparente.

ENVOLTORIOS DE GOLOSINAS

No siempre tenemos que empezar de cero para hacer regalos hechos por nosotros mismos. Menos aún si hay que hacer muchos. En San Valentín puedes comprar golosinas y darles un toque personal con cintas, pegatinas de corazones y otros motivos decorativos.

ideas para hacer envoltorios

Haz una cajetilla con solapa como las de las cerillas y mete 2 chicles dentro. Para eso recorta un pequeño rectángulo en cartulina, pliega el borde inferior 2,5 cm hacia arriba y grápalo. Luego dobla la parte superior por la mitad y estampa una ilustración o un mensaje. (Los chicles en láminas vienen con envoltorios blancos que son perfectos para decorar.)

Adorna una piruleta con una pegatina y pégala sobre un corazón de cartulina. Mete una hoja de botones de caramelo en un sobrecito de papel decorado con una figura recortable o una pegatina.

Envuelve una barra de caramelos con una faja de papel decorativo y ata un hilo de cera. No olvides añadir una nota, ya sea en el interior o en la tarjeta enganchada al hilo.

CORAZONES PLEGABLES

Escribe una nota de amor sincero en una tarjeta con forma
de corazón, y luego conviértela en sobre.

MATERIALES:

· Tijeras
· Papel decorativo
  con una cara lisa
· Rotulador o lápiz
  de color
· Pegatina con forma
  de corazón

PASOS:

1. RECORTA un corazón ancho en papel (papel de regalo o
   papel decorativo). ESCRIBE un mensaje en el lado liso del
   papel. AÑADE corazones adhesivos o dibuja tus propios
   corazoncitos. PLIEGA hacia dentro ambos lados del corazón,
   como se ve en la imagen.

2. PLIEGA la parte superior hacia abajo hasta justo encima de
   la mitad. GIRA el sobre de modo que la punta del corazón
   quede mirando hacia arriba.

3. BAJA la solapa del sobre. PÉGALA con un corazón adhesivo.

BOLSAS DE CARAMELOS PERSONALIZADAS

Con unas bolsitas de celofán y poco más, puedes hacer paquetes de golosinas que lleven tu foto (frunciendo los labios, por supuesto). Es una tarea sencilla y rápida.

para hacer las bolsitas Ajusta el tamaño e imprime una foto tuya en papel mate. Recorta etiquetas rectangulares, usando tijeras dentadas para los lados cortos. En el dorso de cada etiqueta dibuja corazones y estampa un mensaje. Pliega las etiquetas y pégalas a las bolsas de celofán llenas de golosinas.

HORQUILLAS DE BOTONES

A algunas chicas les gustan los accesorios. ¡A todas! Seguramente estarán encantadas con estas horquillas para el pelo. ¿Por qué no haces unas cuantas?

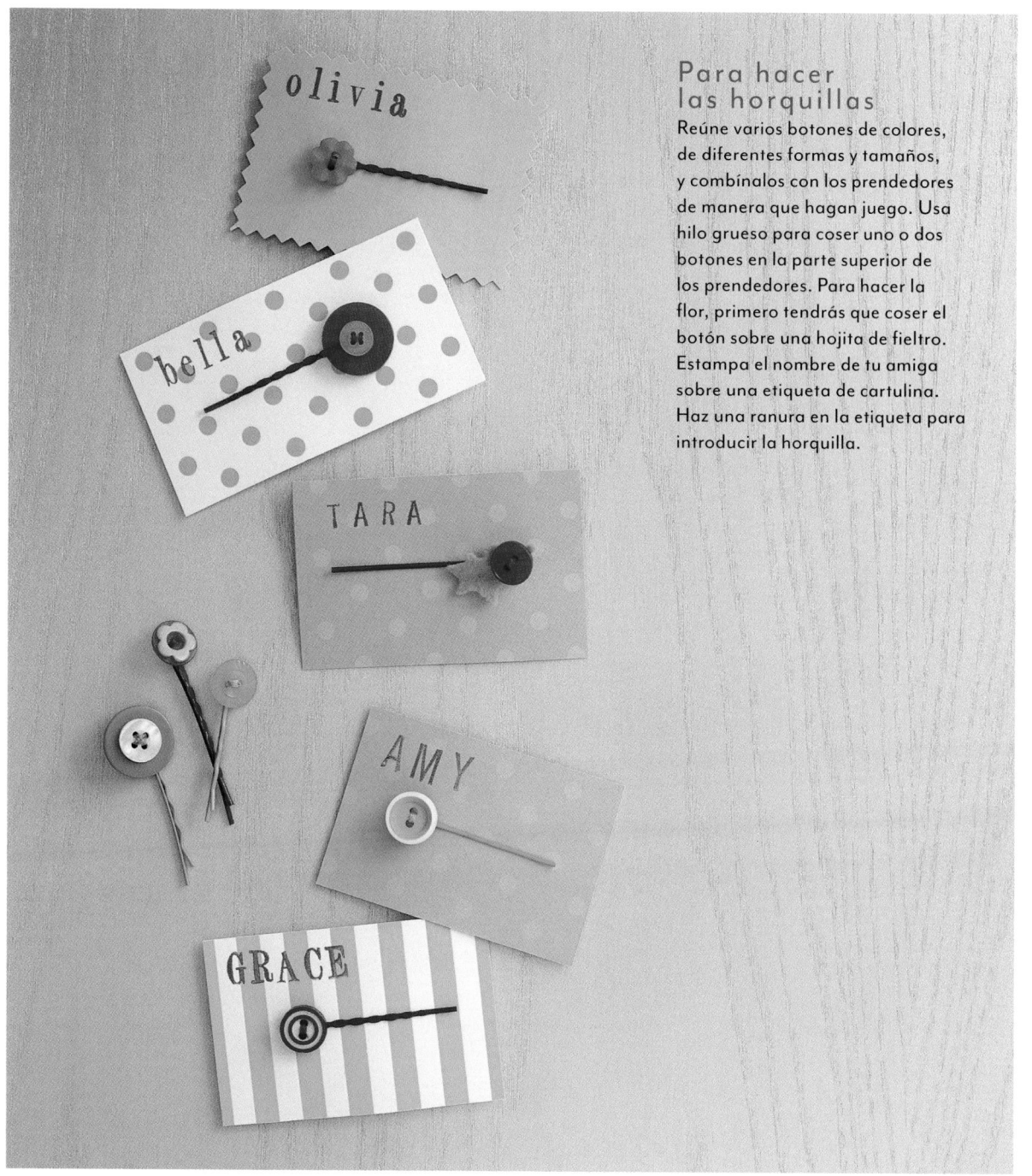

Para hacer las horquillas

Reúne varios botones de colores, de diferentes formas y tamaños, y combínalos con los prendedores de manera que hagan juego. Usa hilo grueso para coser uno o dos botones en la parte superior de los prendedores. Para hacer la flor, primero tendrás que coser el botón sobre una hojita de fieltro. Estampa el nombre de tu amiga sobre una etiqueta de cartulina. Haz una ranura en la etiqueta para introducir la horquilla.

CONEJOS DE PAPEL CREPÉ

¿Tienes que llevar varios regalos a una fiesta? ¡Pues manos a la obra!
Estos conejillos están hechos con tiras enrolladas de papel crepé. Quienes
los reciban tienen que desenrollar las tiras, pues dentro hay sorpresillas,
como pequeños juguetes y chucherías.

CÓMO HACERLO

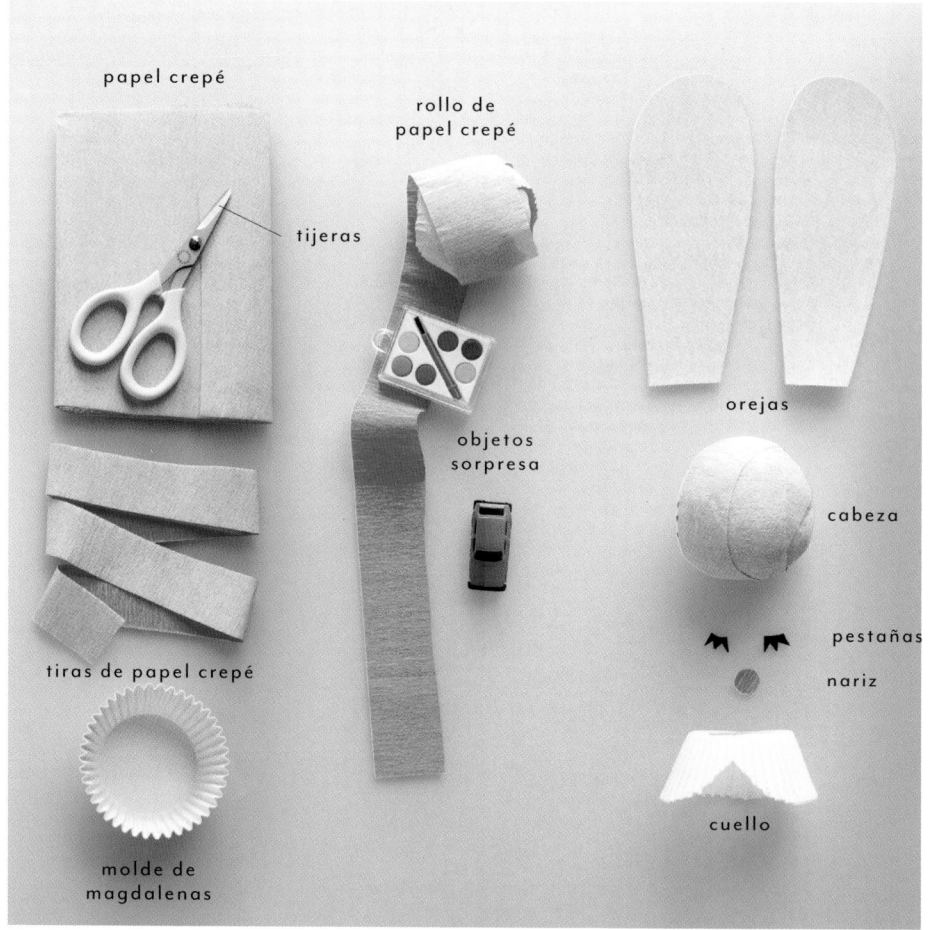

papel crepé

tijeras

rollo de
papel crepé

objetos
sorpresa

tiras de papel crepé

molde de
magdalenas

orejas

cabeza

pestañas

nariz

cuello

MATERIALES:

- Plantillas de la
  página 340
- Tijeras
- Láminas
  de papel crepé
- Objeto sorpresa
- Pegamento de baja
  temperatura
- Pistola encoladora
- Papel de seda o
  papel corrugado
- Moldes de
  magdalena

PASOS:

1. Usando las plantillas, RECORTA 2 orejas de papel crepé. CORTA el resto del papel en diagonal, en tiras de 2 cm de ancho.

2. ENVUELVE una chuchería con una tira, creando una bola. AÑADE otra sorpresa cada tantas tiras. (Pídele a un adulto que ENCOLE los extremos). CONTINÚA hasta que la cabeza sea del tamaño de una pelota de tenis. Fija el extremo de la última tira con pegamento.

3. ENCOLA la parte interior de las orejas y PÉGALAS en su lugar. Usa las plantillas para RECORTAR las pestañas y la nariz en papel de seda. PEGA todo en su lugar.

4. RECORTA el fondo del molde de magdalena, y apoya la cabeza dentro. HAZ un corte en el borde acanalado del molde para crear el cuello. UNE las piezas con pegamento.

BOLSAS DE SEMILLAS DE POLLITOS

Pío, pío. Estos polluelos recién salidos de un cascarón de plástico son tan adorables que no podrás desprenderte de ellos. Los guisantes partidos son el mejor material de relleno. Si vas a trabajar con tela de algodón, usa un forro para que los guisantes no se trasluzcan. Con fieltro no será necesario.

CÓMO HACERLO

tela

guisantes amarillos
partidos

bolígrafo
de tinta
lavable

embudo

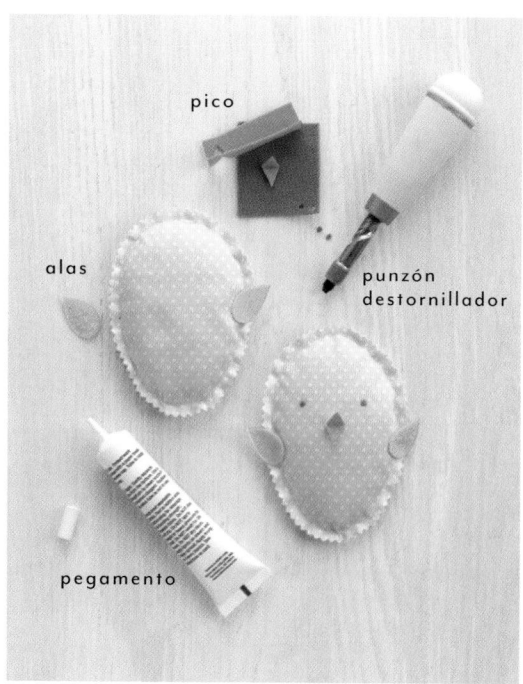

pico

alas

punzón
destornillador

pegamento

MATERIALES:

- Tijeras
- Plantillas de la página 340
- Fieltro para el cuerpo
  y los detalles (o telas de
  algodón de colores,
  y blanca para el forro)
- Bolígrafo de tinta lavable
- Hilo y aguja
- Embudo pequeño
- Guisantes amarillos
  partidos
- Tijeras dentadas
- Plancha
- Perforadora
- Pegamento para tela

PASOS:

1. CORTA rectángulos de tela un poco más grandes
   que las plantillas; necesitarás 2 piezas de fieltro
   (o 2 retazos de algodón de colores, y 2 más para
   el forro). COLOCA las piezas una encima de la
   otra. Con un bolígrafo de tinta lavable TRAZA el
   contorno de la plantilla sobre el retazo de arriba.
   COSE las piezas a mano, a ½ cm del borde,
   dejando una pequeña abertura.

2. Con un embudo, INTRODUCE el relleno de
   guisantes. COSE la abertura. RECORTA los
   bordes del cuerpo con unas tijeras dentadas.

3. Para el pico, PLIEGA un trozo de fieltro por la
   mitad; un adulto debería PLANCHAR el pliegue.
   COLOCA la plantilla del pico sobre el fieltro
   y RECORTA. USA la plantilla de las alas para
   recortar 2 alitas. Con la perforadora haz 2 ojos de
   fieltro oscuro. PEGA todos los rasgos en su lugar.

EXFOLIANTE PERFUMADO

Regala un pequeño lujo. Se trata de un obsequio apropiado para todas las ocasiones y que garantizará un momento de puro placer para tu madre o cualquier persona a la que le guste mimarse.

CÓMO HACERLO

cuchara

recipiente de vidrio

consejo

Para perfumar tus productos de belleza caseros necesitarás aceites esenciales, que pueden conseguirse en las tiendas de productos naturales. Puedes usar de una sola clase o combinar diferentes tipos de fragancias. Si vas a mezclar varios aceites, primero añade el que tenga menos aroma, y a continuación el más intenso, a cuentagotas. Estas son algunas de nuestras esencias favoritas: cítricos (pomelo, limón o mandarina), geranio, lavanda, eucalipto, menta, romero y anís estrellado.

aceite
de esencias

sales de Epsom
y sales marinas

MATERIALES:

· Bol grande
· Sal marina gruesa
· Sal de Epsom
· Bicarbonato
· Cuchara
· Aceites esenciales
· Recipiente de vidrio con tapa
· Etiqueta
· Hilo o cinta de color

PASOS:

1. MEZCLA en un bol 6 partes de sal marina, 3 de sal de Epsom y 1 de bicarbonato.

2. AÑADE unas gotas de aceites esenciales (en pequeña cantidad, como se indica arriba) y REMUEVE para mezclar.

3. REPARTE las sales perfumadas en diferentes frascos de vidrio. Escribe en pequeñas tarjetas los nombres de las personas que recibirán el regalo. ATA las tarjetitas con hilo o cinta de color.

BÁLSAMO LABIAL

Estas preciosas latitas contienen
bálsamos para labios. Son caseros,
naturales y aromáticos. Un regalo
personalizado y muy fácil de preparar.
Utiliza cajitas de metal planas o de
dos piezas con interior deslizable.
Decóralas con puntos adhesivos de
todos los tamaños y colores.

aceite base

aceite esencia

lápiz de labios

delineador de ojos

perlas de cera de abeja

pipeta

MATERIALES:

- 1 cucharada de gránulos de cera de abeja (a la venta en tiendas de manualidades)
- 2 cucharadas de aceite base (ver los consejos de la página anterior)
- Pote de vidrio resistente al calor
- Olla
- Cuchara de metal
- Pipeta de plástico
- Aceites esenciales
- Lápiz de labios y delineador de ojos comprados en tiendas (para dar color)
- Palito de helado para manualidades (para cortar el lápiz de labios)
- Cajitas de cosméticos con interior deslizable o potes metálicos

PASOS:

1. PON 1 cucharada de cera de abeja y 2 de aceite base en un pote. TAPA. Un adulto debería calentarlo al baño María, a fuego lento, hasta que la cera se haya derretido. SACA el pote con cuidado.

2. REMUEVE la mezcla con cuchara de metal. Con una pipeta, AÑADE el aceite de esencias a cuentagotas, hasta que la intensidad del aroma sea de tu agrado. Con un palito de helado CORTA láminas finas de lápiz labial y delineador. MEZCLA hasta alcanzar el color deseado.

3. Con otra pipeta, PASA el bálsamo labial a la cajita plana de metal. Déjalo 1 h para que cuaje la mezcla.

4. Una vez haya cuajado, puedes crear formas con bálsamo derretido de otro color. Para crear puntos, haz agujeritos en el bálsamo con una pajita y quita la cera con un palillo; luego, con una pipeta, rellena los huecos con bálsamo de otro color y déjalo que cuaje. Para rayas, corta franjas de bálsamo con un cuchillo y rellena con otro color.

consejos

Siguiendo estas instrucciones te alcanzará para rellenar dos barras de 4 g y dos latas o potes de 14 gramos. Si quieres hacer diferentes protectores labiales a la vez, o crear dibujos como se muestra en la página anterior, divide el recipiente en 2 partes, y coloréalas y perfúmalas por separado. Para el bálsamo labial utiliza aceites esenciales de fragancia «comestible», como cítricos.

MARCO DE BOTONES

Dale un uso a tu colección de botones favoritos: pégalos sobre un marco
blanco y luego enmarca un dibujo o una foto que tus abuelos puedan
exhibir orgullosos. Escoge botones de diferentes colores y tamaños para
crear una decoración llamativa. Antes de pegarlos, colócalos primero sobre
el marco para asegurarte de que la combinación sea de tu agrado.

TACO DE NOTAS

Tener un taco de papel a mano para mensajes y anotaciones es fundamental. Utiliza el costado del taco como lienzo para dar rienda suelta a tu creatividad. El resultado será un taco de notas práctico y a la vez único. Tu padre siempre pensará en ti cada vez que escriba una nota.

para personalizar el taco Envuelve bien el taco de notas con una goma para ceñir bien las hojas, y luego dibuja y escribe en 2 de los lados con un rotulador grueso (las puntas finas se meten entre las páginas). Luego cambia de posición de la goma y continúa con tu trabajo artístico en los otros dos laterales. Envuelve el taco con una cinta de regalo y coloca un bolígrafo debajo a modo de obsequio extra.

ARTE POSTAL

Desde que existe el correo electrónico,
el correo postal puede parecer historia.
Pero los sellos molan y mucha gente los
sigue coleccionando. En lugar de tenerlos
guardados en un álbum, ¿por qué no los
utilizas para crear algunos cuadros?

CÓMO HACERLO

consejo

Compra cajas de sellos usados a buen precio en las tiendas especializadas o por internet. O quédate con los que llegan a casa con los sobres. Para despegarlos, recorta el trozo del sobre y déjalo en remojo en agua tibia durante diez minutos, o hasta que el sello se desprenda. Sécalo con papel de cocina.

MATERIALES:

- Sellos usados
- Papel de cocina o servilletas de papel
- Tijeras
- Papel cuché
- Lápices de color o rotuladores
- Pintura
- Pinceles
- Cola blanca de manualidades o pegamento de barra
- Libro pesado
- Marco

PASOS:

1. PIENSA en la obra de arte que deseas crear: deja que los colores y motivos de los sellos te inspiren. COLOCA los sellos para dar forma a tu diseño. Si es necesario, recórtalos. Completa tu obra con lápices de color o rotuladores. Si te apetece, también puedes usar pintura.

2. PEGA los sellos. Luego PON un libro pesado encima de tu obra de arte. Espera una hora hasta que los sellos queden bien adheridos y la superficie se aplane uniformemente. Enmarca tu obra; si hace falta, recorta los bordes.

COHETES
DE CELEBRACIÓN

¡Despegue! Estos alegres
cohetes llenos de caramelos
harán felices a tus amigos.
Y no tienes que ser científico
espacial para construirlos.
Consigue algunos
materiales básicos y ya
verás qué fácil.

CÓMO HACERLO

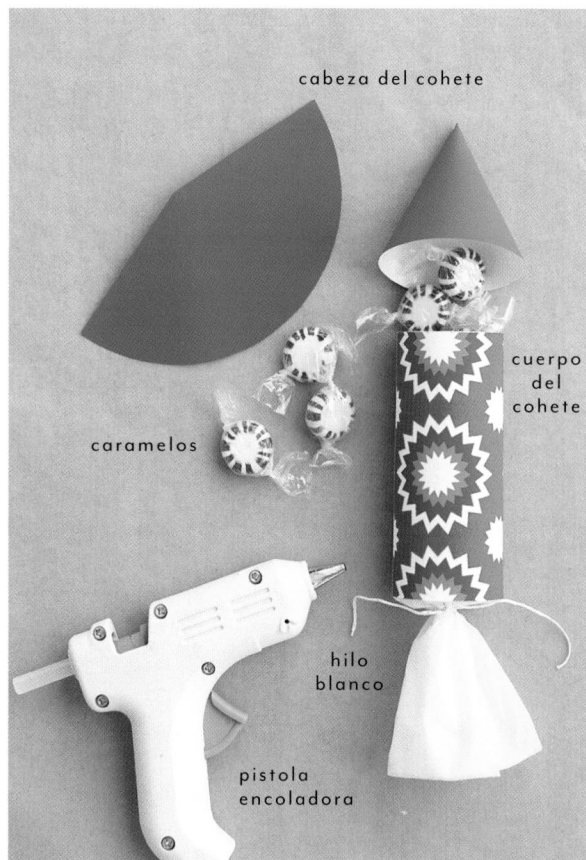

cinta adhesiva
de doble cara

papel
de seda
blanco

cabeza del cohete

caramelos

cuerpo
del
cohete

hilo
blanco

pistola
encoladora

MATERIALES:

- Piezas para cohete
  (ver página 340)
- Folios de cartulina
  blanca
- Tijeras
- Cinta adhesiva de
  doble cara
- Papel de seda
  blanco
- Hilo o cordón
- Pistola encoladora
  (a baja
  temperatura)
- Caramelos

PASOS:

1. IMPRIME las piezas en folios de cartulina blanca. RECÓRTALAS.

2. COLOCA el rectángulo con la cara blanca hacia arriba. PEGA cinta adhesiva en un lado largo. PLIEGA un papel de seda por la mitad (quedará 10 x 14 cm). COLOCA el borde del pliegue sobre la cinta del rectángulo y presiona para que se peguen.

3. ENROLLA la cartulina y el papel de seda formando un tubo. FÍJALO con cinta. ATA un trozo de hilo alrededor del papel de seda, justo debajo de la parte inferior del cohete.

4. ENROLLA la pieza con forma de abanico para crear un cono. FÍJALO con pegamento. PON caramelos dentro del tubo. Pídele a un adulto que PEGUE la cabeza del cohete. DEJA secar.

ÁRBOL DE HALLOWEEN

¿Truco? ¡De ninguna manera! Sorprende a tus amigos con manualidades propias y pequeños regalos colgados delante de sus ojos. Coloca unas ramas retorcidas y sin hojas encima de una mesilla. De sus tres ramas colgarán cabezas de gatos negros con ojos malvados, calabazas sonrientes y bolsas con golosinas.

como tú quieras Si quieres que tu árbol inspire terror, pinta una rama con pintura spray negra (hazlo en una habitación bien ventilada), métela en una cubeta llena de piedras y cubre las piedras con musgo. Envuelve las ramas con telarañas artificiales.

CÓMO HACERLO

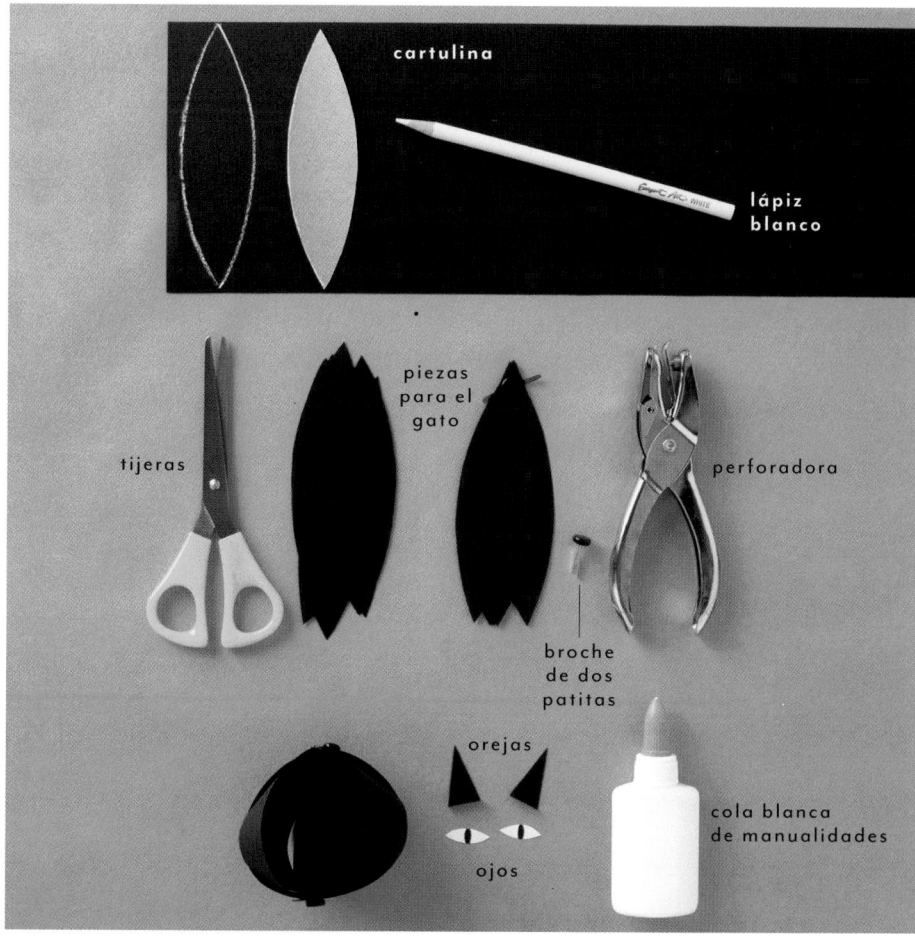

cartulina

lápiz
blanco

tijeras

piezas
para el
gato

perforadora

broche
de dos
patitas

orejas

ojos

cola blanca
de manualidades

MATERIALES:

- Lápiz blanco
- Plantilla de la
  página 341 (Árbol
  de Halloween)
- Cartulina negra y
  naranja
- Tijeras
- Perforadora
- Broches de dos
  patitas en negro y
  naranja
- Cola blanca
- Almohadilla de
  tinta
- Bolsitas de papel
- Tijeras dentadas
- Caramelos
- Hilo

PASOS:

1. Para cada adorno, TRAZA 7 veces el contorno de la plantilla con lápiz blanco sobre
   cartulina negra o naranja. RECORTA.

2. JUNTA las piezas y AGUJERÉALAS en ambos extremos. PASA un broche negro o
   naranja por los agujeros.

3. COMBA las piezas en forma de C. DESPLIÉGALAS formando un globo. PEGA los
   rasgos (para las orejas de los gatos, haz una lengüeta en las bases).

4. En las bolsas de papel ESTAMPA el nombre de tus amigos con sellos. Con unas
   tijeras dentadas RECORTA círculos de papel decorativo. LLENA las bolsas con
   caramelos. CIÉRRALAS plegando la parte superior y pegando un círculo adhesivo
   en cada una. PERFÓRALAS y cuélgalas con un hilo.

BOLSITAS DE HALLOWEEN

¿Alguna vez has probado hacer una calabaza con una manzana? Estas bolsitas de muselina han sido estampadas con trozos de manzanas pequeñas. Primero tallamos el rostro de la calabaza sonriente y luego entintamos la fruta. Pídele a un adulto que te eche una mano con el cuchillo.

CÓMO HACERLO

brocha de esponja

manzana pequeña

pintura acrílica

esponja de maquillaje triangular

cúter

bolsita de muselina

paño

MATERIALES:

- Manzana pequeña
- Cúter
- Papel de cocina
- Pintura acrílica verde y naranja
- Brocha de esponja
- Bolsitas de muselina con cordel
- Paño
- Esponja de maquillaje triangular

PASOS:

1. Este paso debe realizarlo un adulto: CORTA un trozo de manzana en forma vertical, lo bastante alejado del centro para evitar el corazón y las semillas. Luego con un cúter TALLA los rasgos de la cara.

2. SECA el sello con papel de cocina. Luego, con el pincel, APLICA una capa fina de pintura naranja. COLOCA la bolsa de tela encima de un paño y ESTAMPA el rostro de la calabaza tallado en la manzana.

3. Para HACER el tallo, CORTA la punta de una esponja de maquillaje y MÓJALA en pintura verde; luego ESTAMPA la forma y deja secar.

GOLOSINAS MACABRAS

En la noche de Halloween los niños corretean de una puerta a otra, sin pensar demasiado en lo que les espera en casa. Si quieres sorprenderlos prepara estos divertidos envoltorios para los caramelos que recibirán. Una vez que los caramelos son desalojados de su interior, los envoltorios pueden usarse como títeres de dedo.

CÓMO HACERLO

calavera   murciélago   fantasma

MATERIALES:

- **Plantillas para golosinas macabras** (página 341)
- **Lápiz**
- **Tijeras**
- **Cartulina negra y blanca**
- **Caramelos y otras golosinas pequeñas**
- **Cinta adhesiva de doble cara**
- **Rotuladores negro y rojo**
- **Bolígrafo de gel blanco**

PASOS:

1. Con las plantillas, dibuja sobre cartulina blanca o negra, la calavera con huesos, el murciélago con alas, el fantasma con brazos. RECORTA.

2. ENVUELVE las golosinas con las piezas más grandes. Fíjalas con cinta de doble cara. PEGA los huesos, las alas y los brazos en la parte posterior (en el caso de los murciélagos, PLIEGA ambas alas por la mitad para darles dimensión).

3. DIBUJA los rasgos de las calaveras y los fantasmas con rotulador negro, y los de los murciélagos con bolígrafo de gel blanco y rotulador rojo.

CHOCOLATINAS DE NIEVE

¡Dulces! Nadie debería olvidarse de traer dulces al regreso de las vacaciones, ya que además son un regalo económico. Viste a estas chocolatinas como muñecos de nieve y usa los dedos para estampar rasgos y detalles. Luego repártelas entre tus compañeros de clase cuando regreses al cole.

CÓMO HACERLO

MATERIALES:

· Barras de chocolate
· Papel blanco grueso
· Almohadilla de tinta negra
· Cinta transparente o de doble cara
· Rotulador naranja
· Lápiz rojo o cinta zigzag del mismo color
· Tijeras

PASOS:

1. ENVUELVE las chocolatinas con papel blanco. Pega los bordes con cinta. APRIETA la yema del índice contra la almohadilla de tinta negra. IMPRIME ojos, boca y botones sobre el papel. DIBUJA una nariz triangular con el rotulador naranja.

2. Para hacer la bufanda, ENVUELVE con una cinta zigzag o un hilo rojo la chocolatina. HAZ un nudo y CORTA las puntas, dejándolas del largo que tú quieras.

FIGURAS DE GOMINOLAS

Usa las gominolas más brillantes y crea un paisaje invernal maravilloso para contemplar. Colócalas en un fondo de azúcar dentro de un frasco de vidrio. Así se convertirán en alegres personajes de un mundo de fantasía. Luego invita a tus amigos a que escojan. Para crear las figuras, solo tienes que rebanar las gominolas y ensartarlas con un palo de piruleta (son tan pegajosas que las partes rebanadas quedarán unidas sin necesidad de usar pegamento). Luego decóralas como más te guste. ¡Intenta no comerte los materiales mientras trabajas!

CÓMO HACERLO

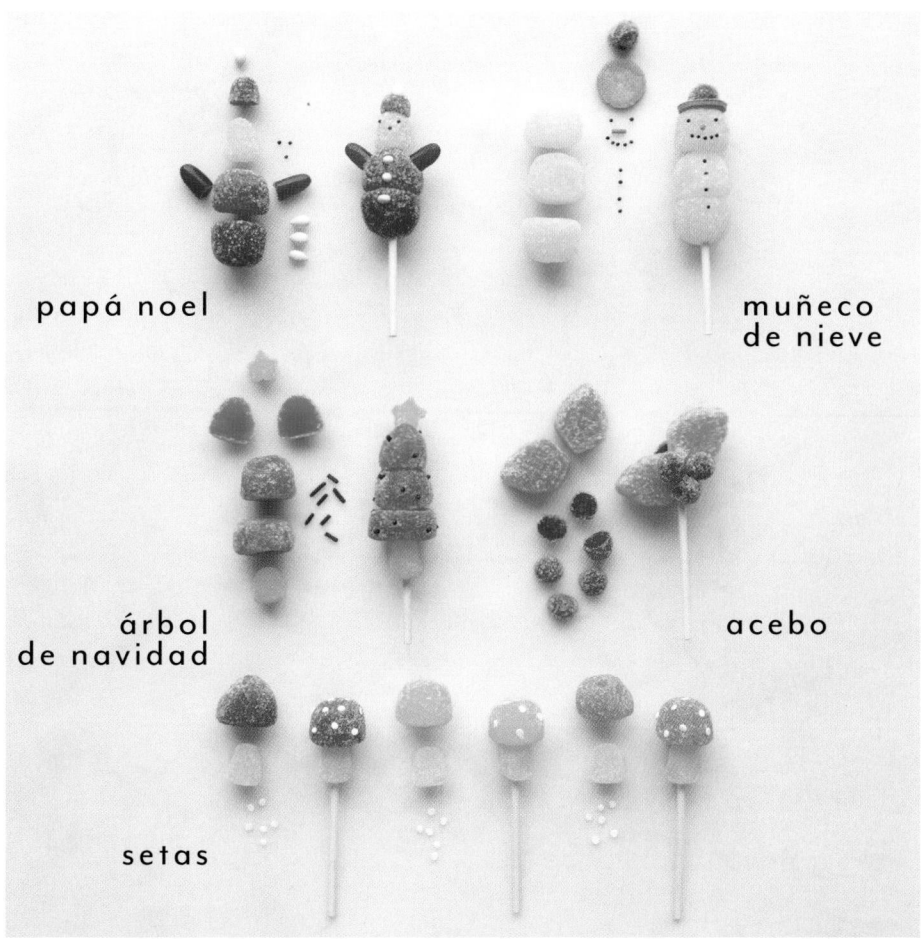

papá noel

muñeco
de nieve

árbol
de navidad

acebo

setas

papá noel

Usa la mitad superior de 1 gominola roja pequeña para hacer el gorro, y 2 grandes para el cuerpo. Para los brazos usa 2 colorinas rojas de regaliz. Usa confites pequeños blancos para los botones y el pompón. Perfora el rostro con una brocheta, donde van los ojos y la nariz, e introduce confites en miniatura.

muñeco de nieve

Corta la parte superior de 1 gominola blanca grande para hacer la cabeza. Haz el sombrero con una pastilla plana y 1/2 gominola negra pequeña. Para el cuerpo, usa 2 gominolas grandes blancas. Perfora el rostro con una brocheta (como hiciste con Papá Noel), y usa confites en miniatura para la boca, los ojos y los botones. En el lugar de la nariz, coloca un trocito de cordón de regaliz de cereza.

acebo

Usa gominolas verdes con forma de hoja y medias gominolas rojas pequeñas para las bayas.

árbol de navidad

Usa dos gominolas verdes grandes de base plana para la parte central del árbol. Usa una gominola amarilla pequeña para el tronco. Para la copa del pino, corta los lados de una gominola verde y únelos alrededor del palo. Aplasta una gominola amarilla y recorta una estrella con un cúter. Haz las luces del árbol con trocitos de un cordón de regaliz de cereza.

setas

Para cada tallo usa una gominola blanca pequeña. Para las cabezas usa gominolas grandes naranjas, rojas o amarillas. Para hacer los puntitos usa confites blancos pequeños.

REGALOS EN CAJAS DE CERILLAS

Las cajitas diminutas provocan fascinación. Son fáciles de esconder y pueden contener juguetes, baratijas entrañables y otras sorpresas. ¡No olvides incluir una nota dentro de tu regalo! Los niños pueden trabajar solitos decorando estas cajas de cerillas, casi sin ayuda de los adultos.

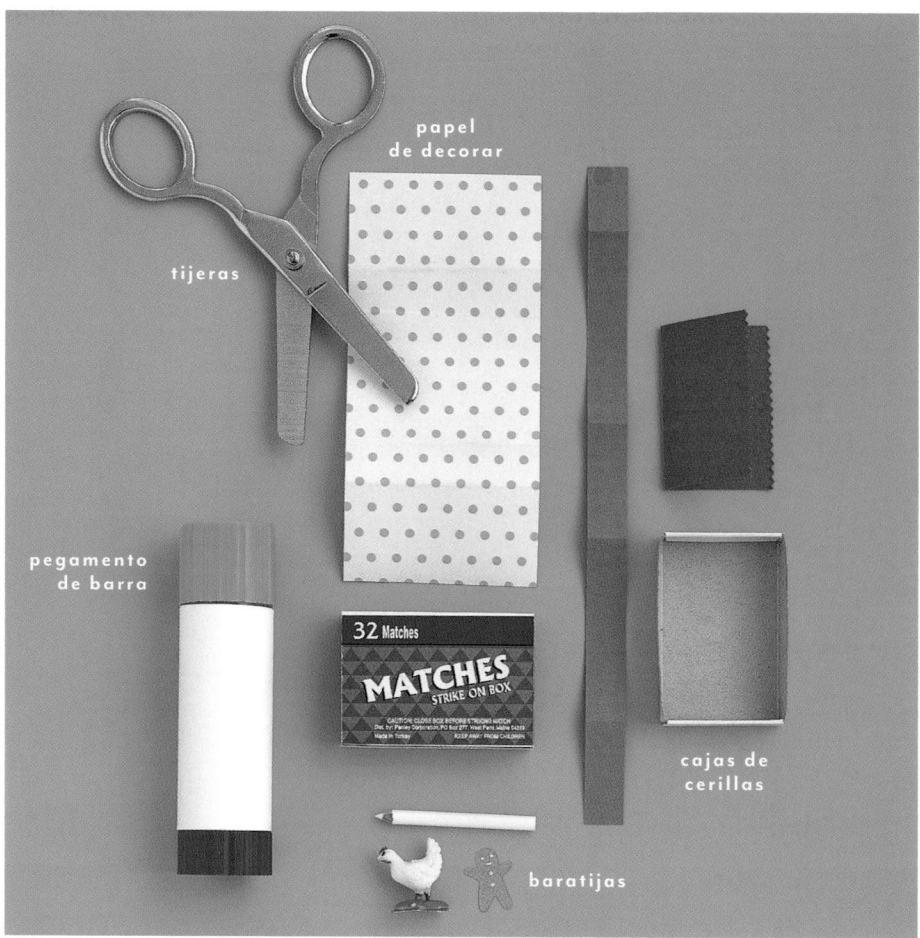

papel
de decorar

tijeras

pegamento
de barra

32 Matches

MATCHES
STRIKE ON BOX

cajas de
cerillas

baratijas

MATERIALES:

· Cajas de cerillas
  pequeñas
· Tijeras
· Papel de decorar
· Pegamento de
  barra
· Hilo o cordel
· Tijeras dentadas
· Baratijas

PASOS:

1. Para una cajita de tamaño estándar, RECORTA un trozo
   de papel decorado de 9,5 x 5 cm.

2. FORRA la caja con el trozo de papel; también puedes forrar
   la caja interior. DECORA con hilo, adhesivos o una tira fina
   de papel de color alrededor de la caja.

3. HAZ una tarjetita para meter dentro: necesitarás un trozo
   de 5 x 6,3 cm de papel. Si quieres, RECORTA los bordes
   con unas tijeras dentadas. Luego PLIÉGALO por la mitad.
   COLOCA un objeto de regalo en la caja.

CARAMELO DE CHOCOLATE

Deleita a tus maestros, vecinos, compañeros del cole y a quien quieras con una caja de dulces de azúcar (fudge) de chocolate. Estos son con forma de copo de nieve, pero tú puedes usar moldes más pequeños, de diferentes formas, o cortarlos en cuadraditos. Coloca algunos trozos en una caja forrada con papel de cera (para evitar que se peguen) y átala con una cita de color a juego.

CÓMO HACERLO

Para hacer el dulce de azúcar

INGREDIENTES:

- 2 tazas de azúcar granulada
- 1 cucharadita de sal
- 6 cucharaditas de mantequilla sin sal
- 1 taza de nata
- 3 ½ tazas de malvaviscos (nubes) mini
- 3 tazas de virutas de chocolate
- 1 cucharadita de extracto de vainilla
- Azúcar glasé para espolvorear
- Aceite vegetal en spray

RECETA:

1. Rocía con aceite una bandeja de horno de 22 x 33 cm. Cúbrela con un papel de horno un poco más grande, asegurándote de que sobresalga un margen en los lados largos. Rocía el papel con aceite de manera uniforme. Mezcla en una cacerola el azúcar, la sal, la mantequilla, la nata y los malvaviscos. Calienta a fuego medio-alto, removiendo con una cuchara de madera hasta que la mantequilla y los malvaviscos se derritan y la mezcla empiece a hervir (entre 5 y 6 min). Continúa removiendo 5 min más. Pídele a un adulto que retire la cacerola del fuego.

2. Añade las virutas de chocolate y la vainilla. Remueve hasta que el chocolate se derrita y se mezcle. Pídele a un adulto que vierta el caramelo caliente en la bandeja ya preparada. Deja que se enfríe a temperatura ambiente, durante unas 3 horas (o toda la noche, cubierto con un envoltorio de plástico).

CANTIDAD SUFICIENTE PARA 16 PIEZAS DE 5 CM

MATERIALES:

- Receta de caramelo e ingredientes (a la derecha)
- Tabla para cortar
- Molde de galletas
- Colador fino
- Azúcar glasé
- Cajas, cintas, papel de cera

PASOS:

1. SACA el caramelo de la bandeja, levantándolo con el papel de horno. COLÓCALO sobre una tabla.

2. USA un molde para recortar formas de copo de nieve u otras. Córtalos lo más cerca posible unos de otros.

3. ESPOLVOREA con azúcar glasé, usando el colador. (El caramelo se conserva hasta 10 días a temperatura ambiente en un recipiente hermético.)

PAÑUELOS
CON ADORNOS

Los deseos de felices fiestas
duran más tiempo si los expresas
en unos pañuelos. Doblados y
atados, se convierten en tarjetas
navideñas de las más sinceras.

CÓMO HACERLO

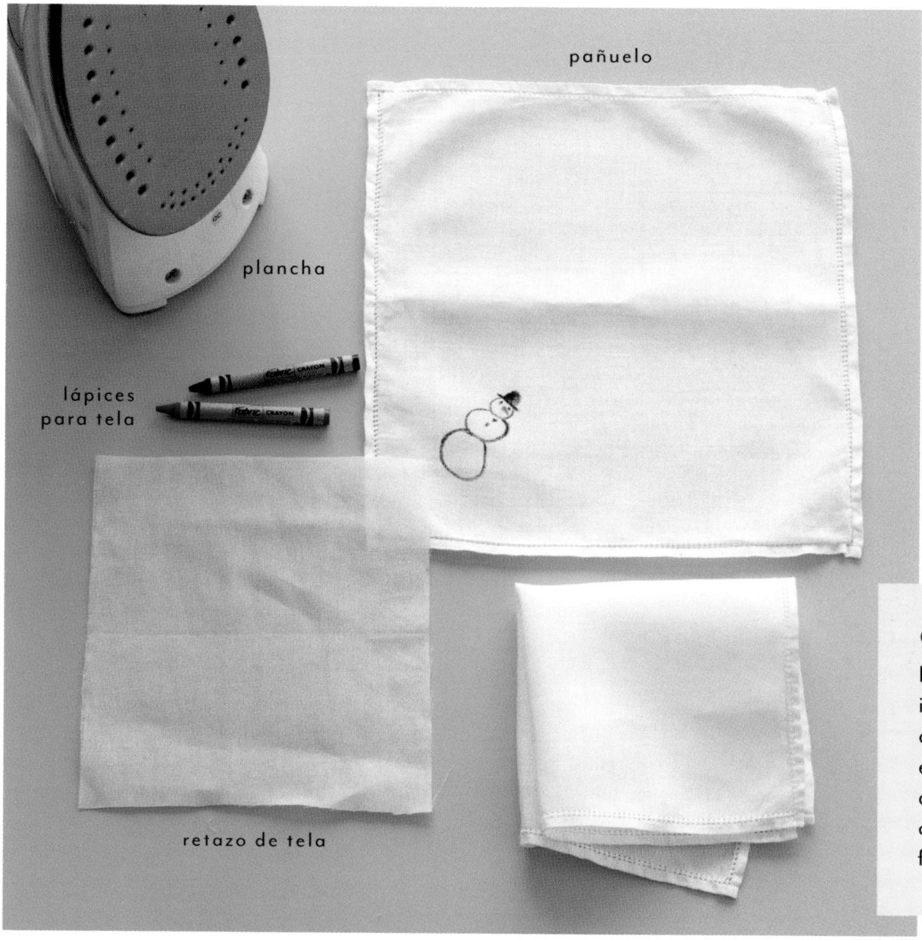

pañuelo

plancha

lápices
para tela

retazo de tela

MATERIALES:

- Plancha
- Pañuelos de
  algodón o lino
  blancos
- Lápiz y papel
  (para bosquejar)
- Lápices para tela
- Cinta adhesiva
  (opcional)
- Retazo de tela
- Sobre
- Cordón de cera
  o cinta
- Tarjetas de regalo

consejo

Esta es también una
idea genial para el día
del padre o cumpleaños
en general. Solo tienes
que variar el motivo del
dibujo y el mensaje de
felicitación.

PASOS:

1. PIDE a un adulto que PLANCHE el pañuelo.

2. PRACTICA haciendo el dibujo en papel.
   Luego DIBÚJALO directamente sobre el
   pañuelo con lápices para tela. Para sujetar
   la tela, PEGA las esquinas con cinta
   adhesiva.

3. COLOCA un retazo de tela encima del
   dibujo, y PLÁNCHALO con cuidado
   siguiendo las instrucciones del fabricante
   de lápices para fijar el diseño y volverlo
   indeleble.

4. PLIEGA el pañuelo de manera que quepa
   en un sobre y el dibujo quede centrado en
   la parte superior. ÁTALO con un cordón
   de cera o una cinta, sin apretar, y añade la
   tarjeta de regalo.

PASADORES PARA EL PELO

Estos broches alegres de fieltro pueden producirse en cantidades. Así que haz uno para ti y muchos para tus amigas. Repártelos enganchados en tarjetas personalizadas.

esquema de color

Sé original con el color. Las hojas de acebo son verdes pero tú puedes hacerlas del color que quieras. Combina las hojas con cintas y detalles que contrasten. Los tonos de piedras preciosas lucen especialmente en las fiestas navideñas.

CÓMO HACERLO

tarjetas

fieltro

prendedores

ornamentos

pasadores

cinta

espumillón

tijeras

pistola
encoladora

MATERIALES:

- Tijeras
- Plantillas para pasadores (página 341)
- Fieltro de lana
- Plancha
- Bolígrafo de tinta lavable para tela
- Pistola encoladora (a baja temperatura)
- Ornamentos: bolitas, pompones, espumillón, cinta.
- Pasadores y prendedores
- Cartulina de color para las tarjetas
- Perforadora
- Sello de goma para marco de tarjetas
- Almohadilla de tinta blanca

PASOS:

1. RECORTA las plantillas. Sobre un trozo de fieltro RECORTA un rectángulo de 6 x 12 para las hojas. PLIÉGALO a lo largo por la mitad. Dile a un adulto que planche el pliegue. Con el rectángulo plegado, TRAZA el contorno de la plantilla, RECÓRTALA y DESPLIÉGALA.

2. Para hacer el diseño de 4 hojas, CRUZA en X 2 figuras de fieltro y pégalas en el centro. Para hacer el de 2 hojas, APLICA pegamento en el centro de una figura de fieltro y PLIÉGALA, colocando las hojas en ángulo.

3. PEGA delante los ornamentos que te gusten, y los pasadores y prendedores detrás.

4. Prepara como regalo: CORTA un trozo de cartulina de 10 x 12 cm. HAZ 2 agujeros en el centro, separados 3 cm. ENGANCHA el pasador. Con un sello y una almohadilla de tinta blanca, ESTAMPA un marco con espacio para un nombre y una felicitación.

GALLETAS DE MANOS

Usa tu mano para moldear galletas. Antes de hornearlas, añade un corazón de azúcar en la palma. Mete cada galleta en una bolsa de papel de cera adornada con una cinta. También puedes añadir un dibujo con una nota de felicitación.

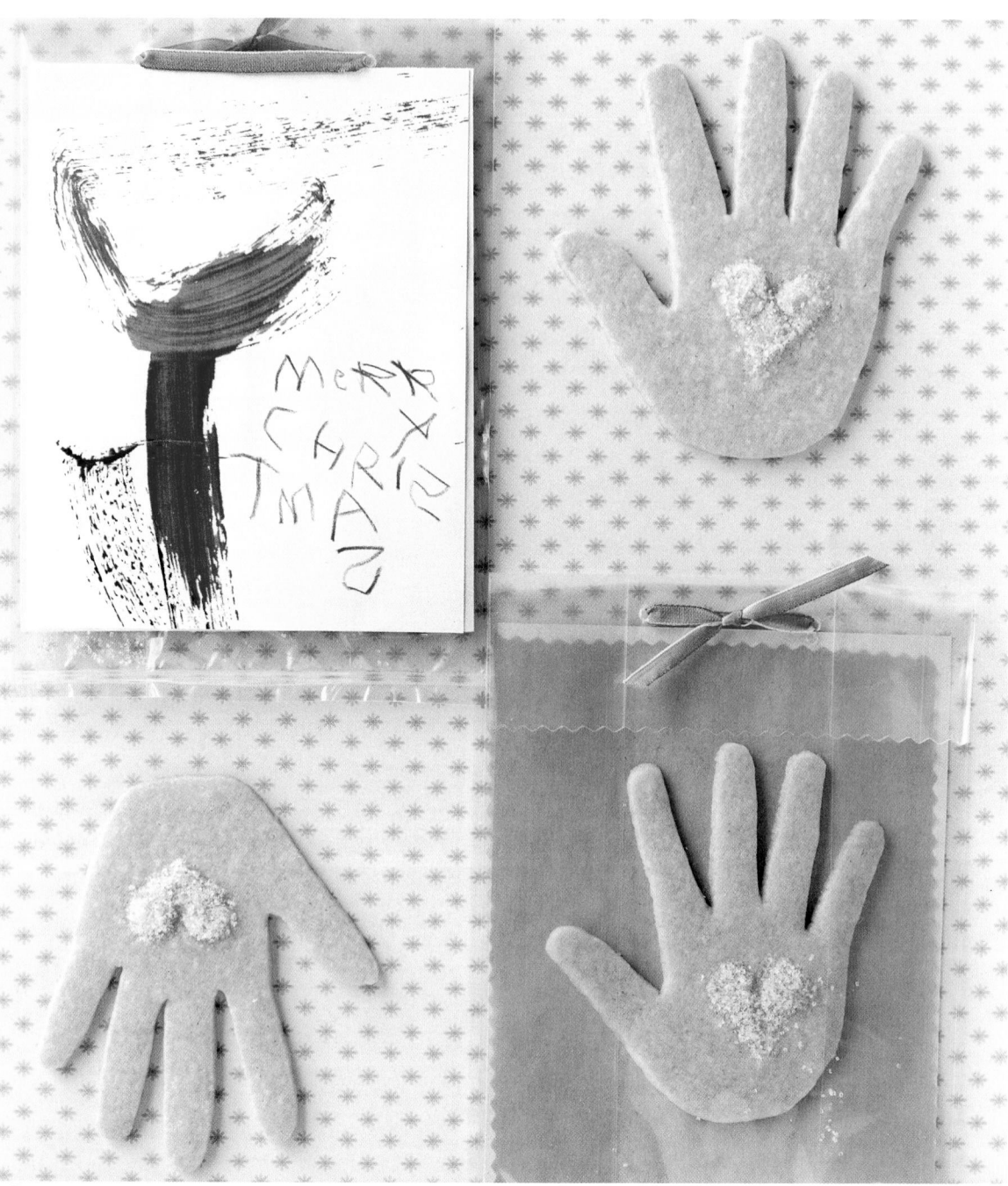

CÓMO HACERLO

para hacer la masa de las galletas

INGREDIENTES:

- 2 tazas de harina común y un poco más para espolvorear
- ¼ cucharadita de sal
- ½ cucharadita de levadura
- 8 cucharadas de mantequilla sin sal
- 1 taza de azúcar granulada
- 1 huevo grande
- 1 cucharadita de extracto de vainilla

RECETA:

1. En un bol grande mezcla la harina, la sal y la levadura. Con una batidora eléctrica bate la mantequilla y el azúcar a velocidad media durante unos 3 min. Añade el huevo entero y bate durante 1 min más hasta que no queden grumos.

2. Añade la mezcla de harina, y sigue batiendo lentamente hasta que todo se mezcle bien. Añade la vainilla. Envuelve la masa con film y déjala en la nevera hasta que esté firme (como mínimo 3 h, o toda la noche).

CANTIDAD PARA 10 GALLETAS.

MATERIALES:

- Masa y receta para las galletas (arriba)
- Tijeras
- 2 bandejas para hornear grandes
- Papel del horno
- Harina
- Rodillo de amasar
- Brocheta de madera
- Cuchillo de pelar
- 1 clara de huevo mezclada con 1 cucharadita de agua, para el barniz de huevo
- Pincel de repostería
- Azúcar de colores
- Rejilla para que se enfríen las galletas
- Espátula de metal

PASOS:

1. Haz una plantilla de corazón mientras la masa se enfría: en un trozo de papel de horno DIBUJA un corazón. RECORTA y quédate con el marco.

2. PRECALIENTA el horno a 160 ºC. FORRA 2 bandejas con papel de horno. Sobre una superficie bien enharinada, PASA el rodillo sobre la masa hasta que tenga 0.,3 cm de grosor. Con una brocheta de madera TRAZA el contorno de la mano del niño. Después RECORTA con un cuchillo pequeño.

3. TRANSFIERE las manos a las bandejas y DEJA enfriar hasta que estén firmes, unos 30 min, para que conserven su forma. Puedes volver a amasar dos veces más la masa para cortar más galletas.

4. COLOCA la plantilla del corazón encima de una mano enfriada. PINTA el interior hueco de la plantilla con barniz de huevo y rocíalo con azúcar de colores. RETIRA la plantilla con cuidado. REPITE con las demás galletas.

5. Hornea las galletas de 8 a 10 min, hasta que se doren los bordes, girando las bandejas una vez. Déjalas en la bandeja 3 min para que se enfríen un poco. Luego, con la espátula, pásalas a la rejilla para que terminen de enfriarse. (Las galletas se conservan hasta 1 semana a temperatura ambiente en un recipiente hermético.)

FIGURAS DE BOTONES

Los botones son baratos y hacer manualidades con ellos es pan comido. Apílalos creando personajes navideños como estos. Un Papa Noel con barba y botas; un muñeco de nieve con un sombrerazo de botones; un reno con el morro colorado. Las instrucciones para el Papa Noel y el muñeco de nieve las encontrarás en la página 316. Puedes usar la misma técnica para hacer otras figuras, como la pareja de duendecillos verdes. Ponlas en pequeñas cajitas de regalo.

CÓMO HACERLO

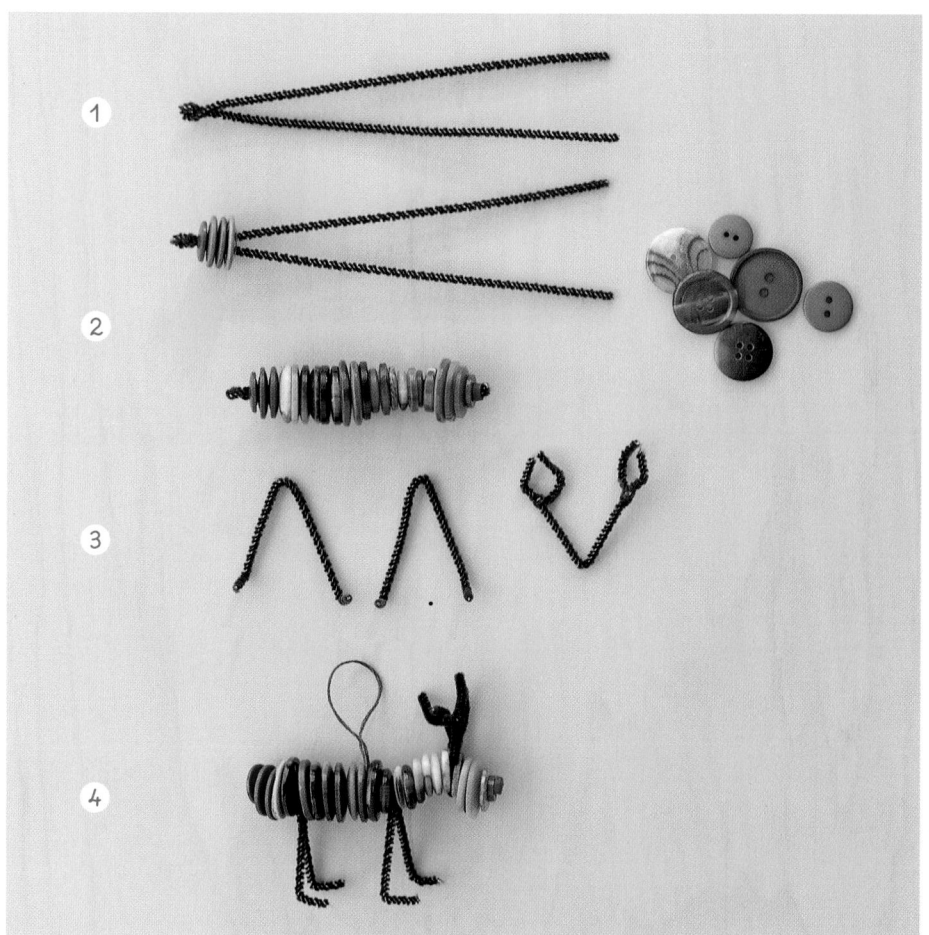

MATERIALES:

- Limpiapipas de varios colores
- Botones de varios colores y tamaños
- Tijeras
- Hilo de bordar
- Pegamento
- Fieltro

el reno

1. DOBLA un limpiapipas marrón por la mitad y TUERCE por el pliegue.

2. PASA los botones, introduciendo un extremo por cada agujero (si los botones son de cuatro agujeros usa dos agujeros en diagonal). Al terminar, RECORTA y DOBLA las puntas para que no se salgan los botones.

3. Para añadir patas y cornamenta, DOBLA trozos de limpiapipas en forma de V. MÉTELOS entre los botones y enróscalos para que queden firmes.

4. Para colgar, pasa un trozo de hilo en la mitad del cuerpo y átalo.

CÓMO HACER FIGURAS DE BOTONES

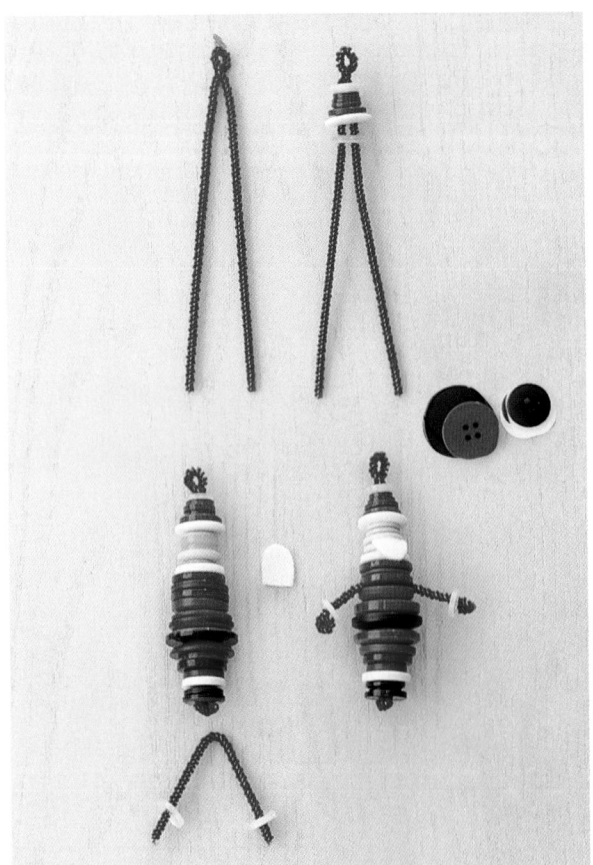 

el papá noel

Dobla un limpiapipas rojo por la mitad y tuerce el extremo doblado dejando un agujero para colgar la figura. Pasa los botones. Coloca botones grandes a la altura de la cintura. Al terminar, recorta y dobla las puntas para que no se salgan los botones. Para añadir los brazos, dobla un trocito de limpiapipas por la mitad y enrolla los extremos formando las manos. Para hacer los puños del traje, enrolla un trocito más pequeño de limpiapipas blanco alrededor de las manos. Pega un trocito de fieltro blanco en el lugar de la barba.

el muñeco de nieve

Dobla un limpiapipas negro por la mitad y tuerce el extremo doblado dejando un agujero para colgar la figura. Pasa los botones. Usa botones grandes para la cintura y el sombrero. Al terminar, recorta y dobla las puntas para que no se salgan los botones. Pega un trocito de fieltro naranja en el lugar de la nariz.

TARJETAS DE BOTONES

Sobre un folio de cartulina plegado puedes pegar botones, figuras de papel de color y cintas decorativas. Así un círculo de botones verdes se convertirá en una guirnalda de flores, un puñado de botoncitos rojos en atractivos frutos del bosque, y tres botones blancos de diferentes tamaños en un simpático muñeco de nieve. Marca la posición de los botones antes de pegarlos. Para colgar las tarjetas puedes usar cintas finas de satén.

HERRAMIENTAS Y MATERIALES

Si tienes a mano algunos útiles de trabajo y materiales básicos podrás realizar cualquiera de las manualidades que te proponemos en este libro cuando te apetezca. Serán horas dedicadas a una actividad gratificante. Empieza por reunir los elementos básicos (tijeras, lápices, rotuladores, pegamento, etc.) y luego ve incorporando las demás herramientas a medida que adquieras experiencia y desarrolles tus habilidades de artesano.

HERRAMIENTAS

 **¡pide permiso a un adulto!** Estas herramientas requieren ayuda de un mayor. ¡No las utilices sin su permiso!

grapadora A veces las clásicas son las que mejor funcionan. Úsala para grapar papel.

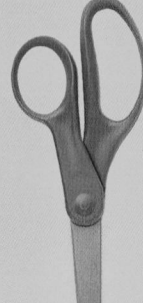

tijeras para niños Las más seguras para los niños son las tijeras con puntas redondeadas.

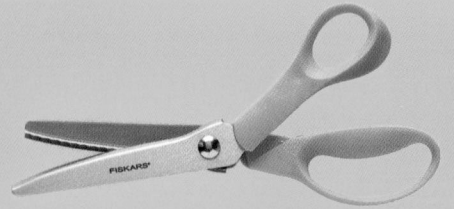

tijeras dentadas Evitan que la tela cortada se deshilache. Estas tijeras, además, forman un borde zigzagueado. También sirven para cortar papel (y tienen más alcance que las tijeras con bordes decorativos), pero lo ideal es usar diferentes tijeras para la tela y el papel.

tijeras multiuso Lo mejor es tener una para cortar papel, y otra para telas y cintas. El papel desafila las hojas, así que no funcionará si usas las mismas tijeras para cortar tela. Incluso podrías dañar la tela.

perforadora La perforadora de toda la vida sigue siendo la mejor herramienta para hacer un agujero perfecto en el margen de un papel. La forma clásica es un círculo, pero también hay otras que hacen corazones, estrellas, símbolos navideños, e incluso agujeros más pequeños y microagujeros.

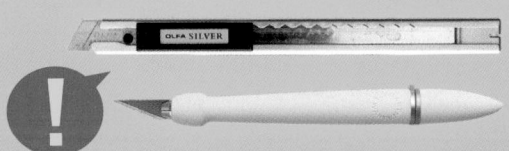

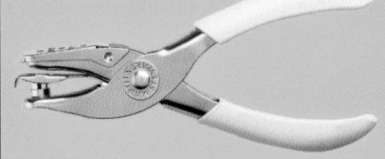

cúter También conocido como trincheta, esta herramienta sumamente afilada puede cortar bordes de manera limpia y precisa. Es muy útil para cortar papel grueso, cartón o poliuretano, pero no se recomienda para papel de seda o telas frágiles, ya que ambos materiales se desgarrarían fácilmente. El cúter es una herramienta que solo deben manipular los adultos, usando siempre una hoja afilada.

regla Para mayor precisión, basta con una regla. Úsala para marcar y tomar medidas sobre papel y tela, y para trazar líneas rectas.

HERRAMIENTAS PARA COSER

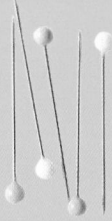

alfileres En varios de los trabajos resultan útiles los alfileres de diferentes tamaños y grosores. Los alfileres con cabeza de color pueden verse a simple vista y manipularse con facilidad. Para las telas finas, usa alfileres finos, y reserva los gruesos para las telas más gruesas.

agujas de coser y bordar Para coser a mano se necesita una aguja multiuso mediana. Las agujas vienen numeradas por tamaño: la 1 es la más grande, la 12 la más pequeña. Las más comunes para coser son las de punta afilada. Para telas de punto usa agujas de punta roma o redondeada. Las agujas de bordar tienen ojos grandes para facilitar el enhebrado.

ELEMENTOS PARA DIBUJAR Y PINTAR

lápices de colores Sácales punta si los necesitas para realizar trazos finos, o deja la punta mocha para sombrear áreas más grandes o hacer calcos.

rotuladores indelebles Funcionan sobre muchas superficies en las que otros rotuladores fallan, como plástico y metal. Como su nombre indica, la tinta de estos rotuladores no se borra, así que mantenlos fuera del alcance de los más pequeños. Si los usas sobre papel, protege bien la superficie sobre la que estás trabajando, ya que la tinta se filtra a través del papel.

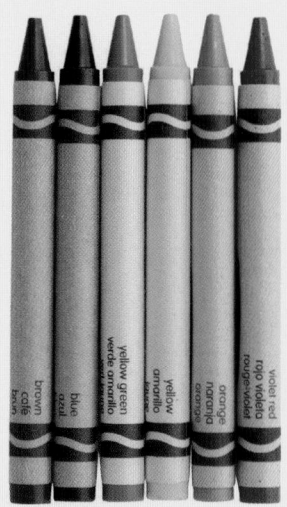

lápices de cera Además de ser muy divertidos para colorear, los lápices de cera pueden usarse para decorar huevos de Pascua. Dibuja sobre los huevos y luego tíñelos de un color que contraste.

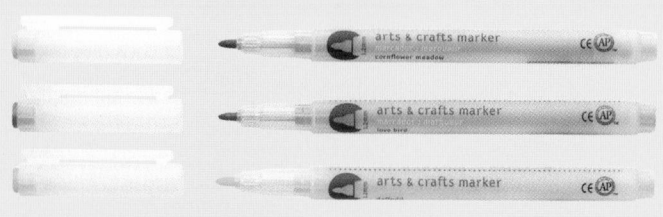

rotuladores Los rotuladores son esenciales en manualidades. Vienen de todos los colores imaginables, con una gran variedad de trazos y diferentes tipos de tinta. Los rotuladores de tinta lavable son perfectos para que los usen los niños.

lápices de grafito Este útil escolar es indispensable para hacer marcas que más tarde querrás borrar.

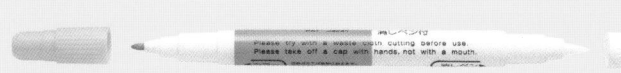

bolígrafo de tinta lavable La tinta de este bolígrafo se lava fácilmente. A diferencia de la tiza, se puede usar sobre telas claras y oscuras.

témperas
Estas pinturas no son tóxicas, por tanto resultan ideales para los más pequeños. La témpera sirve para pintar sobre papel y se seca enseguida.

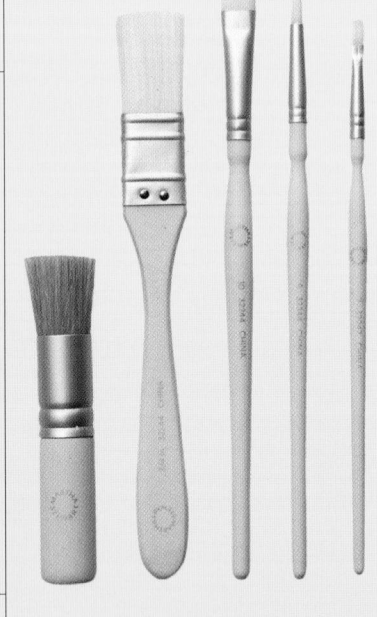

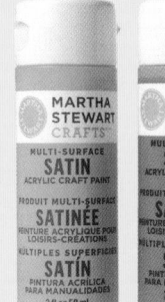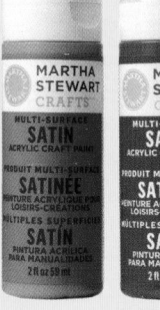

pintura acrílica
Sirve para diferentes tipos de superficie, ya sea para pintar detalles precisos o dar pinceladas más gruesas. La gama de colores es sumamente amplia.

pinceles Un pincel suave con cerdas de nailon es perfecto para la mayoría de las manualidades. Los pinceles de mango redondeado y cerdas puntiagudas sirven para pintar líneas finas. Para pintar una línea ancha o áreas grandes, utiliza un pincel plano. Los pinceles de mango grueso fácilmente manipulables son ideales para los más pequeños.

sellos y almohadillas
Entinta los sellos en almohadillas de diversos colores y estampa palabras, números, formas y otros detalles artísticos sobre papel y tela. Las almohadillas para sellos de caucho vienen en todos los colores y con diferentes tipos de tinta, incluida la tinta para tela.

PEGAMENTOS

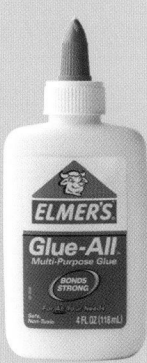

cola normal Este pegamento básico es compatible con muchos materiales, como el papel, la cartulina, el fieltro y la purpurina. No tiene un poder adhesivo tan fuerte como la cola blanca de manualidades (a la derecha). Su consistencia menos espesa facilita su aplicación, pero no es la mejor opción para trabajos al detalle. Los pegamentos diluidos evitan que los bordes de las telas se deshilachen.

pegamento de barra Una barra permite pegar trozos de papel (incluso finos) casi sin ensuciar. Este pegamento se seca muy rápido, de modo que es la mejor opción para superficies pequeñas. El pegamento sin ácidos no se deteriora con el tiempo.

cola blanca de manualidades Es un pegamento multiuso que, en cualquiera de sus marcas, sirve para papel, madera, fieltro y otros materiales. Tiene más consistencia y poder adhesivo que la cola normal.

pegamento extrafuerte Por su consistencia resulta apropiado para pegar cosas pesadas, como botones y cuentas. En muchos proyectos es una alternativa segura y óptima a la pistola encoladora.

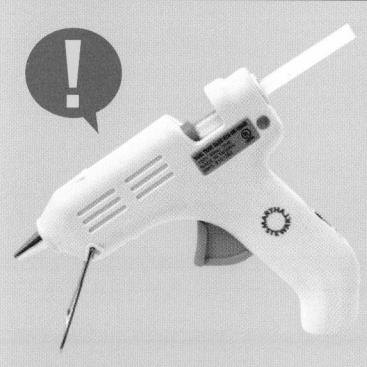

pistola encoladora Úsala para adherir superficies porosas y no porosas. La pistola y la punta del aplicador suelen calentarse, así que ten siempre un bol con agua fría al alcance mientras trabajas. La herramienta viene en diferentes modelos: temperatura alta, media y dual (cuanto más alta es la temperatura, mayor es el poder adhesivo).

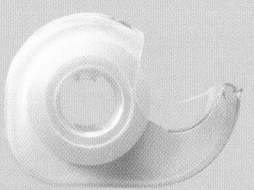

cinta adhesiva transparente Este artículo de oficina es sumamente útil para las manualidades, pues siempre se puede despegar fácilmente.

cinta adhesiva doble cara Es un adhesivo limpio para pequeñas tareas, cuando no quieres usar pegamento o que se vea la cinta. Para las manualidades de papel y álbumes es ideal, pues no provoca la rotura del papel. Hay variedades especiales para proteger archivos y fotos.

cinta de pintor Es de quita y pon, así que se puede pintar encima del borde y despegar, obteniendo líneas rectas. Úsala para pegar el papel protector a la mesa de trabajo. O para sujetar algo durante un momento mientras realizas un diseño. También vienen en color, por tanto son decorativas; úsalas para rayas u otros detalles.

PAPELES

papel prensa Las bobinas y cuadernos de papel prensa son económicos y muy prácticos para dibujos, pinturas e impresiones.

cartulina y papel de fotocopiadora
Los usarás una y otra vez. La cartulina se destiñe fácilmente, así que no la uses para manualidades que serán expuestas al sol o que deberían durar mucho tiempo.

papel de seda Ideal como envoltorio o relleno. Para perforar formas en este papel, junta tres hojas, más una de papel normal que servirá como refuerzo, y perfora las cuatro láminas. Es la técnica más sencilla para hacer papel confeti (también para hacer flores de papel o pompones).

papel crepé
Resistente, flexible y a la vez ligero. Se puede coser o planchar en seco. Se vende en hojas de colores (llamadas pliegues). También hay papel crepé de doble cara (un color diferente de cada lado), pero son menos frecuentes.

papel origami
Disponible en infinidad de colores, estampados y texturas. Es cuadrado, fino y fácil de plegar. Es ideal para collages y viene en diferentes tamaños.

papel de embalaje Úsalo para proteger la superficie de trabajo, como fondo de un dibujo o pintura grande, y para envolver regalos. Va bien para dibujar plantillas o patrones para coser.

folios de cartulina o papel grueso
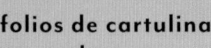
Si necesitas una pieza de papel resistente y rígido, esta variedad es perfecta. Vale la pena tener siempre a mano piezas de todas las tonalidades. Viene en diferentes colores y diseños, y con patrones decorativos. Normalmente se vende en blocs/resmas.

papel vitela
Es translúcido y viene en muchos colores. Es ideal para hacer tarjetas. También se consigue papel vitela para imprimir. Ten cuidado de no plegarlo demasiado, ya que puede resquebrajarse.

MATERIALES

lana No importa si tejes o no, siempre es divertido trabajar con lana. Puedes hacer pompones, pelo de muñecas y otros detalles. La etiqueta del ovillo suele contener información sobre la fibra textil e instrucciones para el cuidado.

limpiapipas También se llaman limpiatubos. En manualidades, son un artículo de primera necesidad. Enróscalos para dar forma a animales y muchas otras figuras.

hilo Ten siempre a mano hilo de todos los colores, así podrás usar el que mejor combine con tu manualidad.

hilo de bordar
Un producto de primera necesidad para los fans de las pulseras tejidas. Cada hilo está compuesto de varias hebras más finas. Se consigue en una amplia variedad de colores.

cordeles y cordones
Es un material aprobado para productos alimentarios, así que puedes utilizarlo para envolver alimentos horneados. También para envolver regalos o hacer tarjetas y guirnaldas. Las bobinas son grandes y el precio es razonable.

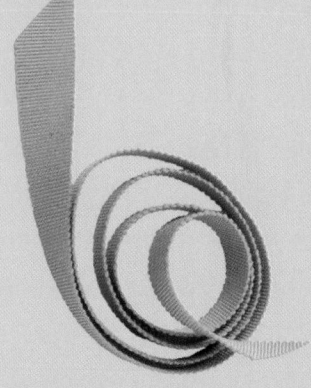

cintas No solo sirve para hacer lazos de regalos. La cinta es un adorno versátil y el toque final de muchos proyectos. Guarda siempre las cintas que vengan con los paquetes: un día las puedes necesitar.

fieltro Esta tela suave no se deshilacha, así que su uso resulta muy práctico (no requiere dobladillos). Nosotros preferimos el fieltro 100 % lana, pero las variantes sintéticas van bien para muchas tareas (y son más económicas).

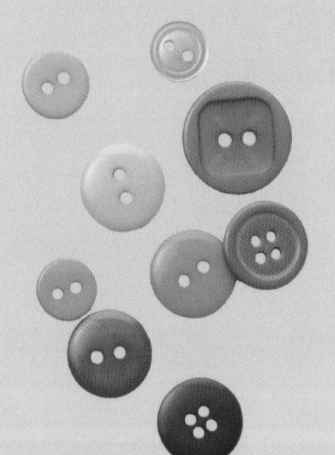

pompones Hay una amplia variedad de colores y tamaños. Adorna regalos o tarjetas, o úsalos para crear un zoológico de animalitos peludos.

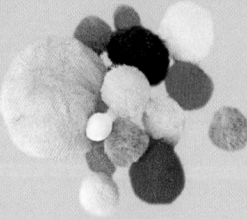

purpurina El reluciente material viene en una amplia gama de colores y grosores, desde la purpurina fina tipo polvo hasta la purpurina tipo confeti. Espolvorear es una actividad que siempre ensucia, así que lo mejor es que lo hagas sobre una superficie (por ejemplo, una bandeja) que recoja todo lo que cae a los costados y te facilite la limpieza. Lo que cae siempre puedes volver a guardarlo en el envase para la siguiente ocasión.

botones En las mercerías venden unas series preciosas, pero es divertido rebuscar en los mercadillos (allí los conseguirás a precio de ganga). Hay botones de plástico, madera, cuero, cristal, nácar y otros materiales; en todos los colores, tamaños y formas. No dejes de coleccionarlos.

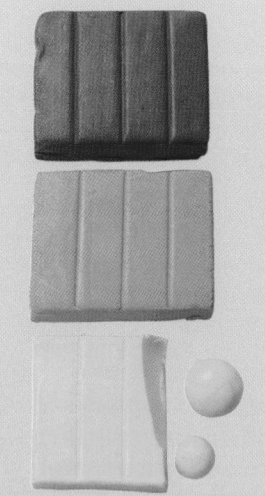

cuentas de madera Suelen tener el tamaño apropiado para manos pequeñas. Escoge formas y texturas interesantes.

cuentecillas Son redondas y pequeñísimas (entre 2,5 y 3 mm), así que naturalmente sirven como abalorios. Pero también puedes usarlas para definir los rasgos faciales de una figura: un animal, por ejemplo. Debido a su tamaño, es preferible que las usen niños mayores y adultos.

arcilla polimérica
Es una arcilla para modelar que se endurece cuando la horneas (en este proceso, por supuesto, debe intervenir un adulto). Las instrucciones las encontrarás en el paquete.

  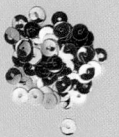

lentejuelas Para los niños, pueden resultar una forma más grande de purpurina para aportar brillo a sus manualidades.

COSAS DE LA CASA

Guarda estos y otros elementos para reciclarlos en futuros trabajos manuales.

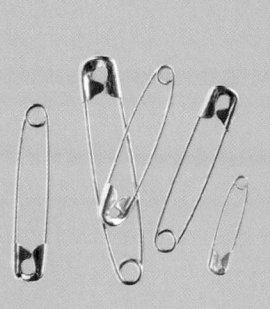

imperdibles

latas

tapones de botellas

palitos de helados

tubos de papel de cocina

hueveras

TIENDAS RECOMENDADAS

La siguiente es una lista de proveedores con los que contamos a menudo para conseguir herramientas, materiales y otros elementos útiles en el trabajo artesanal. Las direcciones de las páginas web fueron verificadas en el momento de la publicación, pero están sujetas a modificaciones.

Manualidades en general

A.C. Moore
acmoore.com

Blick Art Materials
dickblick.com

CreateForLess
createforless.com

Fiskars Brands Inc.
fiskars.com

Hobby Lobby
hobbylobby.com

JoAnn Frabric and Craft Stores
joann.com

Martha Stewart Crafts
marthastewartcrafts.com

Michaels
michaels.com

S&S Worldwide
ssww.com

Save-on-Crafts
save-on-crafts.com

Artículos de papelería

Blick Art Materials
dickblick.com

Hanko Designs
hankodesigns.com

Marta Stewart Crafts
marthastewartcrafts.com

Nashville Wraps
nashvillewraps.com

New York Central Art Supply
nycentralart.com

Paper Presentation
paperpresentation.com

Material de embalaje

The Container Store
containerstore.com

Paper Mart
papermart.com

SKS Bottle & Packaging
sks-bottle.com

Material para bisutería (abalorios, cadenas, amuletos, broches, anillas de engarce)

Fusion Beads
fusionbeads.com

M&J Trimming
mjtrim.com

Rings and Things
ring-thing.com

Shipwreck Beads
shipwreckbeads.com

Toho Shoji
tohoshoji-ny.com

Artículos de mercería (costureros, hilos, máquinas para hacer pompones, cintas y otros adornos)

The Caning Shop
caningshop.com

Clover
clover-usa.com

Herrschners
herrschners.com

JoAnn Fabric and Craft Stores
joann.com

Masterstroke Canada
masterstrokecanada.com

Michaels
michaels.com

Raffit Ribbons
raffit.com

Purl Soho
purlsoho.com

Tinsel Trading
tinseltrading.com

The Yarn Company
theyarnco.com

Golosinas

Macy's
macys.com

Sugarcraft
sugarcraft.com

The Sweet Life
sweetlifeny.com

PLANTILLAS

En las siguientes páginas encontrarás imágenes de la mayoría de las plantillas y figuras prediseñadas que se usan en este libro. A menos que se indique otra cosa, fotocopia las plantillas en su tamaño original. Si es necesario, adapta la medida a tu diseño. Para descargarte estas y otras imágenes reproducibles, entra en www.marthastewart.com/kids-crafts-book-extras.

títeres de bolsas de papel, página 22
(ampliar 180 %)

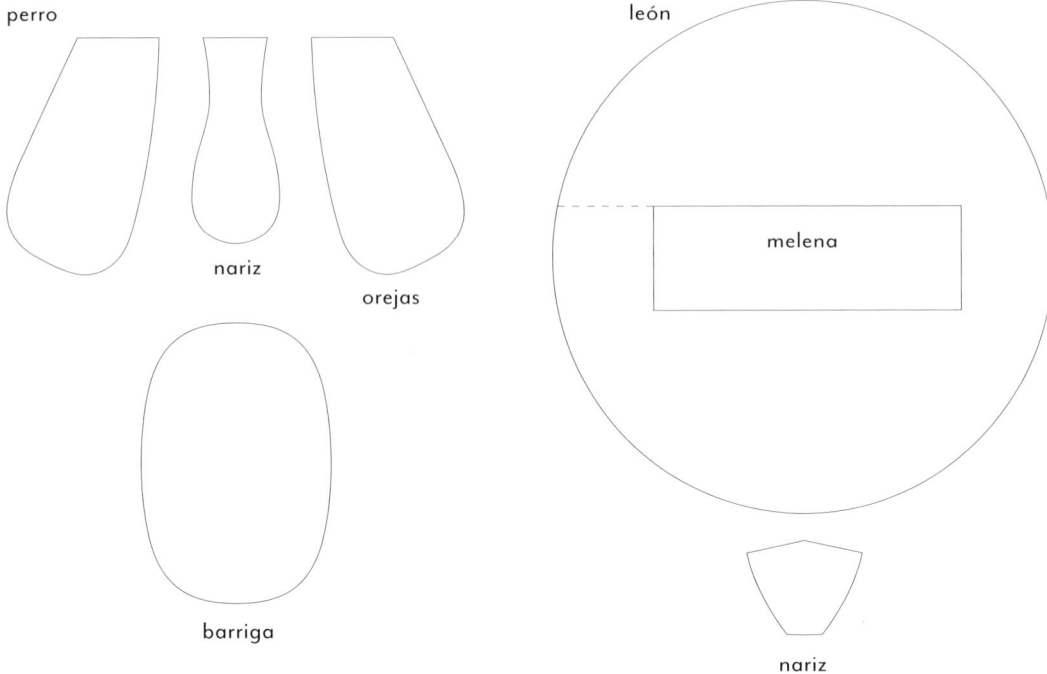

perro

nariz

orejas

barriga

león

melena

nariz

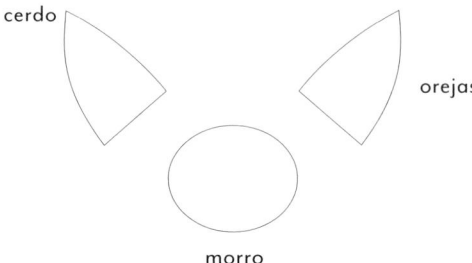

cerdo

orejas

morro

títeres de fieltro, página 36-38

pico

oreja

cresta de gallo

oreja
de mono

pie o garra

cara
de mono

ala
de abeja

melena

animales de pompones, páginas 46-48

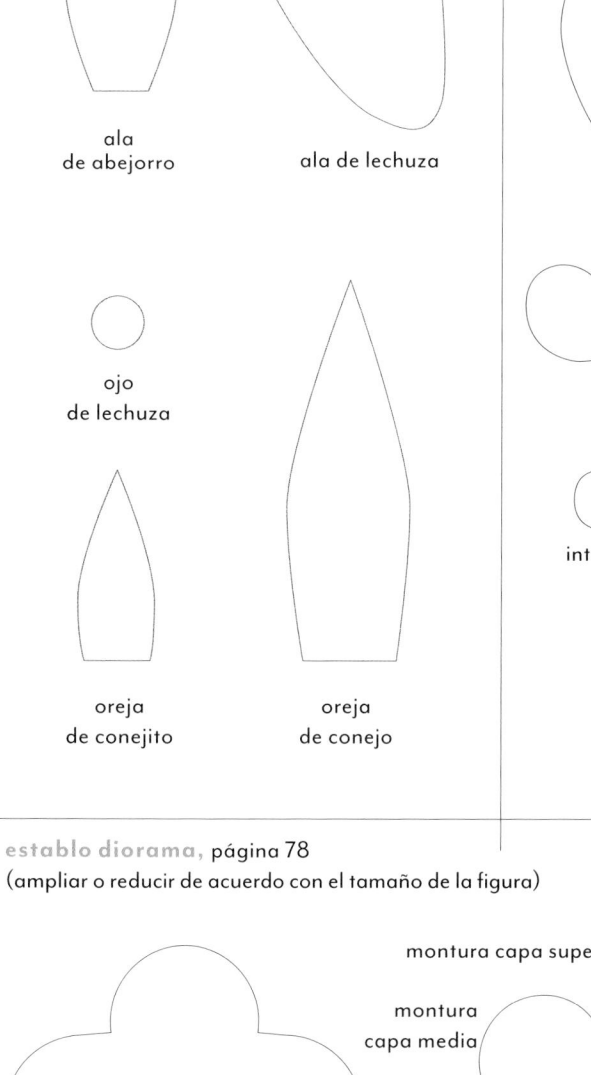

ala
de abejorro

ala de lechuza

ojo
de lechuza

oreja
de conejito

oreja
de conejo

ratoncitos de fieltro,
página 61 (ampliar 125 %)

cuerpo

orejas

interior de orejas

cara

establo diorama, página 78
(ampliar o reducir de acuerdo con el tamaño de la figura)

montura capa superior

montura
capa media

montura capa inferior

barcos de juguete, velas, página 84
(ampliar o reducir según preferencia)

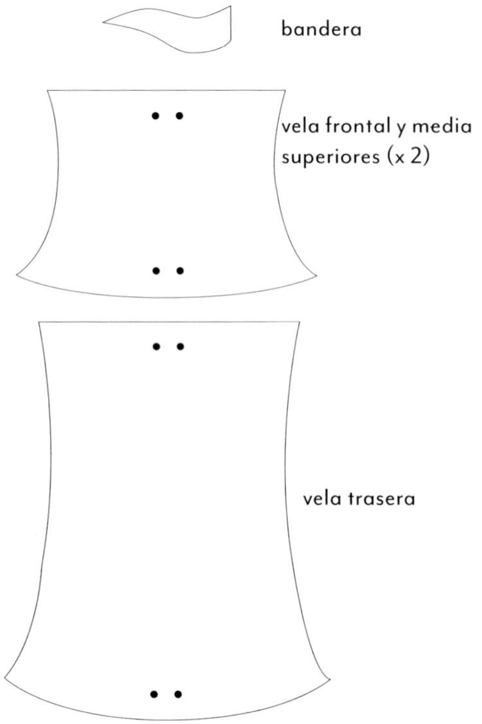

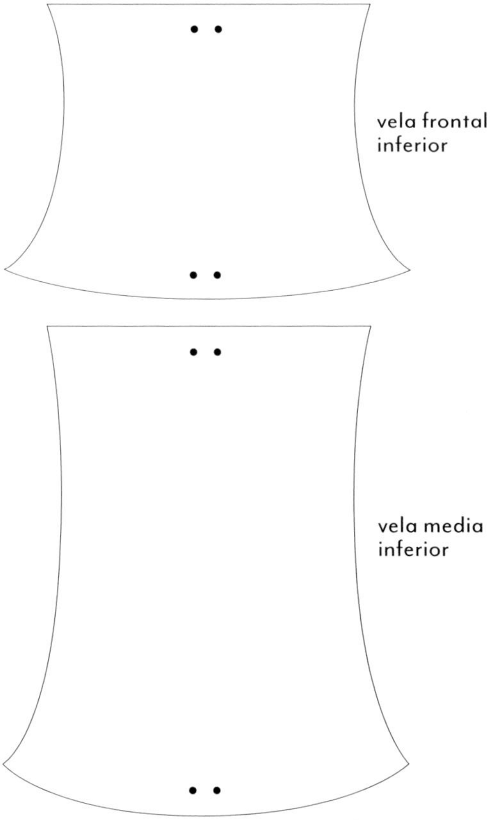

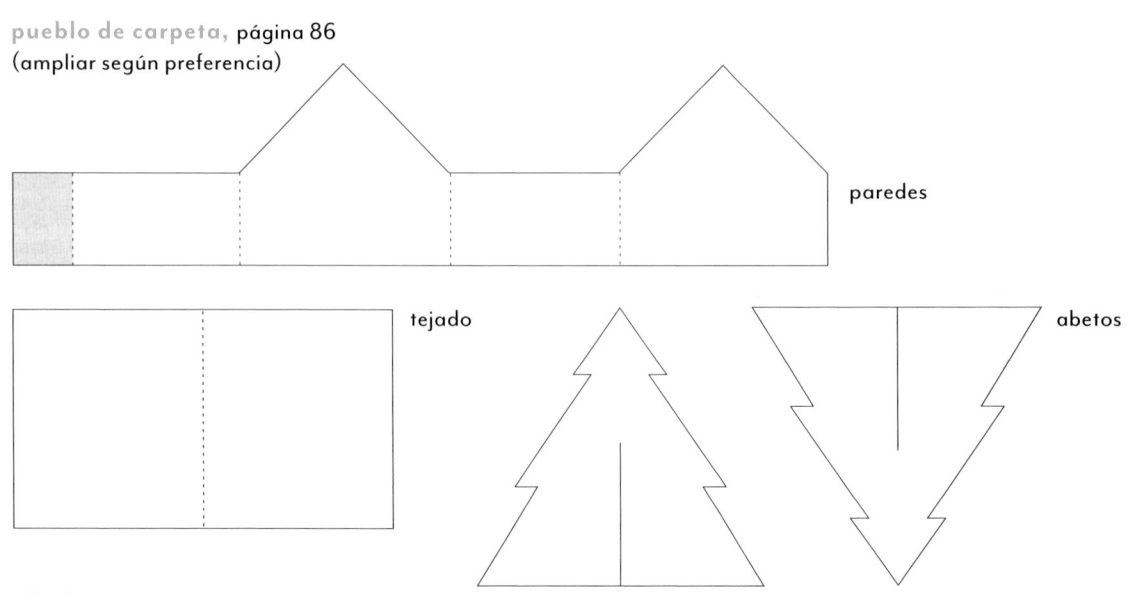

bandera
vela frontal y media
superiores (x 2)
vela trasera

vela frontal
inferior
vela media
inferior

pueblo de carpeta, página 86
(ampliar según preferencia)

paredes
tejado
abetos

interiores de cartón, **página 100**
(ampliar según preferencia; nuestras plantillas son de 33 x 22 cm y de 48 x 22 cm)

bingo, **página 136**
(descargar los cartones de www.marthastewart.com/kids-crafts-book-extras e imprimir)

B	I	N	G	O
1	9	15	20	26
3	10	13	22	29
5	8	FREE	24	30
2	11	17	23	28
4	12	18	19	27

B	I	N	G	O
3	12	13	19	29
5	11	17	20	30
2	7	FREE	22	28
4	10	18	24	27
1	9	15	23	26

muñecos a cuadros, página 142
(ampliar 400 %)

mamá

hija

bebé

hijo

papá

guantes bestiales, página 174-175

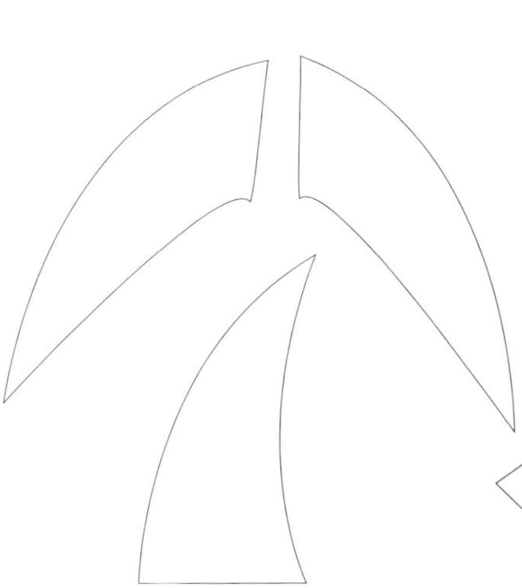

aletas de tiburón

lengua
de dragón

escamas de dragón

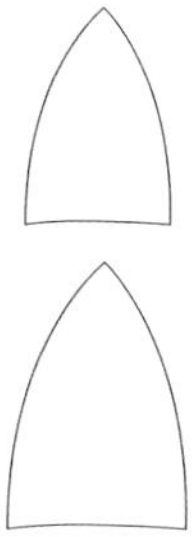

oreja de león

lengua de león

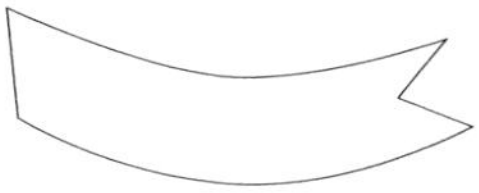

melena de león

pasadores para el pelo, página 178-179

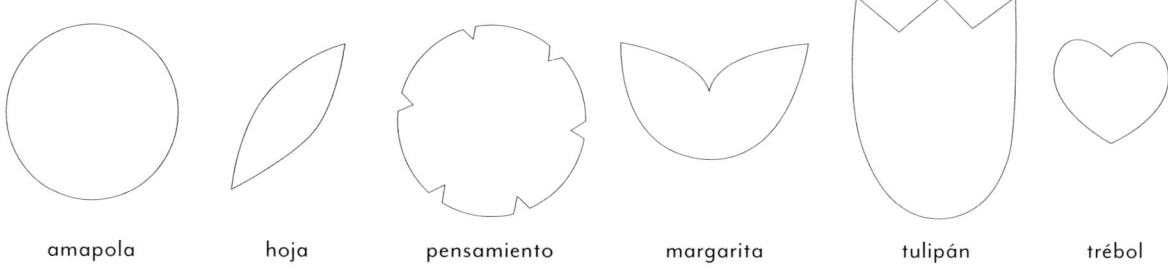

amapola

hoja

pensamiento

margarita

tulipán

trébol

trajes de superhéroes, letras para la capa y el pecho, página 194
(ampliar 400 %)

A B C D E
F G H I J K
L M N O P
Q R S T U V
W X Y Z

trajes de superhéroe, páginas 196-197
(ampliar 150 %)

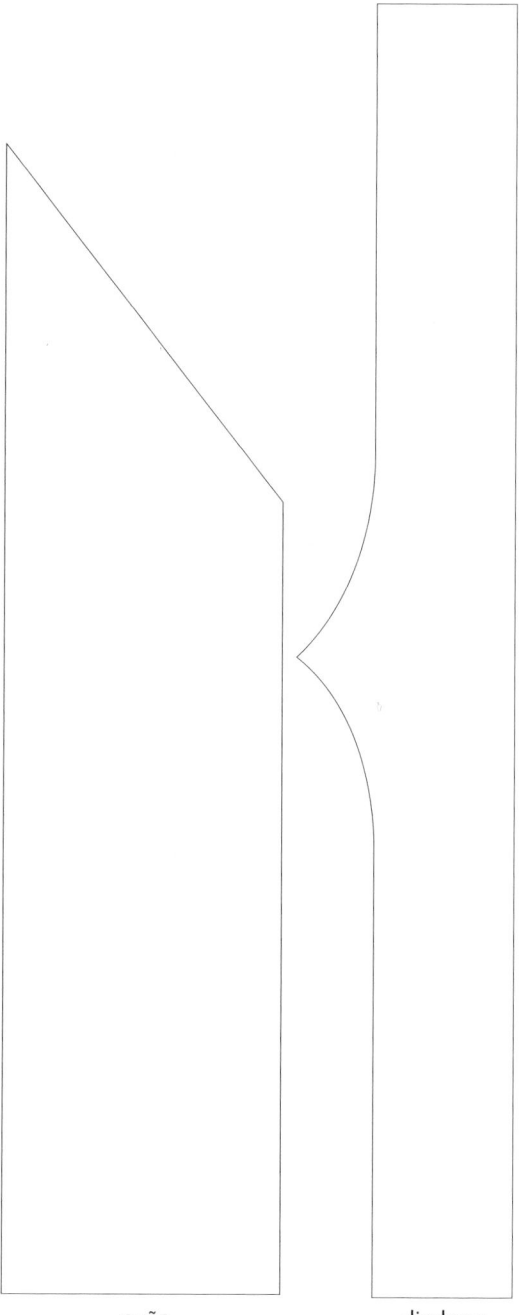

puño

diadema

insignia

pronóstico del tiempo, veleta, página 219
(ampliar 200 %)

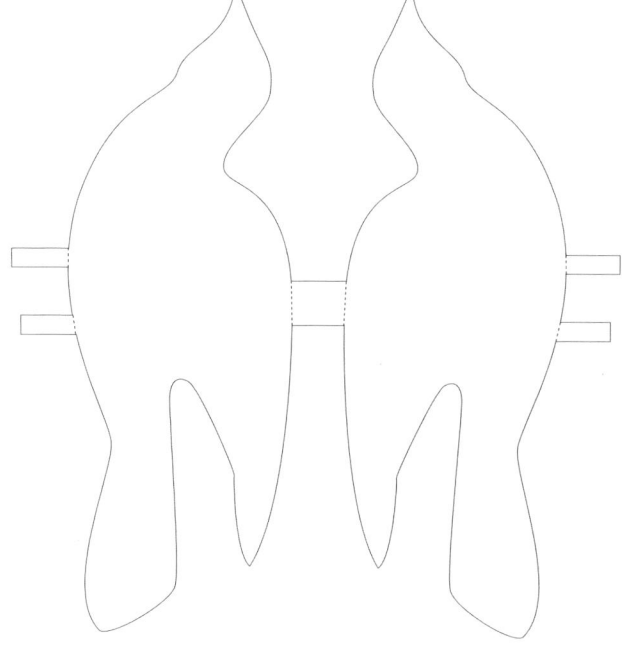

la magia del cine, taumatropo, página 237
(ampliar 133 %)

la magia del cine, fenaquisticopio, página 239
(ampliar 133 %)

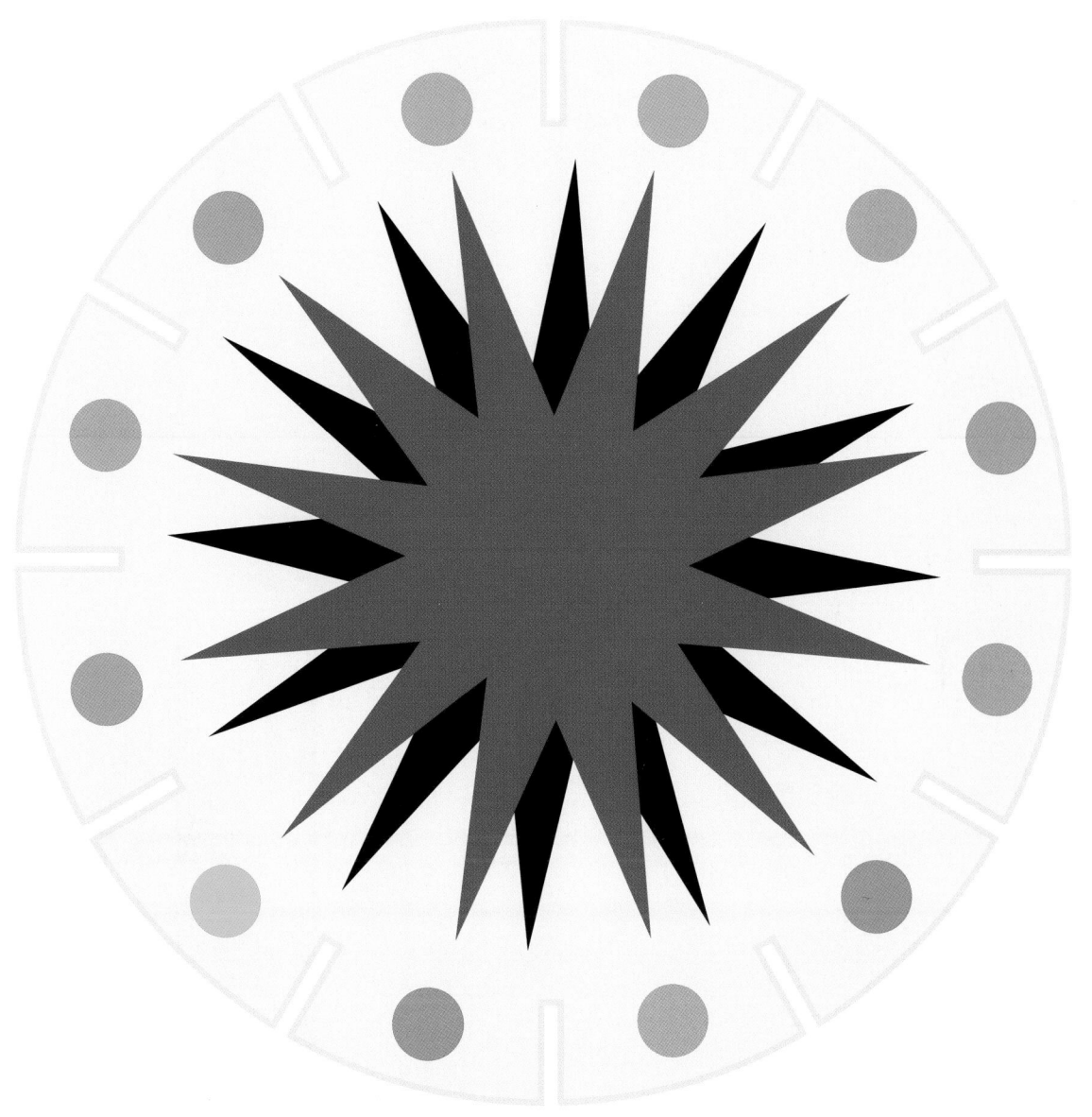

retratos de punto de cruz, página 268-269
(descargar de www.marthastewart.com/kids-crafts-book-extras)

huchas de frascos, página 259

oreja interior

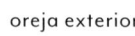

oreja exterior

conejos de papel crepé, página 280

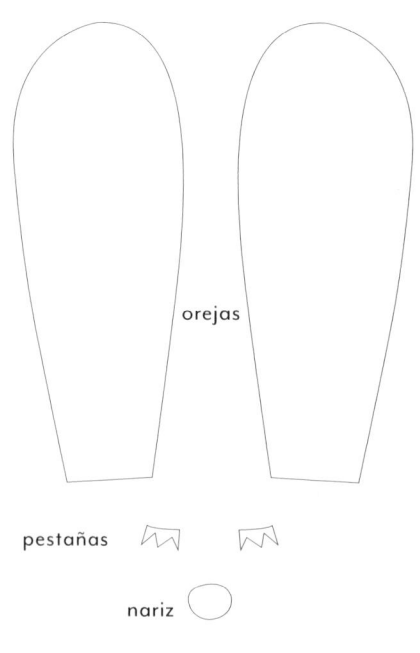

orejas

pestañas

nariz

bolsas de semillas de pollitos, página 282

cuerpo

pico

ala

cohetes de celebración, página 292
(ampliar 287 %)

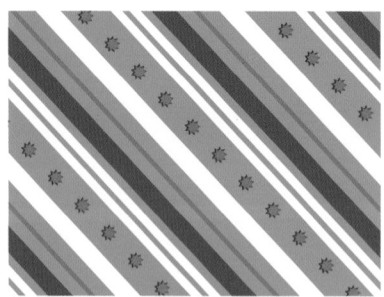

árbol de halloween,
página 294

golosinas macabras, página 298

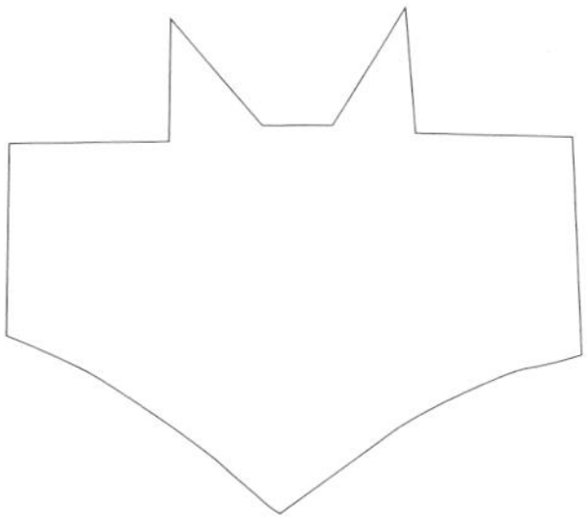

cuerpo de murciélago

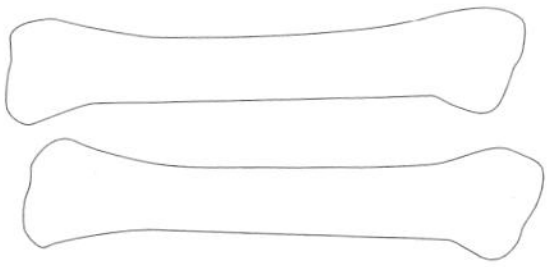

huesos de calavera

calavera

alas de murciélago

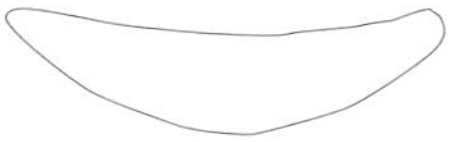

brazos de fantasma

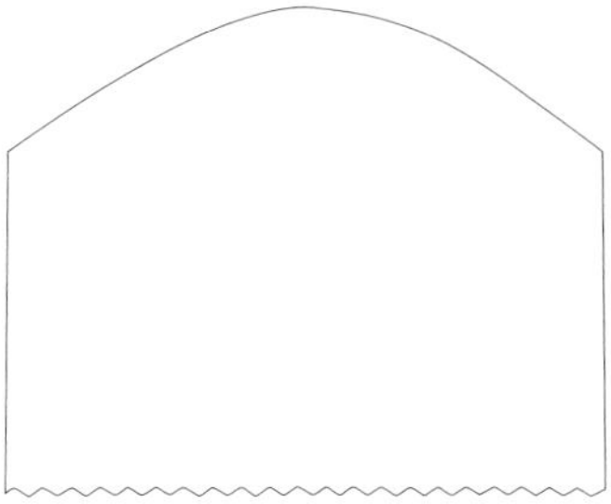

cuerpo de fantasma

pasadores para el pelo, página 310

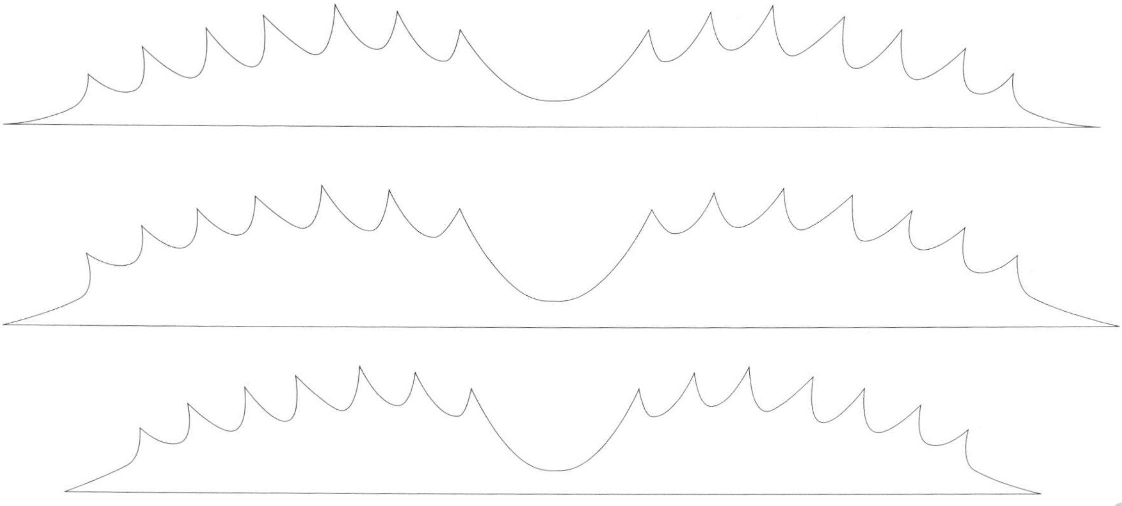

CRÉDITOS FOTOGRÁFICOS

William Abranowicz: 224–229

Antonis Achilleos: 273

Sang An: 22–23, 30, 32–35, 50–55, 66–67, 126, 128 (izquierda), 129, 182–183, 188, 216- 219, 257

James Baigrie: 24, 180, 181 (izquierda), 252, 256, 260–265, 275, 306–307

Harry Bates Illustration: 144–145, 153 (arriba), 155 (arriba), 157 (arriba), 181 (arriba, derecha, abajo a la derecha)

Monica Buck: 176–177, 234–235, 258

Jennifer Causey: 268–271

Susie Cushner: 279, 314–317

Aaron Dyer: 259

Dwight Eschliman: 56–57

Formula Z/S: 65

Laurie Frankel: 139

Dana Gallagher: 142–143

Bryan Gardner: 60, 204, 274, 309, 318 (abajo a la derecha), 319 (lápices de colores, lápices de cera, rotuladores y lápices de grafito), 320 ((témpera, pinceles, pintura acrílica y sellos), 321 (pistola encoladora, cinta adhesiva transparente y cinta de pintor), 323 (todo, excepto limpiapipas), 324 (todo, excepto pompones), 325 (arriba a la izquierda, arriba al medio, arriba a la derecha, tubos de papel de cocina, lata y palitos de helado)

Gentl & Hyers: 6, 36–39, 78–79, 94–95, 136–137, 170–172, 245, 247–249, 255

Thayer Allyson Gowdy: 110–113

Frank Heckers: 205 (derecha)

Raymond Hom: 318 (arriba a la derecha y a la izquierda), 319 (materiales para coser), 320 (arriba a la izquierda), 321 (arriba a la derecha), 322 (papel crepé, origami, abajo a la derecha y a la izquierda), 325 (imperdibles)

Lisa Hubbard: 250, 253, 290–291

Devon Jarvis: 283

John Kernick: 230–231

Yunhee Kim: 87, 289

Sivan Lewin: 40–43

Stephen Lewis: lomo cubierta, 16–21, 26–29, 72–77, 80–85, 88–89, 91–93, 118–123, 138, 210–212, 220–221, 236–241

Kate Mathis: 146–147

Maura McEvoy: 140

Ellie Miller: 296–297

Johnny Miller: 62–63, 132–133, 280, 302–303, 310–311, 318 (perforadora y cúter), 319 (rotulador indeleble), 320 (almohadilla de tinta), 321 (pegamento de barra, cola de manualidades, cinta de doble cara), 322 (papel de seda)

Gregory Nemec Illustration: 90

Amy Neunsinger: 246

Ulla Nyeman: 58–59, 312–313

Con Poulos: 96, 98–99

Tosca Radigonda: 190–193

Manuel Rodriguez: 97

Emily Kate Roemer: 281, 292–293, 299

Hector Sanchez: 298

Lucy Schaeffer: 148–151

Charles Schiller: 158, 160–161, 308

Annie Schlechter: cubierta, contracubierta, 1–5, 9, 10, 12, 14, 44–49, 61, 68, 70–71, 86, 100–103, 124, 130–131, 134–135, 141, 162–163, 174–175, 178–179, 184, 186, 187 (izquierda), 198–200, 201 (dos de arriba), 202–203, 205 (izquierda), 206–208, 214–215, 233, 242, 244, 251, 254, 266, 272, 277, 284–288, 300–301, 304–305, 321 (arriba a la izquierda), 327, 343, 351–352

Tamara Schlesinger: 194–197

Victor Schrager: 104, 106–109, 152, 153 (abajo), 154, 155 (abajo), 156, 157 (abajo), 213, 222–223, 232

Bill Steele: 164–165

Laura Stojanovic: 318 (tijeras y regla), 322 (papel de prensa, cartulina, papel de embalaje), 323 (arriba a la izquierda), 324 (abajo al medio), 325 (lentejuelas, hueveras, tapones de botellas)

Kirsten Strecker: 294–295

Anna Williams: 25, 31, 64, 114–117, 166–169, 276, 278, 282

ÍNDICE

Aa

Abejorro, pompones, 46, 48, 49

Accesorios de cinta adhesiva, 164, 165

Adivinador de papel, 124, 125

Ala delta, aviones de papel, 128

Álbumes escolares, 252

Alfabeto inglés de hojas, 260-265

Amigos limpiapipas, 16-21

    Ardilla, limpiapipas, 17, 20, 21

    Camaleón limpiapipas, 18, 20, 21

    Mono, limpiapipas, 20, 21

    Tigre, limpiapipas, 19, 20, 21

Anemómetro, pronóstico del tiempo, 216, 217

Anillos de origami, 184, 185

Animales de piedra, 26-29

    Caimán, 26, 27

    Mariquitas, 27, 28

    Ranas, 27, 29

    Tortugas, 27, 28

Animales de pinzas, 30

Árbol de Halloween, 294, 295

Ardilla, limpiapipas, 17, 20, 21

Arenas movedizas de maíz, 220, 221

Arte postal, 290-291

Aula, cartón, 101, 102

Autos locos, 110-113

    Bólido de botella, 112

    Bólido de palomitas, 110, 111

    Bólido reconvertido, 113

Aviones de papel, 126-129

    Ala delta, aviones de papel, 128

    Punta chata, aviones de papel, 126, 127

    Soporte, aviones de papel, 129

Bb

Bálsamo labial, 286, 287

Banjo, 109

Barcos de juguete, 80-85

    Lancha motora, 82, 85

    Remolcador, barco, 82, 83

Bingo, 136, 137

Bolas de nieve, 70, 71

Bólido de botella, autos locos, 112

Bólido de palomitas, autos locos, 110, 111

Bólido reconvertido, autos locos, 113

Bolsas con iniciales, 273

Bolsas de asas, 272

Bolsas de caramelos personalizadas, 278

Bolsas de semillas de pollitos, 282, 283

Bolsitas de Halloween, 296, 297

Bolso de punto de hilván, 168-169

Bolsos, fieltro, 168-173

Burbujas gigantes, 214, 215

Cc

Caimán, piedras, 26, 27

Caja acordeón, el, 244

Cajas de cereales-archivadores, 253

Caja de los recuerdos, recuerdos de viaje, 246

Calavera de caramelo, 55

Camaleón, limpiapipas, 18, 20, 21

Camión de ganado, palitos de manualidades, 76, 77

Camisetas teñidas, 190-193

Caniche, conchas, 51, 53

Caramelo de chocolate, pasteles de, 306, 307

Casas de galletas, 96-99

    Cabaña en el bosque, 97, 99

    Casa estilo Tudor, 97, 99

    Chalet alpino, 96

    Con bastones y cintas, 97, 98

    Con pastillas de chocolate, 96, 97

Cerdo, bolsa de papel, 23

Cerdos, huevos, 33, 34, 35

Chanclas salvajes, 202, 203

Chocolatinas de nieve, 300, 301

Cofre del tesoro, 250

Cohete, papel maché, 117

Cohetes de celebración, 292, 293

Collares de papel, 186, 187

Collares y pulseras de cuentas, 188, 189

Conejitos, pompones, 45, 46, 47

Conejos de papel crepé, 280-281

Construye un pequeño mundo, 69

    Barcos de juguete, 80-85. Casas de galletas, 96-99. Pueblo de carpeta, 86. Bolas de nieve, 70, 71. Edificios de cartón, 87. Escena de esquí, 94, 95. Establo diorama, 78-79. Estación de servicio, 88- 93. Interiores de cartón, 100-103. Villapalito, pueblo rural con palitos 72-77.

Corazones plegables, 277

Coronas y coronitas, 198, 199

Crea tu diseño, 159

Accesorios de cinta adhesiva, 164, 165. Anillos de origami, 184, 185. Bolsitas de fieltro, 168-173. Bolso de punto de hilván, 168, 169. Camisetas teñidas, 190-193. Chanclas salvajes, 202, 203. Collares de papel, 186, 187. Collares y pulseras de cuentecillas, 188, 189. Coronas y coronitas. 198, 199. Estampados de patata, 204-207. Fundas para libretas y lápices, 167. Guantes bestiales, 174, 175. Joyas de arcilla, 182, 183. Mochila estarcida, 162, 163. Nudos creativos para cordones, 200, 201. Paraguas pintados, 160, 161. Pasadores de fieltro, 178, 179. Portapañuelos, 166. Pulseras de botones, 176, 177. Pulseras de la amistad, hilo de bordar, 180, 181. Trajes de superhéroes, 194-197

Crea tus personajes, 13

Amigos limpiapipas, 16-21. Animales de piedra, 26-29. Animales de pinzas, 30. Animales de pompones, 44-49. Criaturas de cereal, 67-67. Dibujos de animales rellenos, 40-43. Familia de elfos, piñas de pino, 64, 65. Familia de pingüinos, piñas de pino, 62, 63. Figuras de huevo, 32-35. Figuras de pompones, 44-49. Gatitos de calabaza, 56-57. Globos de granja, 24. Granja de papel, la, 30. Mascotas de colores, 16-21. Monstruos de caramelo, 54-55. Ovejas de bolas de algodón, 25. Paisaje helado, 62. Perro ramital, 31. Personajes de conchas, 50-53. Ratoncitos de fieltro, 61. Ratones de merengue, 58-60. Títeres de dedo, origami, 14-15. Títeres de fieltro, 36-39. Títeres de bolsas de papel, 22-23

Criaturas de cereal, 67, 67

Cristales de sal enormes, 210, 211

Cubículo portátil, 257

Dd

Dale un toque personal, 267

Árbol de Halloween, 294, 295. Arte postal, 290-291. Bálsamo labial, 286, 287. Bolsas con iniciales, 273. Bolsas de asas, 272. Bolsas de caramelos personalizadas, 278. Bolsas de semillas de pollitos, 282, 283. Bolsitas de Halloween, 296, 297. Caramelo de chocolate, pasteles de, 306, 307. Chocolatinas de nieve, 300, 301. Cohetes de celebración, 292, 293. Conejos de papel crepé, 280-281. Corazones plegables, 277. Envoltorios de golosinas, 276. Exfoliante perfumado, 284, 285. Figuras de botones, 314, 316. Figuras de gominolas, 302, 303. Galletas de manitas, 312, 313. Golosinas macabras, 298, 299. Horquillas de botones, 279. Marco de botones, 288. Muñeco de nieve, figuras de botones, 316. Pañuelos con adornos, 308, 309. Papá Noel, figuras de botones, 316. Pasadores para el pelo, 310, 311. Portalápices y portadocumentos, 274-275. Regalos en cajas de cerillas, 304, 305. Reno, figuras de botones, 315. Retratos de punto de cruz, 268-271. Taco de notas, 289. Tarjetas de botones, 317.

Dibujos de animales rellenos, 40-43

Diorama de establo, 78-79

Dioramas de mar, recuerdos de viajes, 248, 249

Dominó de piedras, 138

Ee

Edificios de cartón, 87

Envoltorios de golosinas, 276

Esquiadores, 94, 95

Establo, cartón, 101, 103

Establo, diorama, 78-79

Estación de servicio, 88-93

Bombas y surtidor, 92, 93

Garaje, 88, 90

Túnel de lavado, 91

Establo, diorama, 78-79

Estampados de patata, 204-207

Osito, flor, 204, 205

Peces, 206, 207

Estanterías, 148-151

Puesto de mercado, estanterías, 148, 149

Teatro de títeres, estanterías, 150, 151

Exfoliante perfumado, 284, 285

Experimenta y explora, 209

Arenas movedizas de maíz, 220, 221. Burbujas gigantes, 214, 215. Experimento de gas natural, 222, 223. Fuegos acuáticos, 212. Hojas prensadas, 230, 231. Magia del cine, la, 236-241. Cristales de sal enormes, 210, 211. Pronóstico del tiempo, 216-219. Sistema solar en casa, el, 224-229. Terrario africano, 232, 233. Ventana jardín, la, 234, 235. Xilofón de frascos, 213

Ff

Fabrica juguetes únicos, 105

Adivinador de papel, 124, 125. Rayuela de moqueta, 140. Autos locos, 110-113. Aviones de papel, 126-129. Bingo, 136, 137. Dominó de piedras, 138. Montar y jugar, 148-151. Instrumentos musicales, 106-109. Juegos de bolas y agujeros, 134, 135. Juegos de mesa de playa, 132, 133. Juguetes de latas, 152-157. Máquina de canicas, la 118-123. Muñecos a cuadros, 142-145. Muñecos de mazorca, 146, 147. Pompones de papel, 130, 131. Rompecabezas, 139. Técnicas básicas para coser, 144, 145. Vehículos de papel maché, 114-117. Zancos de elefante, 141

Familia de elfos, piñas de pino, 64, 65

Familia de pingüinos, piñas de pino, 62, 63

Fenaquistiscopio, cine, 238, 239

Figuras de botones, 314, 316

Muñeco de nieve, 316

Papá Noel, 316

Reno, 315

Figuras de gominolas, 302, 303

Figuras de huevo, 32-35

Abejorro, 46, 48, 49

Cerdos, 33, 34, 35

Conejos, 45, 46, 47

Figuras de pompones, 44-49

Gallinas, 33, 34, 35

Lechuzas, 44, 46, 48

Pájaros, 32, 34, 35

Vacas, 33, 34, 35

Flor, estampados de patata, 205

Frascos de recuerdos, recuerdos de viajes, 251

Fuegos acuáticos, 212

Fundas para libretas y lápices, 167

Gg

Galletas de manos, 312, 313

Gallinas, huevos, 33, 34, 35

Gatitos de calabaza, 56, 57

Gato casero, juguetes de latas, 154, 155

Globos de granja, 24

Golosinas macabras, 298, 299

Guantes bestiales, 174, 175

Hh

Heladería, palitos de manualidades, 72-75

Herramientas y materiales, 318-325

Hojas prensadas, 230, 231

Horquillas de botones, 279

Huchas de botellas, 259

Huchas de frascos, 258

Ii

Instrumentos musicales, 106-109

Banjo, 109

Mirlitón, 107

Pandereta, 108

Tambor, 107

Interiores de cartón, 100-103

Aula, 101, 102

Establo, 101, 103

Sala de estar, 100, 101

Jj

Jirafa, conchas, 51, 53

Joyas de arcilla, 182, 183

Juegos de bolas y agujeros, 134, 135

Juegos de tablero de playa, 132, 133

Juguetes de latas, 152-157

Gato, 154, 155

Perro, 152, 153

Ratón, 156, 157

Kk

Koala, conchas, 52, 53

Ll

Lancha motora, 82, 85
Lechuzas, pompones, 44, 46, 48
León, bolsa de papel, 23
Libretas de notas, 255
Libro animado, cine, 240, 241
Libro de anillas, recuerdos
    de viaje, 247

Mm

Magia del cine, la, 236-241
    Fenaquistiscopio, 238-239
    Libro animado, 240, 241
    Taumotropo, 236, 237
Máquina de canicas, 118-123
Marco de botones, 288
Mariquitas, piedras, 27, 28
Merengue, ratones de, 60
Miniálbum de recortes, 245
Minicajitas, 256
Mirlitón, 107
Mochilas estarcidas, 162, 163
Mono, limpiapipas, 20, 21
Monstruos de caramelo, 54-55
    Calavera de caramelo, 55
    Monstruo de caramelo, 55

Muñecos a cuadros, 142-145
Muñeco de nieve, figuras de botones,
    316
Muñecos de mazorca, 146, 147

Nn

Nudos creativos para cordones,
    200, 201

Oo

Osito, estampados de patata, 204,
    205
Ovejas de bolas de algodón, 25
Ovni, papel maché, 115, 117

Pp

Pájaros, huevos, 32, 34, 35
Pandereta, 108
Pañuelos con adornos, 308, 309
Papá Noel, figuras de botones, 316
Paraguas pintados, 160, 161
Pasadores para el pelo, 310, 311
Pavo, conchas, 51, 53
Peces, estampados de patata, 206,
    207
Perro ramita, el, 31
Perro, bolsa de papel, 23
Perro, juguetes de latas, 152, 153

Personajes de conchas, 50-53
    Caniche, conchas, 51, 53
    Jirafa, conchas, 51, 53
    Koala, conchas, 52, 53
    Pavo, conchas, 51, 53
Plantillas. 328
Platillos voladores, 115, 117
Pompones de papel, 130, 131
Portalápices y portadocumentos,
    274-275
Portapañuelos, 166
Pronóstico del tiempo, 216-219
Pueblo de carpeta, 86
Pueblo rural con palitos, Villapalito
    72-77
Puesto de mercado, montar y jugar,
    148, 149
Pulseras de botones, 176, 177
Pulseras de la amistad, hilo de bordar,
    180, 181
Punta chata, aviones de papel, 126,
    127

Rr

Ranas, piedras, 27, 29
Ratón, juguetes de latas, 156, 157
Ratoncitos de fieltro, 61
Ratones de merengue, 58-60
Rayuela de moqueta, 140
Recuerdos de viajes, 246-251
    Caja de los recuerdos, la, 246
    Libro de anillas, 247

Regalos en cajas de cerillas, 304, 305

Remolcador, barco, 82, 83

Reno, figuras de botones, 315

Retratos de punto de cruz, 268-271

Reúne tus tesoros, 243-265

Álbumes escolares, 252. Alfabeto inglés de hojas, 260-265. Caja acordeón, 244. Cajas de cereales-archivadores, 253. Caja de los recuerdos, la, 246. Cofre del tesoro, 250. Cubículo portátil, 257. Dioramas de mar, recuerdos de viajes, 248, 249. Frascos expositores, recuerdos de viajes, 251. Huchas de botellas, 259. Huchas de frascos, 258 Caja de los recuerdos, recuerdos de viaje, 246. Libretas de notas, 255. Libro de anillas, recuerdos de viaje, 247. Miniálbum de recortes, 245. Minicajitas, 256. Tablero sin chinchetas, 254

Rompecabezas, 139

Ss

Sala de estar, cartón, 100, 101

Sistema solar en casa, el, 224-229

Soporte, aviones de papel, 129

Tt

Tablero sin chinchetas, 254

Taco de notas, 289

Tambor, 107

Tarjetas de botones, 317

Taumotropo, cine, 236, 237

Teatro de títeres, montar y jugar, 150, 151

Técnicas básicas para coser, 144, 145

Terrario africano, 232, 233

Tiendas recomendadas. 326

Tigre, limpiapipas, 19, 20, 21

Títeres de dedo, origami, 14-15

Títeres de fieltro, 36-39

Títeres de papel, 22-23

Tortugas, piedras, 27, 28

Trajes de superhéroes, 194-197

Túnel de lavado, estación de servicio, 91

Vv

Vacas, huevos, 33, 34, 35

Vehículos de papel maché, 114-117

Cohete, 117

Ovni, 117

Veleta, pronóstico del tiempo, 218, 219

Ventana jardín, la, 234, 235

Villapalito, pueblo rural con palitos 72-77

Camión de ganado, 76, 77

Heladería, 72-75

Xx

Xilofón de cristal, 213

Zz

Zancos de elefante, 141

ACERCA
DE LA AUTORA

Martha Stewart es la experta en estilos
de vida más acreditada en Estados Unidos
(un icono de estilo de vida y tendencias en
Estados Unidos. Tiene su propio show
en televisión. Es profesora y ha publicado
más de setenta y cinco libros. Su empresa
Martha Stewart Living Omnimedia
publica las revistas *Martha Stewart Living*
y *Marta Stewart Weddings*, y tiene una
presencia cada vez mayor en el mercado
minorista de productos artesanales,
con 8.500 unidades a la venta en miles de
tiendas, incluyendo la gama completa
de productos en Michaels y Jo-Ann Fabric
and Craft Stores. A Martha le encanta
pasar el tiempo con sus dos nietos y
siempre espera el momento de reunirse
con ellos para realizar manualidades
durante horas.

www.marthastewart.com